व्यास नदी की व्यथा

व्यास नदी की व्यथा

ज्ञानपीठ पुरस्कार से सम्मानित प्रख्यात कथाकार
प्रतिभा राय की इक्कीस कहानियाँ

प्रतिभा राय

प्रलेक प्रकाशन प्रा. लि.
Pralek Prakashan Pvt. Ltd.
in Associaton with JVP Publication Pvt. Ltd.

ISBN : 978-93-90916-03-0

पहला पेपरबैक संस्करण : मार्च 2021

प्रकाशक :
प्रलेक प्रकाशन प्राइवेट लिमिटेड
PRALEK PRAKASHAN PVT. LTD.

वितरक :
जेवीपी पब्लिकेशन प्राइवेट लिमिटेड
JVP PUBLICATION PVT. LTD.
602, आई-3, ग्लोबल सिटी
विरार (वेस्ट), मुम्बई, महाराष्ट्र-401303
दूरभाष : 9833402902 / 7021263557
Email : pralek.prakashan@gmail.com
Website : www.pralekprakashan.com

व्यास नदी की व्यथा : प्रतिभा राय
Vyaas Nadee Kee Vyatha: Pratibha Ray

आवरण : जेवीपी पब्लिकेशन प्रा. लि.
पुस्तक सज्जा : प्रलेक प्रकाशन प्रा. लि.

(लेखक परिचय)

डॉ. प्रतिभा राय

डॉ. प्रतिभा राय ने रेवेंशा कॉलेज, कटक से विज्ञान में स्नातक किया। स्नातकोत्तर एवं पी-एच.डी. हेतु शिक्षा शास्त्र उनके अध्ययन का क्षेत्र रहा। कई वर्षों तक रेवेंशा कॉलेज में अध्यापन। ओड़िशा लोक सेवा आयोग की सदस्या रहीं।

अब तक 24 उपन्यास और 28 कहानी-संग्रहों सहित कविता, जीवनी, यात्रा-वृत्तांत एवं निबंध की अनेक पुस्तकें प्रकाशित। अंग्रेजी, हिन्दी, हंगेरियन एवं अनेक भारतीय भाषाओं में कृतियों के अनुवाद हो चुके हैं। अनेक देशों की यात्राएँ कर चुकी हैं।

ज्ञानपीठ पुरस्कार (2011), पद्मश्री (2007), मूर्तिदेवी पुरस्कार, केन्द्रीय साहित्य अकादमी पुरस्कार, ओड़िआ साहित्य अकादमी पुरस्कार, अमृत कीर्ति पुरस्कार, विषुब पुरस्कार, कथा पुरस्कार, सारला पुरस्कार एवं कथा भारती उपाधि आदि अनेक पुरस्कार व सम्मान प्राप्त कर चुकी हैं।

संप्रति : स्वतंत्र लेखन

email: pratibha_ray@yahoo.com

(अनुवादक परिचय)

डॉ. राजेंद्र प्रसाद मिश्र

जन्म रायरंगपुर, मयूरभंज, ओड़िशा।

एम.ए. (हिन्दी) व पी-एच.डी., जे.एन.यू., नई दिल्ली

जवाहर नेहरू विश्वविद्यालय, नई दिल्ली में ऐसासिएट प्रोफेसर, विश्व हिन्दी सचिवालय-मॉरीशस में महासचिव, एन.टी.पी.सी. लिमिटेड में महाप्रबंधक (राजभाषा) एवं महात्मा गाँधी अंतरराष्ट्रीय हिन्दी विश्वविद्यालय, वर्धा में कुलसचिव के पदों पर कार्यरत रहे डॉ. मिश्र अब तक ओड़िआ भाषा से हिन्दी में 94 पुस्तकों का अनुवाद कर चुके हैं।

अनुवाद के माध्यम से हिन्दी को समृद्ध करने के लिए डॉ. मिश्र को केन्द्रीय साहित्य अकादमी, अनुवाद पुरस्कार (1988) एवं विश्व हिन्दी सम्मान, जोहांसबर्ग (2012) सहित लगभग बीस अन्य पुरस्कारों से सम्मानित किया गया है।

email: rm1020910@gmail.com

मोबाइल-9650990245

अनुक्रम

भद्र पुरुष

अनचीन्हे अक्षरों की चिट्ठी अनजान कुतूहल से हर काल में मन को हुलसित करती है। किंतु उस चिट्ठी को पढ़कर खत्म करते ही शुभदा उदास हो गई थी। कैशोर के सपनों की तरह सुदूर समय की धारा से धुलकर वे अक्षर अनचीन्हे हो जाने पर भी चिट्ठी के अंत में लिखा वह नाम अपने गाँव के आकाश के चाँद की तरह उज्ज्वल, स्निग्ध और अनभूले स्मृतिपटल पर टिमटिमाता रहता है।

हाय! वे यहाँ तक आए थे और बाहर से ही लौट गए? एक बार नहीं, चार-चार बार? शुभदा के बंगले के चारों ओर पहरा देनेवाले अति विश्वासी और कर्त्तव्यनिष्ठ द्वारपाल व अंगरक्षकों ने उन्हें बाहर से ही टरका दिया। क्या शुभदा उन्हें दंड दे? लेकिन उन लोगों ने तो शुभदा के ही निर्देशों का सख्ती से पालन किया है।

आज कल उनका काफी समय यों ही बर्बाद हो जाता है। पद पर आसीन पति से लोगों की सिफारिश करने एवं अनुग्रह प्राप्त करने के लिए मानों शुभदा ही एकमात्र भरोसेमंद जरिया थी। इसी वजह से अनेक सांस्कृतिक संगठनों, समाजसेवी संस्थाओं, क्लब, महिला समितियों, पत्र-पत्रिकाओं, सभा समितियों और सांस्कृतिक समारोहों में पधारने एवं सलाहकार बनने या कार्यकारी समितियों की सदस्या बनने के लिए उस पर दबाव डालते रहते हैं। उसमें न जाने कौन-कौन-सी प्रतिभाएँ ढूँढ़कर कभी-कभी उसे परेशान तक कर देते हैं। इसीलिए शुभदा का साफ-साफ निर्देश है कि किसी आदमी को जाँच-परखकर ही गेट से अंदर आने देना या बाहर ही से टरका देना। स्कूल में पढ़नेवाले शुभदा के बेटा-बेटियाँ भी समझ गए हैं कि कौन-सा व्यक्ति ड्राइंग-रूम में बिठाने योग्य हैं, किसे बाहर इंतजार कराना है, किसे गेट से ही टरका देना उचित है। इसी गणना के अनुसार वे लोग फोन पर उत्तर देना सीख चुके थे। बच्चे भी

अपनी बुद्धि खटाकर फोन पर उत्तर देना सीख चुके हैं। बच्चे अपने दिमाग से झूठ-सच कहते समय कभी-कभी शुभदा को खराब भी लगता कि माँ से ही उसके बच्चे झूठ कहने की तालीम ले रहे हैं। लेकिन सारा कुछ सच-सच कहने से ढेरों झमेलों में फँसना पड़ता है। आज कल अपने घर की बजाय अन्य लोगों के बैठकखाने में समय बिताने में अधिक आनंद मिलता है कुछ न करनेवाले, परंतु अपनी कार्यव्यस्तता दिखाकर दौड़-धूप करनेवाले भद्र पुरुषों को।

इस वजह से आखिरकार उन्हीं को लौट जाना पड़ा गेट के बाहर से! काश! एक बार आकर शुभदा से पूछ गए होते, वे कौन हैं- उन्हें अंदर बुलाना उचित होगा या नहीं!

उस दिन शुभदा पूरे दिन एक अव्यक्त वेदना से कलपती रहीं और नाहक ही सब पर चिड़चिड़ाती रहीं। आखिरी बार वे पिछले बुधवार की सुबह यहाँ तक आकर लौट गए, ऐसा पत्र में लिखा है। शायद सुबह शुभदा कहीं गई थी। शुभदा को याद आया कि उस दिन पूरी सुबह वह घर पर ही थी।

तो फिर वे लौट क्यों गए? शुभदा ने एक-एक करके सबसे पूछा- क्या उस दिन कोई भद्र पुरुष उनसे मिलने आए थे?

सबने याद करके कहा था- नहीं, उस दिन सुबह कोई भी भद्र पुरुष शुभदा से मिलने नहीं आए थे। जो लोग शुभदा से मिले बिना ही लौट गए, शुभदा ने उनसे मिलना ही नहीं चाहा, इसलिए उन्हें गेट से ही लौटा दिया गया। ऐसा तो हर रोज होता है। कुछ लोग बैठकखाने में बैठते हैं। कुछ बाहर से ही लौट जाते हैं। उस दिन किसी के लौट जाने से शुभदा आज इतनी परेशान क्यों हैं? एक बार नहीं, बल्कि चार बार वे शुभदा के फाटक के बाहर से लौट गए हैं, यह सोचते ही एक गहरा अपराधबोध शुभदा के सीने में अजगर-सा लिपट कर कुंडली मार लेता था...उसे घुटन से अस्थिर कर देता था।

उसकी इस भावुकता को समझनेवाला इस घर में कोई नहीं था। इस तरह की बात ऊँचे पद पर बैठे पति से कहकर उनका समय बर्बाद नहीं किया जा सकता- बच्चे यह बात सुनकर हँसकर उड़ा देंगे। शुभदा किसे यह समझाए कि जो बार-बार आकर उनके आवास से लौट गए हैं, वे उसके हृदय में एक अरसे से आसन जमाए बैठे हैं।

फिर से चिट्ठी पढ़ी शुभदा ने। इस बार अक्षर पहचाने हुए से थे- सारी बातें मानों उसके हृदय के अंतस से निकलकर बाहर आ रही थीं।

लिखा था- बेटी शुभदा;

प्रभु जगन्नाथ की कृपा से सदा सुखी रहो- तुम्हारे सारे सुखद समाचार,

तुम्हारे पति की यश-ख्याति, तुम्हारे बच्चों के कृतित्व, सारी खबरें मैं जानता हूँ और खुश रहता हूँ। अब मेरा शरीर साथ नहीं दे रहा- फिर भी मैं चार-चार बार गया सिर्फ तुमसे मिलने। एक बार तुम बाहर गई थी, दूसरी बार तुम पूजा में बैठी थी, उसके अगली बार बैठका में भद्रलोग होने के कारण तुम व्यस्त थी। आखिरी बार जब गया तुम नहान घर में थी। मैं इंतजार करने को तैयार था। मगर तुम्हारे लोगों ने कहा- गेट के आगे से हट जाओ- साहब आनेवाले हैं। दौरे पर गए हैं चार दिनों से, आज लौटेंगे। बाहरी दीवार के आखिरी सिरे पर एक पहर खड़ा रहा। तुम बाहर आई ही नहीं। तुम्हारे पति लौट आए। बड़े दयालु स्वभाव के हैं। उनका मन आसमान जितना ऊँचा है, धरती-सा खुला और उदार है। मुझ पर उनकी निगाह पड़ते ही जरा रुक गए। जेब से दो का नोट निकालकर मेरी ओर बढ़ा दिया- लो बाबा। इतनी कड़ी धूप में क्यों खड़े हो?

चलो, जाओ अब-

उन्होंने मुझे भिखारी समझा, इसका मुझे जरा भी दुख नहीं हुआ। मेरा रूप और पहनावा तो वैसा ही था। बल्कि मुझे खुशी हुई उनकी दानशीलता देखकर। दो रुपए मैंने उनसे ले लिए। वरना उनका मन खराब हो जाता। उनके चले जाने के बाद मैंने वे दो रुपए दे दिए सड़क पर जा रही एक बूढ़ी भिखारिन को। भला सड़क पर भिखमंगों का अभाव कहाँ है कि-

तुम्हारे पास गया था एक नितांत जरूरी काम से। कब मर जाऊँ, कौन जाने? एक पैर समझ लो श्मशान में रख चुका हूँ। इकलौता बेटा जो इंटर में फेल होने के बाद पढ़ाई छोड़ चुका है, अब बेकार है- मेरे पास कोई चारा नहीं है। तुम मदद करोगी, इसी उम्मीद से गया था चार बार। ईश्वर की मर्जी नहीं थी, कैसे होती तुमसे मुलाकात? गाँव से एक बार भुवनेश्वर जाने में पंद्रह रुपए खर्च होते हैं। अब मुझमें शक्ति नहीं बची- सामर्थ्य भी नहीं। तुम्हारा जवाब आने के बाद ही कुछ करूँगा- अकर्मण्य होने के कारण तुमसे मदद माँगने गया था। बुरा मत मानना।

इति,

मास्टर जी

समय के पहिया के नीचे घिस चुकी एक धुँधली-सी मूर्ति आँखों के आगे साफ दिख रही है। जगन्नाथ जी की चतुर्धा मूर्ति-सी एक श्यामल-सी विशाल मूर्ति। गोल सिर, गोल-मटोल चेहरा, बड़ी-बड़ी गहरी आँखें, मोटी तोंद, खंभों की तरह मजबूत हाथ-पैर। इन सबको एक साथ मिलाने पर बन जाएँगे नारण मास्टर। आँखें बंद करके उस रूप को याद करने से दिख जाएगा जगन्नाथ

प्रभु का रूप। मन में भय नहीं, भक्ति भर जाएगी, श्रद्धा उतराने लगेगी।

पद्मासन पर बैठने की तरह पलथी मारकर बैठते हैं वे। खड़िया पाटी पूजने के बाद अपनी बाँईं जाँघ पर शुभदा को बिठाकर पढ़ाना शुरू किया था उन्होंने। ब्रह्मा, विष्णु, महेश लिखकर अक्षर सिखाया था। कहानी सुना-सुना के, लाड़ कर-करके, गुदगुदी करके हँसा-हँसाकर नारण मास्टर चंचल बच्चों को पढ़ाते हैं। मरे हुए काउचिया साँप जैसी एक पतली-सी छड़ी निर्जीव सी पड़ी रहती दूर। कभी जरूरत नहीं पड़ती उसकी। बच्चे नारण मास्टर से डरते नहीं थे, उन्हें चाहते थे। उनका अपमान नहीं करते थे, सम्मान करते थे।

स्कूल के रजिस्टर में नाम लिखते समय 'शुभलक्ष्मी' की जगह 'शुभदा' लिख दिया था नारण मास्टर ने। कहा था- हमारे तीन भगवान जगन्नाथ, बलभद्र और सुभद्रा हैं। तीन अक्षर शुभ होते हैं। 'शुभदा' सिर्फ लक्ष्मी नहीं बनेगी, सरस्वती भी बनेगी। सबके लिए शुभदायिनी होगी। पिताजी खुश हुए थे। उसी दिन से वह शुभलक्ष्मी के बदले शुभदा बन गई। बड़ी होने के बाद शुभलक्ष्मी की अपेक्षा शुभदा नाम उसे अच्छा लगा था। स्कूल के रजिस्टर में नाम लिखते समय जन्म-कुंडली में लिखे अधिकांश नाम नारण मास्टर जी के कलम से बदल जाया करते थे। बड़े होने के बाद वही नाम सभी बच्चों को अच्छा लगता है, जिस तरह सभी बच्चों को अच्छे लगते हैं, नारण मास्टर, दूसरे मास्टरों से।

शुभदा अपने पिता की लाडली थी। प्यार-दुलार न मिले तो वह किसीके वश में नहीं आती। यदि माँ कभी गुस्से में पीट दे तो पिता के न आने तक अपनी सिसकियाँ लहरा-लहराकर रोया करती शुभदा। पिता को देखते ही कच्चे पपीते में पत्थर की चोट से दूध झरने की तरह फिर से उसके आँसू झरने लग जाते। भूल चुकी मार की जलन मिर्ची पीसे हाथ की तरह फिर से शुरू हो जाएगी। पिता उसकी पीठ सहला देंगे। बिना कारण क्यों रानी बिटिया को मारती-डाँटती हो कहकर माँ पर जरा-सा बनावटी गुस्सा दिखाएँगे। बस्, आग में पानी गिरने की तरह शुभदा थप्प से रोना बंद कर देगी। होंठों पर मुस्कान की बिजली पसारते हुए माँ के आँचल में चेहरा छुपा लेगी। बोलेगी, 'माँ, पिताजी तुमको नाहक ही क्यों डाँटते हैं- तुम बिल्कुल बुरा मत मानना। मेरी प्यारी-प्यारी माँ जो हो।'

शुभदा यों ही किसी की खरी-खोटी नहीं सहेगी, ना ही किसी का दिल दुखाना बर्दास्त करेगी। छुईमुई-सा मक्खन वाला मन है उसका। छूते ही निशान पड़ जाता है। यह बात नारण मास्टर जी को मालूम है, लाल आँखें दिखाकर शुभदा को पढ़ाया नहीं जा सकता। क्योंकि रो-रोकर शुभदा की आँखें मास्टर जी की आँखों से भी अधिक लाल हो जातीं। पीठ थपथपाकर 'शाबाश' कहते ही

शुभदा पाठ केवल पढ़ती ही नहीं बल्कि पी जाती। मास्टर जी बच्चों की नाड़ी-नक्षत्र देखकर पढ़ाते हैं। किस दवा से किसे फायदा होता है, किस मंत्र से कौन वश में रहता है, यह बात नारण मास्टर जी दैव-विधाता की तरह न जाने कैसे जान लेते हैं?

शुभदा निरी डरपोक है। अनजान आदमी, गाँव की अनजान सड़क, कुत्ता, बिल्ली, बंदर, मरघट के खेत, नाले पर लकड़ी के पुल, चिलचिलाती धूप और घने पेड़ों के नीचे की अंधेरी परछाईं सभी उसे डराते हैं। जिन दिनों सुबह का स्कूल होता है, उन दिनों स्कूल की छुट्टी होने पर उसे डर न लगनेवाली सड़क तक छोड़ आने के लिए नारण मास्टर जी कुछ दूर उसके साथ चले जाते।

स्कूल के पास ही बूढ़े पीर की मज़ार है। जटाधारी बरगद की उलझी हुई जड़ें ब्रह्म राक्षस के हाथ की तरह नीचे की ओर बढ़े होते हैं, मानों धरती की आँतें फाड़ने के लिए। पेड़ के छोर से झुंड के झुंड बंदर नीचे उतरकर बीच रास्ते में बैठकर खिंखारते हुए दौड़ाते हैं आने-जाने वालों को। मज़ार के दोनों ओर के रास्तों के किनारे कब्रिस्तान है। यही रास्ता शुभदा को यमपुरी की तरह भयावह लगता है। नारण मास्टर जी शुभदा का हाथ पकड़कर मजेदार कहानी सुनाते हुए उतना रास्ता पार कर जाते हैं। उसके बाद अस्पताल। वहाँ भी भरी दुपहरी में शुभदा की राह तक कर बैठा होता है डर। मुर्दों और रोगियों की बातें ठीक वहीं याद आती हैं। शुभदा को इनसे बहुत डर लगता है। अस्पताल पार करने के बाद नाले तक रास्ते से सटे खड़े हैं हरे धान के लहलहाते खेत। वे भी डराते हैं शुभदा को। यदि हरे धान की लहरें हाथ बढ़ाकर शुभदा के नन्हें-नन्हें पैर खींच ले जाएँ, और वहाँ यदि मेढ़क, केंकड़ा या मगरमच्छ के बच्चे हुए तो शुभदा क्या करेगी?

नारण मास्टर जी नंगे पैर गर्म रेत पर डग बढ़ाते हुए कहते- चल, नाले की बाँध पर चढ़ाकर लौट आऊँगा। नाले की बाँध पर चढ़ जाने के बाद शुभदा का साहस लौट आता। लकड़ी के पुल के उस पार उसके गाँव का उन दिनों का छोटा-सा बाजार दादी माँ की गोद की तरह उसे सुकून देता। परंतु पुल पार करने के बाद ही तो बाजार आएगा। नारण मास्टर जी हाथ पकड़कर लकड़ी का टूटा-फूटा पुल पार करा देते हैं।

पुल पार करने के बाद शुभदा कहती- मास्टर जी, अब मैं चली जाऊँगी। घर दिखने लगा है। अब डर नहीं। नारण मास्टर जी उसी तरह चलते हुए सिर हिलाकर कहते उँहूँ, बाजार पार करा दूँ, मोटर गाड़ी दिन में तीन बार जो आती-जाती हैं। कहीं अचानक न आ जाए मोटर गाड़ी।

शुभदा जानती है, नारण मास्टर जी भी जानते हैं कि दिन में सिर्फ तीन

बार आने-जाने वाली मोटर गाड़ी उस समय न तो अचानक आएगी और न जाएगी। उसका एक निश्चित समय है। फिर भी नारण मास्टर जी बाजार पार करने तक उसके साथ आते हैं। शुभदा के मकान की बाड़ी की चारदीवारी बाजार तक पसरी है। वहीं फाटक के पास खड़े हो जाते हैं नारण मास्टर जी, कहते हैं जा, अब चली जा।

फाटक के पास से घर तक सीधे रास्ते पर शुभदा फुदकती हुए चली जाती। उसका मन करता कि वह मास्टर जी को घर बुलाती और उसकी माँ मास्टर जी को लस्सी पिलाती, या फिर बाध्य करती खाना खाने को। लेकिन वह जानती है कि नारण मास्टर जी नहाएंगे, ठाकुर जी की पूजा करेंगे, तब जाकर खाना खाएंगे। बिना नहाए वे चाय और पान के सिवाय और कुछ नहीं लेते।

शुभदा घर में घुसने तक नारण मास्टर जी धूप में उसी तरह खड़े रहते हैं। खाना खाते समय शुभदा सोचती कि नारण मास्टर जी बिना नहाए धोये, भूखे-प्यासे, किस उम्मीद में उसके साथ रोजाना धूप में इतनी दूर चलते हैं? नारण मास्टर जी ने मुँह खोलकर कभी भी अपने अभाव-असुविधा की बात किसी अभिभावक के आगे नहीं की। पढ़ाई में कमजोर बच्चों को छुट्टी के बाद एक घंटा अधिक पढ़ाते हैं, फिर भी उनके माँ-बाप से उसके लिए कोई तनख्वाह नहीं लेते। अपनी इच्छा से वे विद्यादान करते हैं, स्नेह दान करते हैं। उसका मूल्य क्या इतना कम है कि वे हाथ पसारकर ले लेंगे। नारण मास्टर जी हमेशा कहते हैं- तेरे पिताजी तुझे लक्ष्मी मैया की शरण में रखना चाहते हैं, किंतु मैं तुझे सरस्वती के रूप में देखना चाहता हूँ। पढ़ाई में मन लगाएगी तो तू सरस्वती बनकर निखरेगी, हमारे इलाके का नाम रौशन करेगी। अध्यापिका शुभदा आज जो भी कुछ बन पाई है, जहाँ तक पहुँच पाई है, उसमें नारण मास्टर जी की अहम भूमिका रही है, यह बात शुभदा अच्छी तरह जानती है। नारण मास्टर जी की गोद में बैठकर पढ़ाई करते समय का स्मरण करने पर नारण मास्टर जी का चेहरा प्रभु जगन्नाथ जी के चेहरे-सा उसके मन में उभर आता। शुभदा भक्तिभाव से हृदय से उन्हें प्रणाम करती। वह सोचती है कि जगन्नाथ जी को प्रणाम करने से नारण मास्टर जी को ही मिलता है 'गुरु ब्रह्मा, गुरु विष्णु, गुरुदेव महेश्वर' मानों नारण मास्टर जी के लिए ही लिखा गया है।

वही नारण मास्टर जी उसके दरवाज़े पर कैसी मदद के लिए चार बार आकर लौट गए? विभिन्न क्षेत्रों में मदद के लिए शुभदा के पास बंधु-बांधव, जाने-पहचाने लोगों का आना कोई विचित्र बात नहीं थी। आपसी मदद और सहयोग से यह दुनियाँ चलती है। जरूरत पड़ने पर शुभदा भी किसी से भले ही

दो शब्दों की क्यों न हो, मदद माँगती हैं। किंतु नारण मास्टर जी का इस उम्र में गाँव से चार बार भुवनेश्वर आकर शुभदा के आगे हाथ पसारना जितना विस्मयकारी था, उतना ही पीड़ादायक भी। शायद अभाव में स्वभाव बदल जानेवाली बात सच है। कारण, नारण मास्टर जी बूढ़े हैं, काफी दिनों से कुछ कमाई भी नहीं है उनकी, बेटा नालायक है, बेरोजगार है। नारण मास्टर जी पर बोझ है। शायद बेटे को किसी नौकरी पर रखवाने या कुछ रुपए उधार लेकर बेटे को किसी व्यवसाय में लगाना उनका उद्देश्य है। अपनी शक्ति-सामर्थ्य में हो तो ऐसी थोड़ी-बहुत मदद शुभदा ने काफी की है। इस संबंध में शुभदा के मित्र जितने हैं, उससे अधिक शत्रु हैं। क्योंकि हर वक्त सबकी मदद नहीं की जा सकती। शक्ति के अधीन की बात हो तो दूसरों की यथासाध्य सहायता करने की आंतरिक मनोवृत्ति शुभदा का मातृदत्त गुण है। उसके चलते कभी-कभी अच्छी-खासी दिक्कतों का सामना भी करना पड़ता है उसे। आज कल शुभदा भी दूसरों की मदद करने से झिझकती है...पति और बच्चे तो शुभदा से सिर्फ इसीलिए नाराज भी रहते हैं।

भारी मन लिए शुभदा ने सोचा, अहा! नारण मास्टर जी ने उससे सहायता माँगकर खुद को क्यों छोटा कर लिया? आज कल कोई उसके पास सहायता माँगने आने पर सबका, यहाँ तक कि शुभदा का मन भी खराब हो जाता। जिसे मदद मिल जाती वह शुभदा का निंदक और काम पड़ने पर शत्रु बन जाता। वैसे यदि दिक्कत न होती तो नारण मास्टर जी किसी के आगे हाथ पसारने वाले नहीं हैं। शुभदा काफी परेशान थी उनसे मुलाकात न होने की वजह से। गुस्से में सबको डाँट रही थी। अंत में पता चला कि छोटे बेटे ने ही उन्हें टरका दिया था। भला उसका भी क्या दोष? उस दिन शुभदा ने नहानघर में घुसकर पानी का नल खोल रखा था। छोटे बेटे ने दरवाजा खटखटा कर आवाज दी थी- 'माँ, कोई मिलने आए हैं।'

'कौन?' पानी गिरने की आवाज को दबाकर ऊँचे स्वर में शुभदा ने पूछा।

'नहीं जानता।'- छोटे बेटे ने और भी ऊँची आवाज में कहा। शुभदा ने खीझकर चिल्लाया, 'पूछ उनसे कौन हैं- मुझसे क्या चाहिए।'

बेटे ने झल्लाकर कहा, 'पूछने पर कह रहे हैं कि माँ को बुलाओ। तुम बच्चे हो। मैं कौन हूँ, तुम कैसे समझोगे?'

चेहरे पर साबुन लगाते समय शुभदा की आँखों में साबुन चला गया। आँखों में जितनी जलन हुई, शुभदा ने उतना ही चिड़चिड़ाते हुए सोचा- 'सुबह-सुबह जरूर कोई हित-शत्रु आया है। ऐसा जवाब तो वे ही लोग देते हैं।'

शुभदा ने अंदर से ही पूछा- 'क्या कोई भद्र पुरुष हैं?'

'नहीं-नहीं- ऐसे ही कोई ऐरा गैरा लग रहा है। भद्र पुरुष तो बिल्कुल ही नहीं', बेटे ने तुरंत जवाब दिया।

इस बार शुभदा ने खीझकर चिल्लाते हुए कहा, 'तो सीधे-सीधे कह दे उनसे- माँ नहानघर में हैं- देर लगेगी। बाद में आइए। मुझे खिझा क्यों रहा है? छुट्टी के दिन भी इंसान जरा ठीक से नहा तक नहीं पा रहा। एक बार बोल तो दिया, यदि भद्र पुरुष हैं तो ड्राइंग-रूम में बिठा, वरना गेट से ही बिदा कर दे।'

शुभदा ने जोर से नल खोल दिया और सिर ठंडा होने तक सिर धोती रही। छोटे बेटे ने गेट के बाहर से ही बुढ़ऊ को टरका दिया।

सबकुछ सुनने के बाद शुभदा ने दबी हुई खीझ से गुनुर-गुनुर करते हुए कहा- 'बच्चों ने पढ़ाई जरूर की है, पर समझ नहीं पाते भद्र पुरुष कौन है? हँह- नारण मास्टर जी यदि भद्र पुरुष नहीं हैं तो इस दुनियाँ में कोई भी भद्र पुरुष नहीं हो सकता।' छोटा बेटा माँ को कुछ बताए बिना सोच रहा था- भद्र पुरुष देखने में कैसे लगते हैं, तुम कैसे पहचानोगे? तुम जिन लोगों को भद्र पुरुष समझकर बैठकखाने में बिठाते हो, सभी कुछ न कुछ नीतिविरुद्ध काम करवाने के लिए बैठकखाने में इंतजार करते हैं! कोई आया होता है शुभदा के पास बेटा-बेटी की परीक्षा के रोल नंबर लेकर परीक्षा में नंबर बढ़वाने, कोई आया होता है पिता जी की खुशामद करके कुछ अनुचित लाभ उठाने। सभी किसी न किसी रूप में भ्रष्टाचार का मुखौटा पहने होते हैं। अभद्र ही कहा जा सकता है उन्हें।

आमने-सामने उसने माँ से पूछा- कैसे पता चलेगा कौन भद्र पुरुष है? पहनावे से तो फटीचर बुढ़ऊ बिल्कुल गंदा था। बैठकखाने में पैर रखने लायक तक नहीं।

परेशान-सी शुभदा सोच रही थी, वाकई भद्र पुरुष किसे कहेंगे? क्या है उसकी परिभाषा? बेटे को वह कैसे समझाए- कैसे समझाए कि उनके पैरों की धूल बैठकखाने में पड़ी होती तो ढेरों पाप धुल जाते।

नारण मास्टर जी के प्रति समस्त श्रद्धा और भक्ति के बावजूद घुन का एक कीड़ा नारण मास्टर जी के लिए मेरे मन के निर्मल भाव को कुट-कुट करके कुतर रहा था। नारण मास्टर जी ने भी दूसरों की तरह सहायता माँगी? सहायता का परिणाम यदि उसकी शक्ति से बाहर हुआ तब तो वे भी उसके शत्रु बन जाएँगे। और वे शुभदा का बुरा करेंगे।

क्या उत्तर दे, यह सोचते-सोचते नारण मास्टर जी के पत्र का उत्तर नहीं

दे सकी शुभदा। सहायता करने का वायदा करके यदि वह उसे पूरा न कर सकी। नारण मास्टर जी कोई ऐरे-गैरे तो हैं नहीं कि उनसे सहज ही झूठा वायदा किया जा सके और उसके लिए कोई ग्लानि भी न आए मन में। यदि उनसे वायदा करना संभव नहीं, तो क्या उत्तर दे पत्र का? न जाने नारण मास्टर जी उससे कितनी अधिक आशा करते हैं। फेरीवाले से मोल-तोल करने की तरह पचीस माँगने पर पाँच मिलने की नीति से आज कल सहायता भी माँगी जाती है। नारण मास्टर जी ने वैसे भी कोई बेवजह मदद के लिए हाथ नहीं पसारा है। आज कल उनकी हालत अति सोचनीय है- शुभदा ने सुना है, पथ्य तो दूर, नियमित खाने को भी नहीं मिलता उन्हें। क्या जवाब दे पत्र का, यह सोचते-सोचते काफी दिनों तक चुप रही शुभदा।

एक दिन अचानक रजिस्टर्ड डाक से एक चिट्ठी आई नारण मास्टर जी की। पति और बच्चों ने मजाक उड़ाया- आ गया- परवाना। कहीं सहायता माँगने वाला आवेदन-पत्र खो न गया हो सोचकर इस बार रजिस्टर्ड डाक से आया है। अब चकमा देना संभव नहीं। आखिर हाथ पकड़कर लिखना जो सिखाया था। गुरु दक्षिणा का परिमाण कितना है, जरा पत्र खोलकर देखो तो सही।

शुभदा का उदास चेहरा दुख और ग्लानि से फक्क पड़ गया। उत्कंठा से उसने वह पत्र खोला। पत्र पढ़कर स्तब्ध रह गई। उसकी शिक्षा, सभ्यता, सामाजिक मान-सम्मान, धन-दौलत, स्टेटस- सारा कुछ महज एक पत्र से ध्वस्त हो गया। वह पत्र नारण मास्टर जी ने नहीं, उनके बेटे नवीन ने लिखा था-

पूजनीया दीदी,

पंद्रह दिन पहले पिताजी का देहांत हो गया। मरने तक वे आपको ढूँढ़ते रहे। उन्हें उम्मीद थी कि आपके दरवाजे से चार बार लौट आए हैं जानकर आप एक बार सही उनसे मिलने अपने गाँव जरूर दौड़ी चली आएँगी। कुछ न सही उन्हें मदद करने का वायदा करके आप एक चिट्ठी जरूर लिखेंगी। एक चिट्ठी मिल गई होती तो कम से कम वे शांति से मरे होते।

दीदी, पिताजी अंततः ऋणग्रस्त होकर चले गए। इतना ही था उनका दुख। छोटी बहन की शादी के समय आपके पिताजी ने जबरन दो हजार रुपए पिताजी को दिए थे। अगर उन्होंने ये रुपए न दिए होते तो दूल्हा मंडप से उठ जाता। आपके पिताजी ने मदद के रूप में वे रुपए दिए थे, फिर भी मेरे पिताजी यानी आपके नारण मास्टर जी ने वे रुपए ऋण के रूप में स्वीकार करके लौटा देने का वायदा किया था। मैं तो निठल्ला ठहरा, ऋण लौटाता कौन? इस बीच आपके पिताजी भी चल बसे। लेकिन मेरे पिताजी उस ऋण का बोझ नहीं भूले। किस

तरह आपके भाई को वे रुपए लौटाएँगे, यही बात सोचते-सोचते आपके दरवाज़े तक गए थे वे। उस दिन के दो हजार रुपए पिताजी के हिसाब से आज मूल-ब्याज समेत दस हजार से अधिक होंगे, इसलिए केवल मकान छोड़कर बाकी की सारी जायदाद वे आपके नाम कर गए हैं। उद्देश्य, आप उस जमीन की कीमत के बदले वे रुपए अपने भाई को दे दें या चाहें तो जमीन बेचकर आप अपने रुपए वसूल लें। इतनी-सी मदद के लिए वे अपनी तबीयत की परवाह किए बिना आपके पास गए थे। मेरी अयोग्यता और पिताजी की लाचारी का लाभ उठाने के लिए हमारे ही गाँव के लोग हमारी सोने की थाल जैसी जमीन को साग, मछली के दाम में खरीदने के फेरे में थे। वरना पिताजी ने काफी पहले ही जमीन बेचकर ऋण चुका दिया होता और खुले मन से मर सकते थे। आप से पत्र न मिलने की वजह से एक बोझ लेकर वे इस दुनिया से चले गए। इसके लिए यदि आपको कोई परेशानी होगी तो उन्हें माफ कर दीजिएगा कहकर बड़ी मुश्किल से प्राण छोड़े हैं। रुकता हूँ।

हतभागा नवीन।

शुभदा के अनुमान के अनुसार नारण मास्टर जी की सारी जायदाद दस हजार रुपए से काफी अधिक की होगी। नारण मास्टर जी ने उस पर इतने बड़े दुख और अपराध का बोझ क्यों लाद दिया? शायद उस पर उनके स्नेह और विश्वास की अधिकता के कारण आज उन्होंने ऐसा किया।

अपने पिता की मृत्यु की खबर पाकर शुभदा ने कभी इसी तरह आँसू बहाए थे। परंतु आज वह आँसू झराकर रो रही है। क्योंकि उस दिन उसकी आँखों से आँसू बह रहे थे...आज हृदय फटकर आँखों से खून बरस रहा है। आज हृदय फटकर खून बह रहा है।

❑❑

आनंदाश्रु

रोगी के साथ डॉक्टर भी रोग भोगता है, अपने शरीर में नहीं, सहानुभूति भरे मन में, क्योंकि डॉक्टर दिन-रात रोगियों के लिए मशीन की तरह खटने के बावजूद वह मशीन नहीं, इनसान है। अपने पेशे से पालता है अपना परिवार, इसलिए मौत की दहलीज पर खड़े रोगी से भी फीस लेता है, अतः वह हृदयहीन है, यह बात वही कह सकता है जो डॉक्टर नहीं है। फेल हुए छात्र से ट्यूशन मास्टर फीस वसूल लेता है, फांसी पर लटकने का इन्तजार करनेवाले मुज़रिम से वकील भी अपनी फीस वसूल लेता है। क्या इसका मतलब पूरी दुनिया में सभी हृदयहीन है! दूसरे किसी पेशे में लोग हृदयहीन होते हैं या नहीं, यह डॉक्टर युगल मिश्र नहीं कह सकते, पर डॉक्टर पेशे से हृदयहीन नहीं होता, उसे अपने मन को कठोर करके रोगी का इलाज करना होता है, यह वे अच्छी तरह जानते हैं। इतने सालों के डॉक्टरी जीवन में डॉक्टर मिश्र के सहानुभूतिपूर्ण हृदय पर जितने पत्थर लादे जा चुके हैं उनसे एक सेतुबन्ध बाँधा जा सकता था। दरअसल रोगी और रोगी के परिवारवालों के हृदय एवं डॉ. मिश्र के हृदय के बीच छोटे-छोटे कितने सेतुबन्ध बाँधे गये हैं उन कठोर पत्थरों से उसका हिसाब उनके सिवाय और किसी ने नहीं रखा। रोगी की यन्त्रणा डॉक्टर भी भोगता है। क्योंकि उसकी यन्त्रणा कैसी है, यह उससे अधिक कोई नहीं जानता। रोगी के आत्मीयजन भी नहीं। एक रोगी की मौत के साथ-साथ एक डॉक्टर भी तिल-तिल मरता रहता है जीवनभर। कम से कम डॉक्टर मिश्र तो रोगी के साथ रोते हैं, बेचैन रहते हैं, हँसते हैं और जीते-जी मरते रहते हैं। अपने अनजाने ही रोगी से जुड़ जाना उनके स्वभाव की कमजोरी है या ताकत, यह तक सोचने के लिए उनके पास समय नहीं होता था। इसकी वजह से वे भोगते भी बहुत हैं।

रोगी ठीक नहीं होगा, यह जानते हुए भी क्या डॉक्टर के रूप में वे इलाज

बन्द कर सकते थे? इसीलिए तो पिछले पन्द्रह साल से सप्ताह में कम से कम तीन-चार बार वे मोहनबाबू के घर जाते थे, जरूरत न होने पर भी रोगी की जाँच करते थे, कभी-कभी प्रेसक्रिप्शन भी लिखकर थमा देते थे मोहनबाबू की पत्नी के हाथों में।

आश्वासन भरे स्वर में कहा करते थे- 'सब ठीक है। हालत में गिरावट नहीं हुई है। रोगी की जिम्मेवारी मैंने ली है। तुम बच्चों का ध्यान रखो। रोगी की अपेक्षा इस समय बच्चे अधिक असहाय हैं। तुम तो समझदार हो, भाभी...'

डॉक्टर मिश्र के उपदेश से कोई उम्मीद न रखकर अब तक अपनी छाती को पत्थर बना चुकी थीं लीलावती। मोहनबाबू डॉक्टर मिश्र के रिश्तेदार न होने पर भी काफी सालों से उनका इलाज करने के दौरान एक अन्तरंग रिश्ता जुड़ गया था उनके साथ। इसलिए मोहनबाबू की पत्नी लीलावती के प्रति श्रद्धा थी उनके मन में। उस सुखी दम्पत्ति के जीवन में असमय आई एक ऐसी विपदा ने डॉक्टर मिश्र को निराश कर दिया था। उन्होंने सोचा था, लीलावती इस दुख का आघात सह नहीं पाएँगी। चार-चार नाबालिग बच्चे अनाथ हो जाएँगे। अभाव भरी गृहस्थी में दोनों की मितव्ययिता के कारण उधार कर्ज कुछ नहीं था, लेकिन जमा-पूंजी भी कुछ नहीं थी। बैंक की नौकरी में तबादले पर कलकत्ता से कटक आने के बाद उन्होंने फिर कटक छोड़ने का मन नहीं बनाया। डॉक्टर मिश्र से वे कहते थे- 'कलकत्ते की जिन्दगी से कटक की जिन्दगी आसान है। जितना बड़ा शहर, उतना खर्च, उतनी समस्या। इसके अलावा कटक का रसगुल्ला कलकत्ते के रसगुल्ले से अधिक स्वादिष्ट है और लोग भी रसगुल्ले की तरह मीठे, मुलायम, सहज। सोचा है, नौकरी खत्म होने के बाद यहीं कटक में एक मकान खरीदकर बाकी का जीवन बिताऊँगा। आप जैसा डॉक्टर मित्र साथ हो तो मौत भी सुखकर लगेगा यहाँ। बड़े शहरों में डॉक्टर रोग पहचानते हैं, रोगी को नहीं पहचानते। आपकी तरह बिना फीस के घर आकर रोगी को देख जानेवाला डॉक्टर मुझे और कहाँ मिलेगा।'

लेकिन मोहनबाबू रिटायरमेंट के पहले से ही किराये के मकान में रहते आ रहे हैं। डॉक्टर मिश्र की क्लिनिक में पति-पत्नी दोनों साथ आते थे, मोहनबाबू के हाई ब्लडप्रेसर के इलाज के लिए। रोग जटिल नहीं था, फिर भी ब्लडप्रेसर दिखवाने के लिए लीलावती पति के साथ महीने में कम से कम दो बार क्लीनिक जाती थीं। बच्चे बीमार पड़ने पर डॉक्टर मिश्र के इलाज से ही ठीक होते थे। डॉक्टर मिश्र के पड़ोसी न होने पर भी मोहनबाबू का मकान ज्यादा दूर नहीं था। इसलिए जरूरत पड़ने पर वे घर जाकर रोगी को देख आते थे और

फीस के रूप में लीलावती के हाथ का बना कुछ खाने को बाध्य होते थे। लीलावती के सस्नेह अनुरोध को टालना उनके लिए सम्भव नहीं होता था। मोहनबाबू का ब्लडप्रेसर देखने आने पर डॉक्टर मिश्र उनसे फीस पाने की उम्मीद नहीं रखते थे। रोगी को देखने घर जाना पड़ा, जब डॉक्टर मिश्र की क्लीनिक में मोहनबाबू का जाना सम्भव नहीं हुआ। तब फीस लेने में डॉक्टर मिश्र के विवेक ने बाधा डाली। क्योंकि तब तक वे खुद मोहनबाबू के परिवार के सुख-दुख के सहभागी बन चुके थे। वे सप्ताह में एक बार मोहनबाबू के घर जाकर उन्हें देख आते। हाई ब्लडप्रेसर की वजह से मस्तिष्क में रक्त-रिसाव होने के कारण एक दिन मोहनबाबू बिस्तर पर सोये-सोये सुबह होने से पहले बेहोश हो गये। होश लौटना अब डॉक्टर के हाथ में नहीं था, ईश्वर के हाथ में था। लीलावती को ईश्वर पर विश्वास था, परन्तु डॉक्टर से विश्वास नहीं टूटा था। पति के बिस्तर के पास खड़े होकर उन्होंने डॉक्टर मिश्र से अनुरोध किया था, 'आप बीच-बीच में आकर इन्हें देख जाया कीजिए। आप पर इनका अगाध विश्वास है। उसी विश्वास के कारण उन्हें आपकी मौजूदगी का अहसास होगा। वह अहसास इन्हें फिर से होश में लाएगा। इतनी जल्द वे अपनी जिम्मेवारी छोड़कर इस तरह चुपचाप लेट नहीं सकते।' भले ही मोहबाबू को अब इलाज की जरूरत नहीं थी, फिर भी एक भरोसे के रूप में खड़े होकर डॉक्टर मिश्र बीच-बीच में आकर उन्हें देख जाया करते थे। यह नैतिक दायित्व डॉक्टर मिश्र निष्ठापूर्वक निभा रहे थे।

मोहनबाबू बैंक में काम करते थे। शाम को घर लौटकर बच्चों को पढ़ाते थे। छुट्टी के दिन बीबी बच्चों के साथ घूमने जाते थे। सालाना छुट्टियों में सपरिवार भारत के विभिन्न दर्शनीय स्थानों का भ्रमण किया करते थे। उनकी सीमित आय से यह सब कुछ सम्भव हो जाता था, लीलावती की मितव्ययिता के कारण। जीवन को कलात्मक ढंग से जीना बंगालियों का एक विशेष गुण है। रवीन्द्र संगीत, नजरुल, कलात्मक चलचित्र, भ्रमण, सोन्देश और रोसोगुल्ला बंगालियों के राष्ट्रीय चरित्र के अन्तर्गत आते हैं, यह मोहनबाबू और लीलावती की जीवनशैली बता देती थी। सिर्फ लीलावती ही नहीं, मोहनबाबू भी चमत्कार रवीन्द्र संगीत गाते थे। बांग्ला पत्र-पत्रिकाएँ, बांग्ला कहानी-उपन्यास आदि अन्य बंगालियों की तरह ही इस सुखी दम्पत्ति के जीवन का हिस्सा बन चुके थे। मोहनबाबू का उच्च रक्तचाप रोग उनके पारिवारिक सुख-शान्ति में कभी आड़े नहीं आया। आधुनिक जीवन में उच्च रक्तचाप और मधुमेह रोग किसी बीमारी में नहीं गिने जाते, यह बात डॉक्टर और रोगी दोनों जानते थे। मोहनबाबू नियमित

दवा लेते थे, डॉक्टर के कहे अनुसार सुबह सैर करते थे, स्वास्थ्यवर्धक खाना खाते थे। लेकिन स्वास्थ्य सम्बन्धी मानसिक दुश्चिन्ता, अत्यधिक मेहनत और उच्च अभिलाषा के कारण रक्तचाप नियन्त्रणा से बाहर चला जाता था। एक दिन सहसा वे सारी दुश्चिन्ताओं से मुक्त हो गए, सिर्फ लीलावती की माँग से सिन्दूर भर नहीं मिटा। अचेतन पति और अबोध सन्तानों की बड़ी जिम्मेवारी की ताड़ना से लीलावती ने आँधी के आगे सिर झुका लिया और फिर खुद-ब-खुद तनकर खड़ी हो गयीं। किसी की मदद या सहानुभूति का इन्तजार नहीं था उन्हें। घर पर सिलाई मशीन लगाकर वे टोलेभर के पैंट, शर्ट, ब्लाउज सिलने लगीं, घर पर रोसोगुल्ला, सोन्देश, लड्डू, जलेबी बनाकर दुकानों में सप्लाई करने लगीं। शनिवार और रविवार को वे छोटे-छोटे बच्चों को गीत सिखातीं, साड़ियों में कढ़ाई करके बेचने लगीं। कोलकाता से साड़ियाँ लाकर घर पर ही बेचतीं। ऐसे तरह-तरह के काम करके उन्होंने बच्चों को पढ़ाया। बाप की कमाई न होते हुए भी बच्चे पहले की तरह स्वच्छन्द रूप से जीवन बिता रहे थे। बाबा घर पर लेटे-लेटे सब देख रहे हैं। सब सुन रहे हैं, हर बात का ध्यान रखते हैं, यह विश्वास बच्चों के मन में भरा था लीलावती ने। शायद खुद भी इस बात पर विश्वास करती थीं। इसलिए पति को कष्ट पहुँचने जैसी कोई बात घर पर नहीं होने देती थीं। जब बच्चे पूछते, दशहरे की छुट्टियों में हम कहाँ घूमने जाएँगे?' तब लीलावती लम्बी साँस छोड़ते हुए कहतीं- 'बाबा को आराम करने के लिए कहा है डाक्टरबाबू ने। क्या उन्हें घर पर इस तरह छोड़कर तुम लोग घूमने जाना चाहोगे?'

'परन्तु बाबा कितने दिनों तक आराम करेंगे? आराम करने का मतलब क्या बातचीत भी नहीं करेंगे?' एक ऐसा सवाल बड़े बेटे के पूछने पर लीलावती ने तुरन्त जवाब दिया। 'तुम्हारे बाबा अपनी मर्जी से खाट पर नहीं पड़े हैं। जिस दिन डाक्टरबाबू कहेंगे, उस दिन उठ जाएँगे, पहले की तरह सबकुछ करेंगे। हम साथ घूमने जाएँगे। तुम्हारे बाबा मेरे साथ बातचीत करते हैं। तुम लोगों के इन्तहान का नतीजा उन्हें बताने पर वे खुश होते हैं, तुम्हें आशीर्वाद देते हैं। उनकी बात तुम लोग नहीं सुन पाते, क्योंकि अभी तुम्हारी वह उम्र नहीं हुई है।' बच्चे माँ की बात सुनकर अपने मन को समझा लेते हैं। बाबा से जो शिकायत करनी होती है, माँ के जरिये मोहनबाबू के कान के पास अपना मुँह रखकर लीलावती मधुर स्वर में कहती हैं, 'सुनते हैं, आपके बेटे ने मैट्रिक परीक्षा प्रथम श्रेणी में पास किया है। वह साइंस पढ़े या आर्ट्स में नाम लिखवाए, पूछ रहा है। लेकिन आपकी इच्छा थी कि वह सांइस पढ़कर कुछ करे...क्या कहते हैं? उतना कहने

के बाद लीलावती ने अपना कान पति के होंठो के पास रखा, कुछ देर बाद सिर उठाकर बेटे से बोलीं, 'बाबा तेरे परीक्षा के परिणाम से बेहद खुश हैं। उनका कहना है कि तेरा जो भी मन करे, तू पढ़। लेकिन मन लगाकर पढ़ना। खूब अच्छा रिजल्ट करने पर ही भविष्य बनेगा।' इसी तरह लीलावती ने बच्चों की पिता को लाचार निराशा से मुक्त रखा था। ढेरों पिता होशो-हवास में रहकर भी बच्चों को खिलती पंखडियों की सुगन्ध से परिचित नहीं करा पाते। 'नसीब में जो होगा, बच्चा वही बनेगा!' ऐसी कुंठित मानसिकता के शिकार होते हैं इस देश के अनेक धुरन्धर सुविधावादी पिता। इसलिए लीलावती पति की लाचारी और खामोशी के कारण बच्चों को असहाय बनाना नहीं चाहती थी। दाँत भींचकर बच्चों को पालने का बीड़ा उठा लिया था। बच्चों की उपलब्धियाँ वे मोहनबाबू के साथ बाँटती हैं, यह बात वे डॉक्टरबाबू को बता देती थीं। डॉक्टरबाबू के आते ही तेज आवाज में कहती, अजी सुनते हैं, 'डाक्टरबाबू आए हैं...' और डॉक्टरबाबू की ओर देखकर कहतीं, 'आपके आने पर ये बहुत खुश होते हैं। आपका ऋण नहीं चुका सकते, शायद अगले जन्म में चुका सकें...' लेकिन ऐसा विचित्र वातावरण डाक्टरबाबू को धीरे-धीरे स्वाभाविक लगने लगा था। आश्चर्य की बात यह थी कि डाक्टरबाबू भी सोचते थे, मोहनबाबू अपनी पत्नी के साथ सुख-दुख बाँटते हैं। दोनों एक-दूसरे को सुनते-समझते हैं। डाक्टरी पढ़ाई में मनुष्य के जीवन व मृत्यु, चेतन-अवचेतन के बारे में अन्तिम बात नहीं कही गयी है। ऐसी बहुत-सी बातें आम इनसान के अनुभव में होती हैं जो डॉक्टर की रिपोर्ट में नहीं लिखी जातीं। किसी-किसी दिन डाक्टरबाबू मोहनबाबू के सिर पर अनायास ही अपना हाथ रख देते और दिलासा भरी धीमी आवाज में उनसे कहते- 'चिन्ता की कोई बात नहीं है। रक्तचाप, नाड़ी की गति सब ठीक है, जिस तरह ठीक-ठीक चल रही है तुम्हारी गृहस्थी। तुम्हारी पत्नी ने किसी तरह की कमी नहीं छोड़ी है, तुम्हारे इलाज में भी लापरवाही नहीं होती...यह बात तुम जरूर समझते होंगे। इसलिए तुम्हारी हालत बिगड़ी नहीं है।' अपने धीमे सम्वाद से खुद ही विस्मित होते डाक्टरबाबू। एक ऐसे अद्‌भुत रोगी को लेकर इस अजीब-से माहौल में, इस घर में अब वे डॉक्टर नहीं थे। यहाँ उनकी सारी डाक्टरी विद्या-बुद्धि हार मान चुकी है। हत्पिंड की धड़कन की जाँच करते वक्त वे हृदय की ताल-लय-छन्द पढ़ लेते हैं, पर हत्पिंड के शब्दों के अर्थ अब डाक्टरबाबू के शब्दकोश में नहीं मिलते। डॉक्टर मिश्र को बगैर कुछ खिलाए-पिलाए जाने नहीं देती थीं लीलावती। दस साल से खामोश पड़े एक असहाय रोगी के घर पर दिव्य भोजन करते समय बहुत अटपटा लगता था डॉक्टर मिश्र को। मोहनबाबू

को चाय की चम्मच से तरल खाद्य दिया जाता था। अब वह भी सम्भव नहीं होता था। नाक में नली डालकर जीवनरक्षक तरल खाद्य दिया जाता है। पीठ में फोड़े निकल आने के कारण काफी पैसे देकर लेटने के लिए रक्त संचालनकारी बिस्तर खरीदा गया है। लीलावती ने कभी भी अपने अभाव के बारे में नहीं कहा। जब भी जिस दवा की जरूरत पड़ी है, सब तुरन्त खरीदी गयी हैं। उधार लेकर गुजारा करने की आदत भी उनकी कुंडली में नहीं है। इसलिए अपने कपड़ों के प्रति ध्यान देने तक की फुर्सत उन्हें कहाँ है- पैसे भी कहाँ हैं? इसके अलावा डॉक्टर मिश्र अपनी फीस न लेने के कारण उस ऋण के बोझ से सड़ रही हैं, कहकर वे डॉक्टर मिश्र को संकोच में डाल देती थीं।

एक दिन डॉक्टर ने कहा- 'जब भी मैं आता हूँ आप तरह-तरह की सागसब्जी खिलाकर मेरी आवभगत करती हैं। जबकि मैं क्या करता हूँ किसी के लिए। मोहनबाबू की हालत में मैं सूतभर सुधार तक नहीं कर पाया। इसलिए अब मैं नियमित नहीं आऊँगा। जब भी जरूरत समझें, मुझे खबर करने से मैं चला आऊँगा।

लीलावती ने छलछलाई आँखों से अपने पति की ओर देखने के बाद मुझसे कहा- 'मैं जानती हूँ, आप दस सालों से एक निःस्वार्थी मित्र की तरह इस घर में आ रहे हैं, डॉक्टर के रूप में नहीं। मैं यह भी जानती हैं कि आप भगवान नहीं हैं, आप डॉक्टर हैं। आपके वश में अब कुछ नहीं है, क्या मैं यह नहीं जानती? फिर भी मैं आपसे अनुरोध करती हूँ, कम से कम मेरी एकमात्र बेटी की शादी तय होने तक आप आते रहिए। वरपक्ष को ऐसा लगे कि मेरी बेटी बिन बाप की नहीं है। उसके पिता बीमार हैं, इलाज चल रहा है, इतना ही काफी है। बिन बाप की बेटी समझकर कोई दया करके उसे बहू बना ले, इस बात से मेरे पति को बहुत कष्ट होगा, मुझे भी। मुझे विश्वास है, बेटी की शादी तक वे जरूर इन्तजार करेंगे। शायद इतने दिनों से पड़े हैं, सिर्फ यही सुनने के लिए।'

जब मोहनबाबू की बेटी सुषमा को देखने लड़केवाले आते, लीलावती पहले उन्हें पति के सोनेवाले कमरे में ले जाकर गृहस्वामी से मिलातीं। कहतीं- 'ये हैं सुषमा के पिताजी। इलाज चल रहा है। इनकी ऐसी हालत के बावजूद यदि आपलोग लड़की बिदा कराने को राजी हैं तो उसके पिताजी को खुशी होगा। पिता की हालत देखकर कई लड़केवाले खिसक लिए। लड़की कुछ भी हो, मजबूत रिश्तेदार भी चाहिए। सुषमा के पिताजी की हालत लड़की की शादी में आड़े आने पर भी यह बात छुपाकर शादी तय करना लीलावती की नीति नहीं थी। इस बीच बड़े बेटे मन्मथ ने इंजीनियरिंग में दाखिला ले लिया था। पति के कान

के पास गद्गद स्वर में बेटे के कृतित्व की घोषणा की थी लीलावती ने। मोहनबाबू को भी खुशी हुई है, कहकर घोषणा की थी। कहते हैं, मोहनबाबू ने आश्वासन दिया था, 'सुषमा को अच्छा दूल्हा मिलेगा। तुम चिन्ता मत करो।'

मोहनबाबू की हालत में सुधार हुआ है, यह खबर भेजकर डॉक्टर मिश्र को बुलवा भेजा लीलावती ने। रोगी की हालत नाजुक है, यह खबर पाते तो डाक्टर मिश्र पचास रोगियों को क्लीनिक में बिठाकर जहाँ बैठे थे वहीं से उठकर न चले आए होते। मोहनबाबू की हालत दिन-प्रतिदिन बिगड़ती जा रही थी। दस साल तक 'कोमा' में रहनेवाले अचेत रोगी की हालत को और क्या कहा जा सकता है। किसी भी दिन लीलावती सिन्दूर पोंछकर सिर पटक रही होंगी जैसी खबर उन्हें मिलेगी, उन्हें इसी का इन्तजार था। मोहनबाबू की धीमी साँस-क्रिया किसी के किस काम आती थी! मोहनबाबू को भला क्या निजी लाभ था इस तरह सड़-सड़कर मरने में? बल्कि उन्हें यथाशीघ्र कष्ट से मुक्त होकर लीलावती को कठोर तपस्या से छुटकारा देना चाहिए। अपने ऐसे भाव स्वयं को ही कष्ट देते हैं लेकिन इससे अधिक कामना और क्या हो सकती है ऐसी परिस्थिति में? परन्तु यह कैसी अनसोची खबर है? क्या मोहनबाबू की हालत में सुधार होना सम्भव है? यदि सुधार होता भी है तो कितना होगा? क्या वे चल-फिर पाएँगे? ऑफिस जा पाएँगे? लीलावती की जिम्मेवारी कम होगी, या उसकी जिम्मेवारी बढाएँगे।

डाक्टरबाबू के पहुँचने पर मोहनबाबू के पास सरस मुँह लिए बैठी थीं अक्सर उदास रहनेवाली लीलावती। डॉक्टर मिश्र को देखकर बोलीं- 'डाक्टरबाबू! कभी-कभी उबला हुआ धान भी अंकुरित हो जाता है! अपनी डाक्टरी की पढ़ाई में कभी ऐसा घटित होते देखा है आपने? देखिए इनके होंठ अब बीच-बीच में काँप रहे हैं, शायद अब बोलने लगेंगे? पलकें कुछ खुलने-सी लग रही हैं मुझे। बेटे के इंजीनियरिंग में दाखिला लेने की खबर सुनकर उनकी आँखों में आँसू भर आए थे। उसके बाद से इनके हाथ-पैर में कम्पन हो रहा है। शायद ये कन्यादान भी कर सके। आप जरा ठीक से जाँच कर लीजिए। क्या कोई अच्छी दवा देकर इन्हें ठीक नहीं कर सकेंगे?' दस साल तक भाग्य की विडम्बना को स्वीकार करके निर्लिप्त बन चुकी सेवा की इस देवी के अस्वाभाविक व्यवहार ने डॉक्टरबाबू को जितना विचलित किया, उतना विचलित नहीं किया रोगी की तबीयत में आई गिरावट ने। मोहनबाबू के अंगों का एक-एक जीवकोष मौत से मुकाबला कर रहा है। उनकी यन्त्रणा-मुक्ति का समय करीब था। बुझने से पहले बाती दपदपाकर तेज हो जाने के बारे में क्या लीलावती नहीं जानतीं?

दस साल से अन्तिम बात सुन चुकी इस धैर्यशील नारी को सच कहना जितनी निष्ठुरता होगी, झूठ कहना उससे कहीं अधिक हृदयहीनता। डाक्टर मिश्र साल दर साल 'सब ठीक है' कहकर परोक्ष में झूठी दिलासा देते रहते हैं। लेकिन 'सब ठीक है' का अर्थ इस रोगी का 'कोमा' से लौटना नहीं है, यह वे जानते थे, जानती थीं लीलावती भी। उनकी बात का मतलब था 'रोगी की हालत स्थिर है।' यह बात लीलावती ही नहीं, बच्चे भी समझ रहे थे, लेकिन आज वे नहीं कह सकते कि 'सब ठीक है। रोगी की हालत तेजी से बिगड़ रही है, यह बात लीलावती और बच्चों को बता देना उचित होगा। अब तक मोहनबाबू इस परिवार में जीवित रहे। बच्चे इस कमरे में बेझिझक आते-जाते हैं। पिता के आगे ऊँची आवाज में बात नहीं करते। स्कूल में पढ़ते समय बच्चे शरारत करते तो लीलावती बच्चों को डरातीं, ठहरो, मैं अभी बाबा को बताती हूँ।' कभी-कभी जिद्दी बच्चों का हाथ पकड़कर कहतीं, 'चलो बाबा के पास, जरा वे भी तो सुनें तुम लोगों की कीर्ति।' बच्चों को पिता के पास खींचते हुए ले जाकर कहतीं, 'सुनते हो, तुम्हारे बच्चों के कारण मुझे कैसी-कैसी बातें सुननी पड़ती हैं! तुमने तो कभी टोका नहीं इन्हें- यदि ये आवारा निकल गए तो क्या तुम्हें कष्ट नहीं होगा?' बच्चे पिता के आगे खुद ही अपना दोष मान लेते। लीलावती पति के कानों में कहतीं, सुनो तुम्हारे बच्चे अच्छे इनसान बनेंगे। मन लगाकर पढ़ेंगे। तुम्हारा कष्ट कम करेंगे। ये लोग तुम्हें वचन देते हैं। तुम सुन रहे हो ना? खुश हो ना?'

बच्चों को अपनी बाँहों में भरकर रुआंसी आवाज में स्नेहमयी जननी कहतीं, 'तुम्हारे बाबा ने सारी बातें सुनीं, वे खुश हैं। उनका तुम लोगों पर अगाध विश्वास है...' इस तरह से पिता लेटे-लेटे पितृत्व जाहिर करते आ रहे हैं, बच्चों को सही राह दिखाने की एक करुण नीरव भूमिका निभा रहे हैं इतने सालों से। अब इस अभिनय पर परदा गिरने जा रहा है। बड़े हो चुके बच्चे और वयस्का लीलावती इस सत्य को सहज ही स्वीकार कर लेंगे, यह विश्वास डॉक्टरबाबू को है। तो फिर अब अभिनय क्यों?

लीलावती की आँखों में सीधे देखकर 'सब ठीक है'-कभी नहीं कहा था डॉ. मिश्र ने। आज उन्होंने लीलावती की आँखों में आँखें डालकर एक डाक्टर की तरह कहा, 'बेटी की शादी जल्दी तय कर लीजिए। अब तक लेटे-लेटे बच्चों का सारा कृतित्व सुनते रहे। बेटी की शादी भी हो जाए इनके सामने। वह जो अन्तिम प्रस्ताव आया था वह तो हर दृष्टि से अच्छा है। क्या हुआ, कुछ बात नहीं बनी?'

लीलावती पुनः निर्लिप्त हो गयी थीं। पति का हाथ बड़े प्यार से सहलाते

हुए बोली- 'वे लोग संक्रान्ति के बाद आएँगे डॉक्टर बाबू' उम्मीद है, कोई जवाब देंगे; शायद बिटिया को अंगूठी भी पहना जाएँ। उस दिन आप हमारे साथ रहें तो अच्छा होगा। आ सकेंगे ना?'

शुभ दिन देखकर डॉक्टर मिश्र की उपस्थिति में उस दिन रिश्ता तय हो गया। बेटी को अंगूठी पहनाकर भावी सास-ससुर ने आशीर्वाद दिया। तिथि-वार का इंतज़ार किए बिना आठ दिन में विवाह सम्पन्न होगा, यह तय हो गया। वरना घर पर कुछ अशुभ घटित हो गया तो फिर एक साल से पहले शादी नहीं हो सकती, यह बात वर-पक्ष समझ चुका था। लीलावती पति के और पन्द्रह दिन की आयु के लिए भगवान से प्रार्थना कर रही थीं। कम से कम बेटी की शादी तो देख जाएँ मोहनबाबू।

अतिथियों के चले जाने के बाद डाक्टरबाबू को पति के कमरे में बुला ले गयी और पति के बिस्तर के पास जाकर खड़ी हो गयीं लीला। रोगी की आँखों से आँसुओं की दो धार बह गयी थी। डाक्टरबाबू जानते हैं कि आँसुओं की दो मोटी धार आँसुओं की नहीं है, बल्कि गल चुकी आँखों से फूटकर निकला पनिया खून हैं।

लीलावती ने पति के कान के पास होंठ रखकर खुशी और उत्साह भरे स्वर में कहा, 'सुनते हैं। तुम्हारी लाडली बेटी की शादी सत्पात्र से तय हो गयी है। ठीक आठ दिन बाद शादी है। तुम बिल्कुल फिक्र मत करो, बस इसी तरह लेटे-लेटे बेटी को आशीर्वाद दो। कन्यादान करेंगे सुषमा के मामा। मामा भी पिता समान होते हैं।' पति के आँसू अपने आँचल के छोर से पोंछने के बाद डाक्टरबाबू की ओर देखकर बोलीं- 'उन्होंने सब सुन लिया। देखिए उनकी आँखों से बह रहे हैं आनन्दाश्रु। अब ये निश्चिन्त हो मुक्ति पा जाएँगे। सिर्फ इतना ही देखने के लिए दस साल से पड़े इतना कष्ट भोग रहे हैं।' लीलावती की पथराई आँखों से पति की आँखों पर आनन्दाश्रु टपक पड़े।

डाक्टरबाबू ने चकित हो सोचा, क्या दुर्भाग्य में पड़ी सड़ रही इस नारी का एक भाई भी है? जो इतने सालों में एक दिन के लिए भी सुध लेने नहीं आया बहन की! और वह कन्यादान के लिए कोलकाता से दौड़ा चला आएगा? लीलावती की ओर देखकर डाक्टरबाबू ने सवाल किया- 'आपका एक भाई भी है यह तो आपने मुझे कभी बताया ही नहीं? क्या आपके दुर्दिन में कभी उनके चरण यहाँ पड़े हैं? कहाँ, मैं तो नहीं जानता?' लीलावती ने डॉक्टरबाबू की चकित दृष्टि में अपनी विश्वासभरी दृष्टि टिकाकर कहा- 'सही वक्त नहीं आया था, इसलिए नहीं बताया। सुषमा के मामा भी पिछले दस साल से हमारे दुख

में भुक्तभोगी हैं। उनके सिवाय भला इस घर में और कोई नहीं आया। मेरे पति ज़िन्दा हैं या मर-खप गये, उनके सिवाय भला और किसने पूछा? बस, यही उनका आखिरी काम बचा है- कन्यादान।' लीलावती का यह अन्तिम वाक्य डाक्टरबाबू के कान में अन्तिम निर्णय-सा सुनाई दिया। लीलावती ने आनन्दाश्रु पोंछ लिए और पुनः निर्लिप्त दिखाई दीं। अब सुषमा के मामा का नाम जानने की जरूरत नहीं पड़ी। क्योंकि तब तक डाक्टरबाबू के दोनों आँखें उस इन्सान के लिए आनन्दाश्रु से भर आई थीं।

रोगियों के लिए सीने पर एक-एक पत्थर रखकर करुणा का मन्दिर बनाते चलनेवाले डाक्टरबाबू की आँखों से निःसंकोच झर रहे आनन्दाश्रु उन्होंने लीलावती की नजरों से छिपाने की कोशिश नहीं की। जीवन में ऐसे पवित्र आनन्दाश्रु बहाने का अवसर बहुत कम लोगों के नसीब में होता है! वे आनन्दाश्रु बहते हैं दुर्लभ क्षणों में। वह क्षण बार-बार नहीं आता। मोहनबाबू की शैय्या के पास कुर्सी पर बैठकर सुषमा के मामा काफी देर तक आनन्दाश्रु बहाते रहे और मोहनबाबू के यन्त्रणा जर्जरित जीवन के अन्तिम लग्न को पवित्र जल से अभिमंत्रित करते रहे।

❑❑

व्यास नदी की व्यथा

हिमाली की गोलियों से छलनी देह का सारा खून व्यास नदी ने अपने पानी में घोलकर सेब और आलूबुखारों के चिकने छिलकों को रंग दिया था। हिमाली की देह पर लगे खुन के धब्बे पहाड़ पर बने अंग्रेज-बंगले की सुरंग में धुल जाने के बाद हिमाली के सीने का दु:ख भी धुल गया होगा, क्योंकि हिमाली अब बन चुकी थी एक अशरीरी आत्मा। क्या आत्मा को कष्ट होता है? क्या आत्मा इस जन्म के प्रेत, प्रतारणा, कृतघ्नता और हिंसा-द्वेष को याद रखती है और दुखी हो अमोक्ष मंडराती रहती है?

हिमाली की मृत-देह से निकले खून को ही धोकर धब्बे मिटा दिए होंगे व्यास नदी के बर्फीले पानी ने, लेकिन बचनराम की जीवित-देह का खून तो उसके साठ साल की देह में पहले की तरह बह रहा था जोकि पुराने दुखों को अपने रक्तकणों में जकड़े हुए बह रहा था। बचनराम जैसे एक सच्चे, चरित्रवान पुरुष के उस रक्तभेदी दुख और पश्चाताप को धो डालने की शक्ति व्यास नदी में नहीं थी। यही थी व्यास नदी की चिरन्तन व्यथा।

पवित्र हिमालय की शान्त-स्निग्ध गोद में एक मधुर-मनोहर उपत्यका कुल्लू के मामूली से गाँव को जिस अंग्रेज साहब ने मशहूर कर दिया था, उनका नाम था स्टीफेन ली। अपनी कीर्ति के कारण ली साहब बन चुके थे एक समुज्ज्वल किंवदन्ती। कुल्लू-मनाली-शिमला आदि पहाड़ी गाँवों की पथरीली छाती पर उस किंवदन्ती ने आँक दिए थे सेब, नाशपाती, आलूबुखारा और लीची वन के लाल, गुलाबी, पीले रंगों के सम्पूर्ण चित्र।

कहते हैं, सबसे पहले ली साहब सेब, नाशपाती और आलूबुखारा के पौधे शिमला के पहाड़ों और उपत्यका की गोद के लिए विलायत से लेकर आए थे। उसके बाद फैल गये हिमालय की तलहटी में बसे इन गाँवों की पहाड़ी घाटी में उन रसीले विलायती फलों के वन। पहले शायद वहाँ सिर्फ धान की खेती

होती थी और देशी फलों की खेती करके लोग किसी तरह गुजारा कर लेते थे। लेकिन सेब, नाशपाती और आलूबुखारा की खेती करने के बाद लोगों ने पूरे देश में लाल-लाल विलायती फल भेजने के साथ ही खुद भी सेब और आलूबुखारा आदि खाकर गुलाबी पड़ गये। उसके बाद सेब और आलूबुखारा के पेड़ जंगली पेड़ों की तरह सारी उपत्यका में फैल गये। जाड़े के मौसम में पूरा इलाका पके सेब और आलूबुखारा से भरकर गुलाबी रंग की ओढ़नी ओढ़े प्रेमराग में रंगकर बैठी किसी वधू-सा लगता। ली साहब थे शान्तिप्रिय, प्रकृतिप्रिय। वे शिमला छोड़कर चले आये इस छोटे और सुन्दर हिमालयी गाँव में। व्यास नदी से नाक के सीधे तीन टोले छोड़कर एक ऊंचे पहाड़ पर अंग्रेजी ढाँचे में एक सन्दर गरिमामय बंगला बनवाया। बंगले के चारों ओर दो सौ एकड़ उपत्यका खरीदकर सेब की खेती करने लगे। आगे चलकर सेब के जंगलों ने उस बंगले को मशहूर कर दिया, विख्यात कर दिया साहब को। ली' साहब ने मासूम और मेहनती लोगों को सेब की खेती में लगा लिया। सभी हो गये सेब की खेती करनेवाले। ऐसा कोई आदमी नहीं था, जिसके सौ-पचास सेब के पेड़ न हों। आलूबुखारे के पेड़ तो जंगली घास की तरह भरभराकर पसर गये थे सबकी बाड़ियों में।

ली' साहब का बंगला पहाड़ के ऊपर उस जंगल में एक रहस्यमय कोठी की तरह खड़ा था। और भी ढेरों साहब, मेम साहब आया करते उस बंगले में। पहाड़ी लोग निहाल हो गये थे, ली' साहब के आने से। कृतज्ञ थी उनकी पीढ़ी दर पीढ़ी। ली' साहब को उस माटी, मनुष्य और व्यास नदी से प्यार हो गया था। वे हर रोज घोड़े पर बैठकर व्यास नदी जाया करते थे पाँच-सात किलोमीटर दूर स्नान करने। हिमालय से बर्फ की चट्टानों पर सवार हो बहकर आती कल-कलनादिनी चिरस्रावी व्यास नदी के हिमशीतल जल में वे घंटों नहाते और फिर बाहर आकर सेब के जंगल में लेटकर सूर्यस्नान करते थे।

ली' साहब के बेटे ने भी हिमालय की तराइयों की खूबसूरती के प्रेम में पड़कर सारा जीवन यहीं बिता दिया, जबकि उनका व्यापार पूरे देश और विलायत के साथ चलता था। किन्तु स्टीफेन ली का पोता, एलेक्स ली' का बेटा मार्क्स ली' इसी पहाड़ी गाँव की एक लड़की हिमाली से प्यार करने लगा। हिमाली के पिता ली' साहब के उसी बगीचे के मैनेजर थे। उनकी देख-रेख में सेब का व्यापार अबाध रूप से चल रहा था। तीन पुश्तों के ली साहब यह अच्छी तरह जानते थे कि यह माटी सत्य की माटी है। पवित्र, निर्मल स्वभाव की तरह यहाँ के लोग सच्चे, और निर्मल चरित्र के होते हैं। जिस तरह सेब के पेड़ के सारे सेब मीठे हैं, उसी तरह स्त्री-पुरुष सबके चरित्र उत्तम हैं। इनसान का सिर

काटने के बाद पुलिस स्टेशन जाकर 'मैंने इनसान का सिर काटा है' कहना यहाँ की सुबह के पक्षियों की चहचहाहट की तरह आम बात थी। फाँसी भले ही लग जाए पर अग्नि-शपथ थी।

हिमाली अंग्रेजी स्कूल में पढ़ती थी, फिर भी उसके व्यक्तित्व में पहाड़ी गाँव की सरलता और व्यास नदी की स्वच्छता की आभा ने उसे अधिक आकर्षक बना दिया था ली साहब के पोते मार्क्स ली की नजरों में। मार्क्स ली' अपने पिता के एकमात्र उत्तराधिकारी थे। मार्क्स ने हिमाली से विवाह कर लिया और हमेशा के लिए पत्नीव्रता पति और विश्वस्त प्रेमी बनकर रहने लगे। जब से हिमाली बंगले में आई है, सेब की उपज सौ गुनी बढ़ गयी है। सेब के व्यापार में जबर्दस्त मुनाफा होने लगा मार्क्स ली' को। लेकिन जिस हिमाली के स्नेह-स्पर्श से सेब के बोझ से पेड़ की शाखाएँ जमीन को छुआ करती थीं, वह हिमाली खुद ही बिना फले रह गयी जीवनभर। हिमाली को ली' साहब- प्यार से 'हिमू' कहकर पुकारते थे। साहब की पत्नी बनने के बाद मेमसाहब कहलाने के बावजूद 'हिमू' व्यास नदी में ही नहाया करती थी। गाँव की लड़कियों और बहुओं के साथ मिलकर पर्व-त्योहार मनाती थी। अपने चपरासी, दरबान, साईस, ड्राईवर आदि पहाडों लोगों के बच्चों को बंगले में बुलाकर उनके साथ समय बिताया करती थी। उन्हें खिलाती-पिलाती थी, पहनने को कपड़े देती थी। उन्हें हिमाली की गोद में बिठाकर ली' साहब फोटो खींचा करते थे। 'हिमू' को निःसन्तान होने की पीड़ा से उबारने के लिए ली' साहब जीवनभर यह साधना करते रहे। बंगले से सीधे नदी जाकर नहाने के लिए मार्क्स ली' साहब ने हिमाली के लिए अपनी बैठका से नदी किनारे तक नीचे ही नीचे एक सुरंग बनवा दी थी। पति-पत्नी दोनों उसी सुरंग से होकर नदी किनारे जाते थे दिन में स्नान करने और रात को चाँदनी में टहलने। हिमाली का व्यास नदी से जन्म-जन्मान्तर का रिश्ता था। हिमाली के निष्फल मातृत्व के गोपनीय विलाप को व्यास नदी ही सुन पाती थी, इसलिए उस रुलाई को ढकने के लिए व्यास नदी खुद पहाड़ी शय्या पर कूदती-फलाँगती शोर मचाती बहा करती थी।

जब हिमाली बसन्त-ऋतु के अन्तिम-छोर पर खड़ी थी, उस समय बचनराम युवक था। बचनराम अपनी दो बेटियों, तीन बेटों और पत्नी सिमी के साथ बंगले के पिछवाड़े मैनेजर क्वार्टर में रहता था। जब हिमाली के पिता मृत्यु-शय्या पर पड़े थे, तब बचनराम की साधुता, सत्यवादिता और विश्वस्तता के बारे में वे सिफारिश कर गये थे। उन्हें सम्मान देने के लिए उनके मरने के बाद ली' साहब ने बचनराम को मैनेजर के पद पर रख लिया था। सिमी को

हिमाली अपनी छोटी बहन की तरह प्यार करती थी। सिमी के बच्चों ने हिमाली की वीरान जिन्दगी को चहल-पहल से भर दिया था। बचनराम के सभी बच्चों को अंग्रेजी स्कूल में पढ़ाते थे ली' साहब। हिमू को खुश रखने के लिए, नहीं, बल्कि खुद भी निःसन्तान जीवन के सूनेपन से बचने के लिए बचनराम के पाँचों बच्चों को अपने तरीके से पढ़ा-बढ़ा रहे थे। बचनराम एक दक्ष घुड़सवार और पारम्परिक लोकनृत्य एवं लोकसंस्कृति का प्रचारक था। इसलिए मैनेजर का पद सम्भालने के बाद वह ली' साहब का अति प्रिय पात्र बन गया था। बचनराम, उसके बच्चे और ली'-दम्पत्ति अक्सर बंगले के डायनिंग हॉल में एक ही टेबल पर खाना खाते थे। हिमाली नजदीक के गाँव की बेटी होते हुए भी तथा बचनराम ली' साहब का अति प्रिय होने पर भी बचनराम हिमाली को मेमसाहब कहकर ही बुलाता था, जबकि सिमी हिमाली को दीदी कहकर पुकारती थी। जिस दिन ली' साहब ने अपनी सारी जायदाद हिमाली के नाम कर दी, हिमू ने सवाल किया- यह सब किसलिए? क्या जरूरत है मुझे जायदाद की? मेरे लिए किस चीज की कमी छोड़ी है तुमने? ली' साहब ने कहा- 'तुम बड़ी सीधी हो। कागजों में तुम्हें जायदाद की मालकिन बना देने के बाद मैं निश्चिन्त होकर मर सकूँगा। वरना मेरे बाद जायदाद के चलते खतरे में पड़ सकती हो। तुम जानती हो कि मैं एक लाइलाज बीमारी भोग रहा हूँ। मेरे जीवन के अब दिन ही कितने बचे हैं।'

हिमाली जानती थी कि मार्क्स किसी बीमारी से पीड़ित हैं, इसके इलाज के लिए वे विलायत भी गये थे। साथ हिमाली को भी ले गये थे। वहाँ के डाक्टरों ने क्या कहा, वह हिमाली नहीं जानती। लेकिन मार्क्स ली' ने हिमाली के साथ हनीमून मनाने जाने की तरह इतना सैर-सपाटा किया कि हिमाली को यह विश्वास हो गया कि मार्क्स को कोई बीमारी-सीमारी नहीं है। वही थी मार्क्स के साथ हिमाली की आखिरी विलायत यात्रा। वहाँ से लौटने के बाद हिमाली के नाम अपनी सारी जायदाद कर दी और असमय ही चल बसे। अथाह सम्पत्ति की मालकिन हिमाली की जिन्दगी एक कोरे कागज की तरह रह गयी, जिस पर विषाद का व्याकरण लिखती जा रही थी हिमू, अपनी तमाम जायदाद और रुतबे को नजरअन्दाज कर। कागज का पन्ना कोरा रह सकता है, जीवन का पन्ना कभी कोरा नहीं रहता।

जीवन के पन्नों पर हर क्षण कोई न कोई कुछ न कुछ लिखता चलता है। अपनी इच्छा के विरुद्ध भी जीवन के पन्नों पर अक्षर लिखे जाते हैं, पन्ने पलटे जाते हैं, जीवन थमता नहीं।

मार्क्स के साथ लिखी गयी प्रेम की पोथी बाँधकर रख दी गयी। उस पोथी की पूजा हिमाली के हृदय-वेदी पर होने लगी। हिमाली के जीवन का पन्ना पलट गया, उस पन्ने पर हस्ताक्षर किया एंटोनी हार्मिसन ने। बाकी का जीवन बिताने के लिए सिर्फ सेब के पेड़ों की छाया पर्याप्त नहीं थी, इनसान चाहता है इनसान की छाया।

हार्मिसन साहब कोई अपरिचित नहीं थे। वे थे सेब व्यापारी। ली' साहब के सेब के बगीचे लीज पर लेकर सेब पैदा करते थे, उनका व्यापार अच्छा चल रहा था। इसी वजह से वे ली' साहब के अच्छे व्यापारी मित्र थे। हार्मिसन साहब के बीबी-बच्चे विलायत में थे। पर बहुत सालों से वे विलायत नहीं गये थे। उनका विवाह टूट जाने का अनुमान लगाया जा रहा था। अपने निजी जीवन में किसी को झाँकने का मौका वे नहीं देते थे। ली-दम्पत्ति के भरोसेमन्द दोस्त होते हुए भी व्यापारिक बातचीत के अलावा उनकी निजी जिन्दगी में उन्होंने कभी नहीं झाँका। लेकिन मार्क्स ली' के मरने के बाद हिमू के निजी जीवन में उन्होंने सहसा हस्तक्षेप करते हुए उससे विवाह करने का प्रस्ताव रख दिया। हिमाली ने कहा- आखिर कौन-सा सुख पाने के लिए दुबारा विवाह करूँ? मार्क्स मेरे जीवन में कोई भी सुख अधूरा नहीं छोड़ गये। उनकी जगह कोई और नहीं ले सकता।' एंटोनी हार्मिसन ने व्यावसायिक भाषा में कहा, किसी का सूनापन भरने की इच्छा नहीं है मेरी। तुम्हारी जिन्दगी में एक दूसरी जगह बनाकर तुम्हारी बाकी बची जिन्दगी का सहज, स्वाभाविक बनाना मेरा लक्ष्य है। मार्क्स ली' के सूनेपन की पूजा करके एक सूनी दुनिया का हाहाकारभरा जीवन जीना सही नहीं है। यह एक प्रचलित भारतीय मानसिकता है। उससे निकल आना अपराध नहीं, बल्कि तुम्हारा अधिकार है। और फिर मार्क्स ली' ने तुम्हारे सारे सुख-दुख पूरे नहीं किए हैं। कौन जाने, हमारे विवाह के बाद तुम सन्तानवती हो जाओ!'

एंटोनी की यह आखिरी बात काफी महत्त्वपूर्ण थी। उसके बाद हिमाली ली' बन गयी हिमाली हार्मिसन। हिमाली के जीवन के उस फैसले से बचनराम और सिमी सबसे अधिक खुश हुए थे। क्योंकि मार्क्स ली' की मृत्यु के बाद किले जैसे उतने बड़े बंगले में हिमाली के एकाकी जीवन का दुख देखा नहीं जा रहा था उनसे। वे भी चाहते थे कि देर से सही हिमाली माँ बने। एंटोनी साहब हर तरह से बंगले की रौनक लौटा लाए थे। बचनराम के बच्चे पहले की तरह बंगले में शोर-शराबा करते थे। बचनराम से भी हार्मिसन की पहले से जान-पहचान थी। वह अटूट रही।

ऋतुचक्र का नियम मानकर सेब और आलूबुखारे के पेड़ों पर भर-भर

गुच्छे फल लगे, व्यास नदी में बाढ़ आई। ली' बंगले में पहले की तरह दो प्राणी हँसी खुशी भरे दिन बिता रहे थे। रात बीतती, सूरज उगता, फिर सूरज डूबता और हिमालय की साँक से चाँद उग आता। लेकिन आकाश की तकदीर नहीं बदलती। आकाश की छाती में उदय-अस्त, वर्षा-बादल के चित्र-काव्य घटित हो जाने पर भी आकाश की छाती सूनी की सूनी महाशून्य में मँडरा रही थी। ठीक उसी तरह हिमाली मेमसाहब के जीवन में इतने उदय-अस्त होने के बावजूद उनकी तकदीर नहीं बदली। हार्मिसन साहब से विवाह करके भी हिमाली निःसन्तान रह गयी।

देश आज़ाद हुआ। अंग्रेजों ने डेरा उठाया। लोगों ने अंग्रेज साहबों की परवाह पहले की तरह नहीं की। हार्मिसन साहब कभी शासन-क्षमता में नहीं रहे, पद-पदवी में नहीं रहे। लेकिन अंग्रेजों का राज रहने तक वे खुद को राजा मानते थे। अंग्रेजी शासन खत्म होने के बाबजूद ली' साहब के बंगले में काफी दिनों तक अपना साम्राज्य फैलाये रखने पर भी लोग उस बंगले को हार्मिसन बंगला नहीं कहते थे, कहते थे, ली' बंगला। ली' साहबों की आत्माएँ उस बंगले में और उसके चारों ओर सेब-वन में मँडराया करती थीं। ऐसा विश्वास लोगों को था, हिमाली को भी था यह विश्वास।

अंग्रेज बड़े दयालु होते हैं। पशु-पक्षियों को इनसान से बड़ा समझते हैं। इसलिए पालतू पशु-पक्षियों को बड़े यत्न से रखते हैं। विलायत लौट जाने से पहले अनेक साहबों ने अपने पालतू घोड़ों और कुत्तों को गोली मार दी थी, क्योंकि वे जानते थे कि भारत के लोग धर्म और ईश्वर के प्रति बड़े उदार होने पर भी पशुपक्षियों के मामले में बड़े अनुदार होते हैं। उन्हें इनसान से हीन समझते हैं। उनका ध्यान नहीं रखते हैं। यही कारण है कि कुत्ते जैसा एक बुद्धिमान वफादार, परोपकारी जीव भी अपनी भूख मिटाने के लिए मनुष्य की गन्दगी भी खाता है! नितांत अमानवीय, असहनीय।

एंटोनी हार्मिसन साहब ने भी अपने पालतू कुत्तों को लाइन में खड़ा करके सबके सामने गोली मार दी। घोड़ों को भी गोली मार दी। विधि के अनुसार उन्हें सेब-वन में दफना दिया गया। कब्रों के पास पट्टियों पर लिख दिए गये घोड़ा कुत्तों के नाम व जन्म-मृत्यु की तारीख। बड़ी भव्यता के साथ पालतू पशुओं की जिम्मेवारी निभाई गयी। ली' बंगले की सारी अंग्रेजी चीजें नीलाम हो गयीं। परन्तु बंगला नीलाम नहीं हो पाया। वह बंगला हार्मिसन साहब की सम्पत्ति नहीं थी। वह थी हिमाली ली' की अचल सम्पत्ति! हिमालय कन्या हिमाली की आत्मा और हिमालय की गोद में बसे इस गाँव, व्यास नदी के जल, सेब के बगीचे और

खासकर ली' बंगला के जर्रे-जर्रे में समाया हुआ था मार्क्स ली' का प्रेम, वह ली' बंगले को कैसे नीलाम कर देती? और फिर वह विलायत जाए भी क्यों? इसी सेब-वन में मार्क्स ली' की कब्र के पास उसकी कब्र बनाने के बारे में अपनी अन्तिम इच्छा उसने बचनराम को बताई थी। इसलिए उसने हार्मिसन साहब से अनुरोध किया- 'हमारा यह ली बंगला मत बेचो। मैं तो इसमें मरने तक रहूँगी। तुम भी बीच-बीच में आते रहना। जिस तरह तुम अपनी जन्मभूमि नहीं छोड़ पा रहे और इतने सालों बाद लौटकर जा रहे हो, उसी तरह भला मैं भी अपनी जन्मभूमि कैसे छोड़ सकती हूँ। पर मैं तुम्हारे साथ विलायत चलने से मना नहीं कर रही। लेकिन लौट आऊँगी। मेरे मरने के बाद मुझे यहीं दफना देना।'

'लेकिन निःसन्तान इनसान का बुढ़ापा यहाँ बड़ा कष्टदायी होता है। इस देश में बूढ़ों के लिए कोई व्यवस्था नहीं है। उम्र बढ़ने पर मैं भी अधिक आ-जा नहीं सकता। तुम्हारी देखभाल कौन करेगा' हार्मिसन साहब ने कहा। हिमाली ने मुस्कराकर कहा, 'बचनराम है, उसका परिवार है, हमारे गाँव के लोग हैं। वे लोग मेरा हर तरह से ध्यान रखेंगे। क्या तुम बचनराम को अभी तक नहीं पहचान पाए?'

हार्मिसन साहब ने कहा, 'वाकई बचनराम बहुत भरोसेमन्द और सच्चा कर्मचारी है। उसकी वफादारी को लेकर मुझे कोई सन्देह नहीं है। लेकिन उसकी भी तो अपनी पारिवारिक जिम्मेदारी है।' हिमाली ने कहा, 'सच्चाई, वफादारी और निःस्वार्थ स्नेह-सौहार्द यहाँ की माटी का स्वभाव है। यहाँ सभी लोग एक-एक बचनराम हैं। वे सच्चाई के लिए अपनी जान दे देंगे। बचनराम ने वचन दिया है कि वह मेरे बुढ़ापे और मृत्यु की जिम्मेदारी लेगा। इसलिए तुम निश्चिन्त होकर अपने वतन जाओ।'

- 'तुम्हारे बाद इस बंगले, इस जायदाद, इस सेब के बगीचे का क्या होगा?' यह था व्यावसायिक प्रश्न।

'उस बारे में दोनों साथ बैठकर विचार करके जो अच्छा होगा, करेंगे। जायदाद-व्यापार में मेरी रुचि, अनुभव और बुद्धि बहुत सीमित है। यह सब सम्भालते थे मार्क्स साहब। मैं भी उनके उस बगीचे का एक अटल पेड़ हूँ। अभी भी मैं इस माटी में पैर गड़ाए खड़ी हूँ। क्या तुम यहाँ के पेड़ उखाड़कर विलायत ले- जा सकते हो? मेरी हालत ठीक वैसी ही है। मुझे इस माटी से जुदा करने पर मैं मर जाऊगी'- भावुक होते हुए कहा हिमाली ने। पत्नी को प्यार भरा चुम्बन देते हुए सेब व्यापारी हार्मिसन साहब ने कहा- 'तुम्हें किसी तरह की दिक्कत और परेशानी नहीं होगी। इसकी व्यवस्था करने के बाद ही मैं यह बंगला छोड़ूंगा।'

उस दिन रात को पति-पत्नी ने साथ बैठकर जायदाद के बारे में बातचीत की। काफी रात तक लिखा-पढ़ी चलती रही। बचनराम की मौजूदगी उस दिन स्वागत योग्य नहीं थी। उस लिखा-पढ़ी का बचनराम को अफसोस नहीं था। उसका परिवार तो सिर्फ यह सोच-सोचकर परेशान था कि हिमाली मेमसाहब हार्मिसन साहब के साथ विलायत चले जाने के बाद फिर लौटकर आएँगी या नहीं।

हार्निसन साहब का अपने वतन लौट जाने का समय निकट आता जा रहा था। पति-पत्नी सुरंग के रास्ते दोनों वक्त जाया करते थे व्यास नदी के किनारे। मेमसाहब वाली पोशाक छोड़कर हिमाली अपना पारम्परिक पोशाक पहनकर, सिर पर ओढ़नी डालकर नदी के किनारे टहलती थी। अपनी उम्र भूलकर पहाड़ी नदी से शर्त लगाकर वह समय-असमय नहाया करती थी। इस माटी की ऐसी मधुर माया से रिश्ता तोड़कर वह क्यों जाए विलायत? हार्मिसन साहब की विलायती पत्नी और बच्चे हार्मिसन का अपने वतन में इन्तजार कर रहे होंगे। भला हिमाली का वहाँ कौन है जो इन्तजार कर रहा होगा?

न जाने क्यों हिमाली को यह इलहाम होने लगा था कि अब उसके जीवन के अधिक दिन नहीं हैं। वह कहीं विलायत में ही न मर जाएँ, उसे यह डर सता रहा था। वह स्वस्थ और सबल थी। उम्र भी अधिक नहीं थी। फिर भी यह अकारण भय उसे रह-रहकर सालता रहता था। बचनराम हमेशा से हिमाली के पति मार्क्स ली' और बाद में हार्मिसन साहब के प्रति वफादार रहा। उसके बाद बचनराम के परिवार का गुजारा कैसे होगा? बचनराम के लिए कुछ तो इन्तजाम करना होगा। इस बात को लेकर हिमाली चिन्तित थी। विलायत जाने में सिर्फ एक हफ्ता बचा था। हिमाली ने बचनराम को बुलवाकर कहा, 'कल नदी किनारे आना। हार्मिसन साहब शिमला जा रहे हैं। शिमला में मेरे ससुर का बंगला बेचकर लौटेंगे। मैं अकेली होऊँगी नदी किनारे। तुमसे कुछ बातें करनी है। तुम सुरंग के रास्ते आना। तुम्हारे और मेरे बीच की बातचीत के बारे में हार्मिसन साहब न जानें तो बेहतर है। तुम तो जानते हो कि तुम्हारी ही तरह इस बंगले के सभी कर्मचारी हार्मिसन साहब के प्रति वफादार है।

निश्चित समय पर बचनराम सुरंग के रास्ते नदी की ओर चल पड़ा। सुरंग के रास्ते अभी वह दस ही सीढ़ियाँ आगे गया होगा कि उसके पैर ठिठक कर रुक गया। हार्मिसन साहब शिमला जाने से पहले शायद हिमाली को बिदाई-चुम्बन दे रहे थे। उसके बाद हिमाली को अपने सीने से अलग करके हार्मिसन साहब उसकी छाती को निशाना बनाकर पागलों की तरह गोलियाँ चलाने लगे। बचनराम

को अन्तिम बार खुली आँखों से देखते हुए हिमाली वहीं सुरंग की सीढ़ियों पर गिर पड़ी- उसकी सफेद चुन्नी खून से भीगकर लाल हो गयी। हिमाली ने वहीं प्राण त्याग दिया। उसके शरीर से निकल रही खून की धार सुरंग से बहती चली गयी, व्यास नदी के पानी को लाल कर दिया। बचनराम पीछे मुड़कर भागा और पुलिस स्टेशन जा पहुँचा। उस समय सेब के बागान पके सेब से लदे टहटह लाल दिख रहे थे। सेब हिमाली के खून की तरह लाल-लाल दिखने लगे थे। बचनराम ने पुलिस को बयान दिया एंटोनी हार्मिसन साहब ने मार्क्स ली साहब की विधवा पत्नी हिमाली को सुरंग में गोलियों से भून डाला। मैंने अपनी आँखों से देखा है।'

'हिमाली ने तो एंटोनी साहब से शादी कर ली थी। अपनी ही पत्नी को क्यों मार डाला एंटोनी साहब ने। कोई वजह बता सकते हो?' पुलिस का सवाल था।

- 'एंटोनी साहब विलायत लौट रहे हैं। जाने से पहले वे अपने पालतू घोड़ों और कुत्तों को भी गोली मार चुके हैं। वजह क्या हो सकती है मैं नहीं जानता। पालतू घोड़ों और कुत्तों की तरह हिमाली भी थी एक वफादार भारतीय पत्नी। इसके सिवाय मुझे कोई और वजह नहीं मालूम। लाश पड़ी है सुरंग में। जाकर देख लें मेरी बात की सच्चाई।'

'तुम्हारी सच्चाई पर हमें शक नहीं है। चलो, हमें रास्ता बताओ।' पुलिस ने लाश अपने कब्जे में ले ली। हार्मिसन साहब को पुलिस ने गिरफ्तार किया। केस दर्ज हो गया। हार्मिसन साहब जमानत पर रिहा होकर ली' बंगले में रहने लगे। उसी बंगले के पिछवाड़े सेब के बागान में हिमाली हमेशा के लिए सोई हुई थी, कब्र में मार्क्स ली' की देह से कटकर बिना किसी विरोध के। अंग्रेज शासन खत्म होने के बाद भी उस पहाड़ी गाँव के सरल लोगों ने एक अंग्रेज पति के जघन्य अपराध को खामोशी से स्वीकार कर लिया था। बचनराम को चुपचाप बुलवाया हार्मिसन साहब ने और कहा, 'बचनराम, तुम एक अच्छे इंसान हो। मुझे फांसी दिलवाकर तुम्हें क्या मिलेगा?' एक अन्तरंग मित्र की तरह उदासी भरा अवाज सवाल किया हार्मिसन साहब ने।

मैं क्या करता सा'ब, जो देखा पुलिस को बता दिया। हमारी हिमाली मेमसाब पर गोलियाँ चलाते मैंने खुद अपनी आँखों से आपको देखा है। मैंने तो अपना कर्तव्य ही किया है।'

- 'तुम एक वफादार और भरोसेमंद कर्मचारी हो। मैं चाहता हूँ कि तुम और तुम्हारा परिवार ली' साहब के समय से जिस ठाठ बाट से बंगले में रहते आई हो, सारी जिन्दगी उसी तरह रहो। तुम्हारे बच्चे अच्छी तरह पढ़-लिख लें। आजाद भारत में अच्छे पदों पर काम करें। इस वक्त मैं हूँ इस पूरे जायदाद का

मालिक। मुझे फांसी हो गयी तो मेरे बच्चे यहाँ आकर यह सारी जायदाद बेच देंगे। तुम्हारी नौकरी चली जाएगी। तुम्हारा गुजारा कैसे होगा? अगर तुम मेरे कहने पर मजिस्ट्रेट के आगे अपना बयान बदल दो तो मैं सेब के इस बागान का आधा हिस्सा तुम्हें दे दूंगा। तुम्हारे बच्चे राजा की तरह रहेंगे। तुम इस इलाके के सबसे अमीर आदमी हो जाओगे। अच्छी तरह सोच लो- इसमें दोनों का भला है। अपनी सच्चाई को लेकर बैठे रहने से हिमाली तो अब लौटकर नहीं आने वाली। तुम्हें क्या मिलेगा? विश्वास करो, हिमाली को मारकर मैं भी बेहद दुखी हूँ। वह नासमझ औरत मुझे अपराधी बना गयी। तुम भी उसकी तरह नासमझ मत बनो। तुम्हें समझना चाहिए कि झूठ से अधिक दुखदायी होता है नासमझ बनने का अंजाम।'

स्तब्ध बचनराम ने हमेशा के लिए खो चुके अतीत में झाँका। सामने उगते भविष्य को देखा, जहाँ उसकी ओर ताकते खड़े थे उसके पाँच बच्चे। इनसान अतीत को भूलकर सीने को कठोर करके भविष्य के लिए जीता है। बचनराम ने सीने को पत्थर बनाकर अपना बयान बदल दिया। हार्मिसन ने अपना वायदा पूरा किया। ली' साहब की आधी जायदाद का मालिक बचनराम बन गया। ली' साहब का बंगला किसी राजा साहब को बेचकर हार्मिसन विलायत लौट गये। बचनराम ने आँखें मूंदकर ईश्वर से प्रार्थना की थी- हार्मिसन साहब को फाँसी दे दी जाती तो भी उसकी प्रिय हिमाली मेमसाब लौट नहीं आतीं। इसलिए जीवन की इस एकमात्र झूठ के लिए ईश्वर उसे माफ कर दें।'

ली' साहब के विलायती ढाँचे के बंगले के नीचे की ओर एक और नया बंगला बनवाया बचनराम ने, उसके बच्चे अंग्रेजों की तरह ठाठ-बाट से बड़े हुए, पढ़ाई की, समाज में प्रतिष्ठित हुए। लेकिन सत्य की उपत्यका में झूठ की एक करुण किंवदन्ती बनकर लज्जा, दुख और पश्चाताप भरा जीवन बिता रहा था बचनराम। वह जिस बंगले में रहता था उसकी एक-एक ईंट जुड़ी थी झूठ के काले सीमेंट से। उसके पैर के नीचे, सिर के ऊपर, चारों ओर झूठ के कलाकार भूत-प्रेत दांत दिखा-दिखाकर उसकी भर्त्सना कर रहे थे, हर क्षण उसे रक्ताक्त कर रहे थे झूठ के पिशाच के नुकीले नख-दन्त। बचनराम को दूसरा कोई दुख नहीं दे रहा था, दुख दे रहा था उसका निर्मल मन और विवेक, जो अपनी देह पर झूठ का एक काला धब्बा देखा करता था सोते, जागते और सपनों में, जिस दिन से उसने ली साहब की जायदाद के आधे हिस्से के कागजात अपने हाथों में लिए थे। अब वह अधिक बाहर नहीं निकलता था, क्योंकि उस पर पड़ने लगती थीं तिरछी नजरें- 'यही है वह बचनराम, जो अपना बयान बदलकर बड़ा

आदमी बन गया। उसे लगता कि लोग हर रोज उसे नई-नई नजरों से देखकर आपस में कुछ कानाफूसी करते हैं। बचनराम उस गांव के सर्वांगीण विकास के लिए तरह-तरह के काम कर रहा था। बहुत आर्थिक दान करता था गांववालों को, गाँव की संस्थाओं को। किन्तु हिमाली के खून से लिखी उस किवदन्ती के अक्षर दिनोंदिन गाढ़े भले ही होते चले जा रहे थे, पर मिट नहीं रहे थे। मिटने का सवाल ही कहाँ उठता है? यह किंवदन्ती तो चलती चली जाएगी बचनराम के वंश इतिहास के साथ गुंथकर अनंत भविष्य तक। सिर्फ वह एक झूठ, बचनराम के अतीत की समस्त सत्यवादिता और आगामी कल के समस्त विश्वसनीय सत्कर्मों को न केवल धूमिल कर रहा था, बल्कि उसका मजाक भी उड़ा रहा था। लोगों की नजरों में बचनराम का कोई भी दान, धर्म, करुणामय काम सच नहीं लगता था। एक झूठ को ढक लेने के मुखौटे की तरह लगते थे बचनराम के सारे सही सत्कार्य। उस गाँव के लोग जब गरीबी और दुख से सड़ रहे थे, तब बचनराम और उसके बच्चे साहबों की तरह ठाठ से जी रहे थे। सुख से रह रहे थे। लेकिन उसके गाँव के लोग जिस सत्याचारी जीवन को सहज आनन्द में डूबकर जी रहे थे, वह आनन्द बचनराम से कोसों दूर हो गया था, हमेशा-हमेशा के लिए।

सुख और आनन्द के बीच का सूक्ष्म अन्तर अब बचनराम के लिए स्पष्ट हो चुका था। पर उपाय क्या था? सच से मुकर जाने वाले बचनराम के आगे झूठ को लौटा देने के सारे रास्ते बंद हो चुके थे। बचनराम हिमाली का हत्यारा नहीं है, फिर भी अपने एक झूठ के लिए वह हिमाली के हत्यारे की तरह निन्दित हो रहा था। बचनराम जिस दारुण पश्चाताप से सड़ रहा था, उस तरह नहीं सड़ रहे होंगे हार्मिसन साहब, हिमाली के हत्यारे पति।

ली' साहब का वह बंगला एक के बाद एक सभी बेचते चले आ रहे थे। क्योंकि उसमें हिमाली के प्रेत को खून से सनी ओढ़नी ओढ़कर चलते-फिरते देखा करते थे लोग। हिमाली एक ऐसी मधुर मातृमूर्ति थी कि वह प्रेत बन जाने के बावजूद किसी को कोई नुकसान नहीं पहुँचाती थी। वह सिर दबा देती थी, पैर सहला देती थी, कम्बल ओढ़ा देती, गर्मी बढ़ जाने पर हीटर बंद कर देती, बाथरूम में नल खुला रह गया हो तो बन्द कर देती, कभी-कभी बाथरूम में बैठकर खून से सनी ओढ़नी धोती। सेब के बागान में घूम-घूमकर गीत गाती, कभी-कभी रोने लगती। हंसती नहीं कभी। लोग ऐसे कल्याणकारी प्रेत से भला क्यों डरते हैं? जो लोग प्रेत से अधिक भयंकर हैं क्या उनसे डर नहीं लगता? हिमाली प्रेत है, इसलिए उससे इतना डरते हैं!

बचनराम, हिमाली मेमसाहब से मालकिन के रूप में कभी नहीं डरता था। लेकिन उनके प्रेत से डरता है। कैसे सामना करेगा उनकी उन आंखों का जो बचनराम को देखते-देखते मुँद गयी थी। हिमाली का हृदय इतना विशाल था कि उसका प्रेत बचनराम के सेब बागान में नहीं घुसता था। बचनराम पर अथाह स्नेह था हिमाली का। बचनराम का कष्ट वह सह नहीं पाएगी। बचनराम का हृदय एक झूठ से क्षतविक्षत होकर जिन्दगी भर उसको जितना कष्ट दे रहा है, वह हिमाली का प्रेत समझता है, जबकि बचनराम के बच्चे नहीं समझ पाते। पत्नी समझती है कुछ-कुछ। क्योंकि वे लोग सत्य की उपत्यका में निर्मल चरित्र लिये जी रहे हैं। झूठ का कष्ट क्या होता है, वे क्या समझें? ली' साहब के बंगले में जो लोग रहने आते, वे पहले सुनते बचनराम की कलंकित किंवदन्ती। कोई-कोई बचनराम को देखने उसके घर भी चले आते। बचनराम किसी से नहीं मिलता। किसी को मुँह दिखाने का आत्मबल अब इसमें नहीं रहा। गाँव के लोगों ने बचनराम के परिवार से खुद को दूर ही रखा है। उसके घर उसके बच्चों के दोस्त आते हैं, गाँव के लोग नहीं आते। बचनराम उन्हें अपने घर नहीं बुलवा पाता! कहीं यह न कह दें- 'हम गरीब है, पर तुम्हारे जैसे घटिया नहीं हैं।' उफ्फ, कहाँ खो गये बचनराम के वे स्नेहभरे, सत्याश्रित स्वच्छन्द दिन?

एक दिन बड़े बेटे ने कहा, 'ली' साहब के बंगले में हमारा बचपन और हमारी किशोरावस्था बीती है। तब हम सोचते थे कि वह हमारा ही घर है। जिस दिन हार्मिसन साहब ने वह बेच दिया, उस दिन हम बच्चों को घर से बाहर निकाल दिए जाने-सा अहसास हुआ था। मैं तो उस दिन सेब के बागान में बैठकर बहुत देर तक रोया था। उसके बाद से वह बंगला जितनी बार भी नीलाम हुआ है, तब मेरे पास इतने पैसे नहीं होते थे। हर बार मेरे बचपन का प्यारा बंगला मेरी पकड़ से दूर चला जाता। लेकिन पिताजी! आपको यह जानकर खुशी होगी कि अब से ली' साहब के बंगले में हम ठाठ से रहेंगे। हमने वह बंगला खरीद लिया है। अपना यह घर गेस्ट हाउस बनाकर हम ली' साहब के बंगले में चले जाएँगे। वहाँ से दिखाई देता है हिमालय का विशाल विस्तार। आपको खूब अच्छा लगेगा। उस बंगले में रहने से हमारी मान मर्यादा भी खूब बढ़ेगी।'

- 'लेकिन हम उस बंगले में नहीं रह सकते। उसमें तो हिमाली मेमसाहब की हत्या हुई थी। वहाँ उनका प्रेत मंडराता रहता है। इसीलिए तो लोग उस बंगले को बेचकर चले जाते हैं।' असहाय बचनराम ने कहा।

- 'ये सब फिजूल की बातें हैं- मैं भूत-प्रेत में विश्वास नहीं करता। आप ही ने तो हमें बचपन से सिखाया है कि भूत-प्रेत कुछ नहीं होता- यह सब मन

का भ्रम है- झूठ है। अब क्यों झूठ पर विश्वास करने लगे?'

वैसे भी झूठ बहुत कमजोर होता है, पर जब वह सच की समाधि पर खड़ा होता है तब भूत-प्रेत से भी अधिक कष्टदायक होता है। वह कष्ट तुम लोग नहीं समझ पाओगे; बचनराम ने कहा। फिर भी बेटे की इच्छा के विरुद्ध नहीं जा सका। विलायती बंगले की ऊँचाई से मान-मर्यादा को नापने वाले ऊँचे पद पर बैठे बेटे को कोई कैसे समझाए कि इन्द्रलोक में बँगला खरीद लें तो भी बचनराम की मान-मर्यादा कई पुश्तों तक धूसरित हो जमीन पर लोटती रहेगी!

कुछ दिनों बाद सुबह के उजाले में हाथ में एक बेंत लिए व्यास नदी में नहाने चल पड़ा बचनराम। उस समय उसके मकान का सारा सामान ऊपर ली' बंगले में ढोया जा रहा था। पोता-पोती बंगले के लॉन में दौड़-भाग रहे थे। दिन के उजाले में भी बचनराम ने देखा कि हिमाली मेमसाहब एक सेब के पेड़ से टिकी बैठी उसकी ओर देख रही है और पूछ रही है अपनी मौत से जुड़ा सवाल- 'क्या ऐसे हृदयहीन झूठे इनसान भी होते हैं इस दुनिया में!'

बचनराम ने बंगले पर एक बार अपनी करुण दृष्टि डालकर पुरानी यादों को ताजा किया, कमजोर पैरों से गाँव पगडंडी पर चलने लगा। कोई दबी-सी आवाज में कह रहा था, 'यही है वह बचनराम जो बयान बदलकर धनी बन गया था, पर देखो तो कितनी जल्दी बुढ़ा गया।' रास्ता किनारे पके आलूबुखारे उसे देखकर खुल्लमखुल्ला हँस रहे थे, सेब ठहाके मार-मारकर मजाक उड़ा रहे थे, उसे चारों ओर से एक ही स्वर सुनाई दे रहा था- 'हत्यारा, हत्यारा- इस आदमी ने सच की हत्या करके इस पवित्र माटी को कलंकित किया है।'

व्यास नदी के किनारे वह पत्थर उसी तरह था जिस पर हिमाली मेमसाहब बैठकर पानी में पैर डुबोकर बच्चों की तरह खेला करती थी। बचनराम वहीं बैठ गया उदास हो। व्यास नदी को साक्षी रखकर उसने हिमालय के सबसे ऊँचे शिखर के समक्ष जीवन के एकमात्र झूठ का सच कह डाला। व्यास नदी से विनती की- 'तू तो मेरी माँ है- मेरे सीने का कष्ट धो दे- झूठ को धोकर बहा ले जा, पाप को भूल चुके बाकी के चन्द स्वच्छन्द दिन मुझे दे दे माँ- मुझे धन-दौलत कुछ नहीं चाहिए।'

व्यास नदी कलकला उठी, बोली- 'बावला हो गया है? मेरा दुख तो तुझसे भी ज्यादा है, क्योंकि मैं तुझ जैसे एक भले इंसान का कष्ट धो नहीं सकती। भला एक ऐसी करुण किवदन्ती को धो डालने की शक्ति किसमें होगी? मैं तो उसी दिन से तेरे दुख में अपना दुख मिलाकर विषाद-गीत गाती चली जा रही हूँ। इस गीत का अन्त कहाँ है? यदि पूछ सकता है तो बर्फ से ढके हिमाद्रि

से पूछ। तेरे दुखों को अपने बर्फ के टुकड़ों में बदलने की शक्ति उसमें हो सकती है।'

बचनराम के सत्य की खोज में निकले डग आगे बढ़ गये। पीछे पड़ा रह गया सच को दफनाकर, झूठ की बुनियाद पर टिके जीवन के भ्रम- धन, जायदाद और ली' साहब का विलायती बंगला, जिसने सांसारिक सुख और स्थूल मान-मर्यादा का पैमाना बनकर एक सरल सच्चे हृदयवान इंसान को जीवन के वास्तविक आनन्द और उत्कृष्ट मान-मर्यादा से वंचित कर दिया था।

❑❑

पादुका पूजन

राम जैसा पितृभक्त कौन है या लक्ष्मण-भरत जैसा भ्रातृभक्त और कौन जनमा है इस दुनिया में! पादुका-पूजन में भरत से आगे निकल जाए- ऐसा कोई आदमी नहीं है इस दुनिया में। विधानबाबू के घर पर पादुका-पूजन देख कोई-कोई ऐसा सोचते हैं तो कोई-कोई हँसते हैं। सोचते हैं यह सब दिखावटी भक्ति है। पादुका-पूजन वह भी पिता की नहीं, ना ही माँ की, बल्कि पिता के छोटे भाई और विधानबाबू के चाचा की। माँ-बाप की पादुका की बात छोड़ो, उनकी तो कोई तसवीर तक नहीं है विधानबाबू के घर पर, पर चाचा की पादुका की पूजा हो रही है। उन दिनों फोटो नहीं खिंचता था, भला यह कैसे कहा जा सकता है? बात है ही कितनी पुरानी? विधानबाबू का बचपन अभी कोई तीस-पैंतीस साल पहले की ही तो बात है। तब तक शहर के लोगों द्वारा अपनी तसवीर मँढ़वाकर दीवार पर टाँगने का फैशन आ चुका था। लेकिन निपट गाँव में रहनेवालों के घरों की दीवारों पर जिंदा लोगों के फोटो खिंचवाकर दीवार पर टाँगना नहीं देखा गया था। भगवान की तसवीर छोड़ इंसान की तसवीर दीवार पर टाँग कर रोज दर्शन करना- भला कोई क्यों ऐसा अनर्थ करेगा? एकाध लोगों की तसवीर और भगवान की तसवीरें टाँगी जातीं जमींदार-साहूकारों की दीवारों पर। इसलिए विधानबाबू के पिता, माता, चाचा, चाची किसी की कोई तसवीर नहीं। उनके चेहरे सब मर-खप चुके। सिर्फ स्मृति-पटल पर जितना कुछ बचा है, उतना ही। आज विधानबाबू के घर में फोटो खींचने का फैशन दिन-प्रतिदिन इस कदर बढ़ता जा रहा है कि खाना खाकर हाथ धोते समय का भी फोटो खींचा जाता है। विधानबाबू को इस बात का अफसोस था कि माँ, बाप, चाचा, चाची का कोई फोटो वे नहीं रख पाये। पर सिर्फ चाचा की चमड़े की दो चप्पलें पूजा की चौकी पर सजाकर पूजने की वजह क्या है?

बच्चों के पूछने पर वे कहते, 'पिताजी की आँखें मुँदते समय मैं पढ़ता

था नौवीं कक्षा में। चाचा ने ही बचपन से गोद में खिलाकर बड़ा किया। पिताजी ने जीते जी अपने बच्चों को गोद में उठाया हो, यह याद नहीं। पिताजी थे एक गर्म मिजाज के आदमी। इसलिए मैं पिताजी की अपेक्षा चाचा को अधिक चाहता था...'

यह बच्चों के सवाल का संतोषजनक उत्तर नहीं था- यह जानते हैं विधानबाबू; पर क्या बच्चों को सब कुछ बताया जाता है? बताने पर भी बच्चे उनकी भावुकता पर उतना ध्यान नहीं देंगे, जितना देती है चित्रा- उनके बच्चों की माँ। बल्कि बच्चे सोचते हैं कि उनके पिता बहुत कंजूस और अकृतज्ञ व्यक्ति हैं। इनके चाचाजी ने इनके लिए इतना कुछ किया पर...

विधानबाबू के घर का पादुका-पूजन बंधु-बांधवों के बीच एक चर्चा का विषय बन गया था। इसका मतलब यह नहीं कि विधानबाबू चाचा के प्रति अपनी भक्ति का प्रचार कर रहे थे। बल्कि विधानबाबू ने अपने शयन-कक्ष के एक कोने में रखी चौकी पर मखमल का एक लाल कपड़ा बिछाकर उस पर चमड़े की दो पुरानी चप्पलें रखी हुई हैं। उन पर चंदन के छींटे सूख चुके हैं। हर साल चाचा का श्रीबदन चंदन और धूप से पूजते हैं। क्योंकि भतीजा होने के कारण वे चाचा का पिंड नहीं पूज सकते। रोज नहाने के बाद भगवान की तसवीर को प्रणाम करते समय पिता, माता, चाचा की पादुका को प्रणाम करते हैं। बात सिर्फ इतनी-सी है; लेकिन वह बात छिपी नहीं रही। आज कल जन्म देने वाले माता-पिता की नाक में भी योग्य संतानों ने दम कर रखा है। मरने के बाद चाचा-चाची को भला कौन पूछता है। परंतु मृत चाचा का पादुका-पूजन करना क्या कलियुग में पितृपुरुष के प्रति भक्ति का एक ज्वलंत उदाहरण नहीं है? बात-बात पर पास-पड़ोस, बंधु-बांधव अपने बिगड़ैल बेटा-बेटी से कहा करते, 'जाकर देख आओ विधानबाबू का घर। कितने महान पुरुष हैं- कितने विद्वान, कितने ख्यातिप्राप्त, पर चाचा का पादुका-पूजन करते हैं। पितृपुरुष की भक्ति के कारण वे दिनोंदिन ऊपर से ऊपर बढ़ते जा रहे हैं, जाओ देखो, जरा-सी सद्‌बुद्धि तुम लोगों को भी मिलेगी...'

विधानबाबू के सामने कोई उनकी इस तरह प्रशंसा करता तो वे उदास हो उठते। सीने में एक अजीब-सी पीड़ा होने लगती। अस्सी साल तक चलते-चलते थक चुके चाचा के दो मैले पतले पाँव दिख जाते। आँखें भर आतीं। लोग क्यों दूसरों की बातों में दिमाग खपाते हैं? उनके असह्य दु:ख पर बार-बार चोट करने की क्या जरूरत है? कोई किसी को पूजे न पूजे, यह उसका निजी मामला है। इसमें दूसरे लोग सिर क्यों खपाते हैं?

जो लोग विधानबाबू के निकटतम बंधु-बांधव हैं, उन्होंने विधानबाबू में महज पितृपुरुष के प्रति अगाध भक्ति का नमूना पादुका-पूजन ही नहीं देखा- करुणा का एक विचित्र रूप भी देखा है। कोई कुछ मदद माँगने आता तो पहले वह उसके पेट-पीठ की ओर न देख उसके पैरों की ओर देखा करते हैं। एक लंबी साँस छोड़ते हैं। कुछ मदद करें या न करें, पूछते हैं- 'तुम्हें एक जोड़ी चप्पलें चाहिए क्या? मेरी चप्पलें लोगे? या फिर रुपये देता हूँ एक जोड़ी चप्पलें खरीदकर पहन लेना। देखो, तुम्हारे पैर कितने जलते हैं। बहुत तकलीफ होती होगी गर्मियों में- गर्म रेत पर, पक्की सड़कों पर।'

रोगी, भिखारी, गरीब, छात्र और मदद माँगने आने वालों तथा वयस्क अभावग्रस्त रिश्तेदारों को उन्होंने नयी चप्पलें खरीदकर दी हैं। पूछने पर कहते, 'सिर्फ अन्नदान या वस्त्रदान ही पुण्यकार्य नहीं है; गर्मियों में, जाड़ों में पादुका-दान करना भी महान पुण्य है। मेरे बचपन में चाचा ने एक बार कहा था ...।' इतना कहकर कहीं खो जाते विधानबाबू। इससे पता चलता है कि चाचा की बात को वेदवाक्य मान लिया है विधानबाबू ने। वे बड़े विनयी और भावुक भी हैं। विधानबाबू जो कुछ कहना चाहते हैं, नहीं कह पाते। आँखों के आगे उभर आते चाचा के दो सफेद, फूले हुए मृत पैर। वे ही दो पैर कभी विधानबाबू के पैर बना करते थे। चाचा के पैरों से विधान नामक उस बालक ने उन दिनों राह न चली होती तो क्या आज वह इस मुकाम तक पहुँच पाता?

उन दिनों के संयुक्त परिवार की बात पर आज विधानबाबू के बच्चे विश्वास नहीं करते। विश्वास कर भी लें तो पसंद नहीं करते। परिवार का मतलब क्या गाय-बैल का झुंड है! बाप रे बाप! दादाजी, पिताजी, ताऊजी, चाचा, चाची, बड़ी माँ, दादी माँ, सबके बच्चे, आने-जाने वाली बुआ, मौसी, दीदी और उनके बच्चे, दूर के रिश्तेदार, बंधु-बांधव, नौकर-चाकर, हलवाहे सभी खाएँगे एक ही हाँड़ी में। इसका मतलब दिन-रात चूल्हा जलता रहेगा शादी-विवाह की तरह। किस तरह इतने लोग इकट्‌ठे रह लेते हैं एक छत के नीचे मुँह बंद करके- गाय बैलों की तरह! जिनकी अपनी कोई इच्छा, आग्रह, पसंद यहाँ तक कि कोई खाद्य रुचि तक नहीं होती।

बच्चे एक जैसा पैंट-शर्ट पहनते हैं। औरतें सधवा, विधवा के अनुसार एक जैसी साड़ियाँ पहनती हैं। हालाँकि मायके की साड़ियाँ अलग होती हैं; लेकिन कभी किसी को एक-दूसरे की साड़ी गहने पहनने की कोई मनाही नहीं थी। मानों घर न हो, अखाड़ा हो। दिन-रात हो-हल्ला, शोर-शराबा। हर कोई कार्य में व्यस्त। किसी को किसी के किसी काम से परहेज नहीं। कोई सब्जी काटती तो

कोई पानी भर लेती- इस गोद से उस गोद तक बच्चों की आवाजाही की तरह इस हाथ से उस हाथ तक काम भी हो जाता आसानी से। हो सकता है औरतों के मन में एक-दूसरे के प्रति कुछ दुराव-छिपाव या ईर्ष्या हो। पर वह बात मर्दों के कान तक नहीं पहुँचती। मानों दो राज्य हो, औरतों का, मर्दों का। किशोर विधान मर्दों के राज्य की खबर से परिचित हैं। क्योंकि उसके पिता, चाचा की तरह उसने भी कभी औरतों के राज्य की खबर नहीं रखी। उसने देखा है अपने पिता को। बहुत कड़क मिजाज, कर्मठ, सच्चे, सत्यवादी और गंभीर। विधान उनके पास नहीं जाता था। पिता भी बच्चों को गोद में नहीं लेते थे। सिर्फ कचहरी के काम से जब कटक जाते, कंदरपुर का नामी रसगुल्ला एक हाँड़ी ले आते बच्चों के लिए। विधान को रसगुल्ला प्रिय है। भला कौन-सी अच्छी चीज उन दिनों ताड़-से बढ़ते विधान नामक बालक को प्रिय नहीं थी। एक-एक रसगुल्ला आता सबके हिस्से में। बच्चों के दो-दो। पिताजी उसी हिसाब से लाते हैं शायद। हालाँकि माँ और चाचा को कभी रसगुल्ला खाते नहीं देखा विधान ने। माँ जबर्दस्ती अपना रसगुल्ला दादी को दे देती। कहती हैं बाल-वृद्ध बराबर हैं। पर चाचा के हिस्से का रसगुल्ला अक्सर विधान के हिस्से में आता था। बाड़ी की ओर बुला ले जाकर चाचा अपना रसगुल्ला विधान के मुँह में डाल देते थे। कहते, झटपट खा ले। वरना चिल्लर पार्टी पहुँच जाएगी। चील की तरह झपट लेगी। देखता रह जाएगा। विधान वह रसगुल्ला जल्दी-जल्दी खा लेने के बाद सोचता- चाचा अपने हिस्से का रसगुल्ला उसे न देकर अपने बेटे विराज को भी दे सकते थे। क्योंकि खाने में वह भीम है। पर अपने बेटे और भाई के बेटे में अंतर करने जैसी कोई बात जब इस घर में होती ही नहीं थी तो फिर रसगुल्ले को लेकर क्यों हो?

चाचा पिताजी की तरह बुद्धिमान और कमेरे नहीं थे। जिस काम में भी हाथ डालते, वह डूब जाता। पिताजी का काफी पैसा डूब गया चाचा के हाथों। क्रमशः चाचा निकम्मे साबित हुए। चाचा का काम था खेती-बाड़ी सँभालना। संयुक्त परिवार था। कोई एक निकम्मा हो भी जाए तो भूखा नहीं रहता था। किंतु विधान ने चाचा को कभी निकम्मा नहीं समझा। चाचा जितना काम करते हैं, संभवतः घर में उतना काम और कोई नहीं करता। चाची के जिम्मे चूल्हा-चौका है। उनके जीवन का सारा समय बीत गया रसोईघर में। खा-पीकर चौका-बर्तन समेटते-समेटते आधी रात हो जाती है। चाची की कमर जकड़ जाती। सुबह उठ नहीं पाती। विधान ने कई बार देखा है चाचा को चाची के पैर दबाते, घुटनों पर मलहम मलते। कहते हैं, वह सब जोरू के गुलाम का काम है। लेकिन विधान

जानता है कि चाचा जोरू के गुलाम नहीं हैं। ऐसा हुआ होता तो इतने बड़े संयुक्त परिवार की नींव डोल गयी होती। चाची की तबीयत का ध्यान चाचा नहीं रखेंगे तो कौन रखेगा। चाची सारा काम निपटाकर माँ के पैर दबा देती। चाची छोटी बहू जो ठहरी। लेकिन माँ इतने सारे काम नहीं करती। बड़ी बहू होने के कारण नियमानुसार पल्लू में चाबियों का गुच्छा लटकाये घर की देख-रेख करती। चाची रहती जी-हजूरी बजाने में; लेकिन यह माँ का चाची पर अत्याचार नहीं है। संयुक्त परिवार का नियम है। पर चाची को खाने-पीने की कमी नहीं थी। माँ और चाची एक ही बर्तन में खाना खातीं। चाचा-चाची में बच्चों के प्रति कोई भेद-भाव नहीं था। चाची सुबह जल्दी नहीं उठ पाती, इसलिए चाचा सुबह से चूल्हे के पास जाकर एक पतीला चाय चढ़ा देते हैं। घर के सभी लोगों, यहाँ तक कि नौकर-चाकर सबको चाय देते हैं। उसके बाद बच्चों का नाश्ता। सूजी, साबूदाने की खीर तथा औरतों के पखाल (पानी मिला भात) खाने को सब्जी या भुँजड़ी बनाते हैं। चाची कमर दर्द के के कारण देर से नहाती है। बिना नहाये रसोई में कैसे जाएगी? चाचा निकम्मे कहलाने पर भी पुरुष हैं। वे बिना नहाये-धोये रसोई में घुस सकते हैं, सब्जी-भुँजड़ी बना सकते हैं। शादी-विवाह, पर्व-त्योहार के समय चाचा दिन-रात बैठे खाजा, मालपुआ, बूँदी बनाते हैं। इस काम में वे दक्ष हैं। चाची भी चाचा की तरह इतने स्वादिष्ट व्यंजन नहीं बना पाती। मालपुआ चाचा के हाथों जितना स्वादिष्ट बनता है, चाची के हाथों नहीं बन पाता। मालपुआ खाते ही पता चल जाएगा, चाचा ने बनाया है या चाची ने। सुबह दो-तीन बार चाय बनती है। चाचा बिना नहाये चूल्हे के पास बैठे दो-तीन बार चाय पी लेते। चाय के साथ लाई या भुना हुआ चिउड़ा फाँकते जाते। बस उतना ही होता चाचा का सुबह का नाश्ता। कभी-कभी हलुआ बनाते तो उसमें से थोड़ा-सा खा लेते। चाचा का पक्षियों जितना आहार है, इसीलिए शरीर इतना कमजोर है। सुबह सभी बच्चों को नहला देते हैं चाचा। पैंट, शर्ट पहनाकर स्कूल भेज देते हैं। स्कूल न जाने वाले छोटे बच्चे को गोद में लिये घूमा करते हैं। इतने बड़े परिवार में चार-पाँच औरतें हैं। पर वे साल दर साल सिर्फ बच्चे पैदा करती हैं। बच्चों को पालने की फुर्सत नहीं होती उन्हें।

चाचा पूरी दुपहरी खेती-बाड़ी का काम देखते हैं। शाम के वक्त बच्चों को इकट्ठा करके कहानी सुनाते हैं, ताकि खाना बनने से पहले कोई ऊँघने न लगे। इन सबके अलावा, बंधु-बांधवों की आवभगत, ठाकुरबाड़ी सँभालना भी चाचा का ही काम है। गाय-बैल को समय पर पानी पिलाना, सानी करना, गोबाड़ा ठीक से साफ हुआ है या नहीं, देखना चाचा का ही काम है। सभी दूध,

दही, घी खाते हैं। पर गोबाड़ा-दुआर कोई नहीं देखता। बावड़ी साफ करवाना, नारियल के पेड़ झड़वाना, किससे क्या लेन-देन करना है सब आसानी से करते हैं चाचा। लेकिन ये सब काम पुरुष के लिए काम नहीं गिने जाते। जिस काम से दो पैसे न मिलें उसे भला काम में कौन गिनता है। ये सब औरतों के काम हैं। इसलिए चाचा के काम का कोई महत्व नहीं होता। पिताजी कचहरी में काम करते हैं। घर पर दामाद मेहमान हैं। पिताजी नौकरी करते हैं इसलिए या बड़े बेटे हैं, उनकी खातिरदारी चाचा से अधिक होती है- बच्चों का समझ पाना मुश्किल है। लेकिन सभी इतना जानते हैं कि पिताजी घर के मुखिया हैं और चाचा हैं वयस्क आश्रित। घर में यदि पिताजी और चाचा का चूल्हा-चौका और जमीन-जायदाद अलग हो जाए तो चाचा के हिस्से से जितनी आय-आमदनी होगी, पिताजी के हिस्से की जमीन से उतनी नहीं होगी। इसके बावजूद चाचा जी-हजूरी करते। पर इससे चाचा के मन में कोई दुःख नहीं था। पिताजी के मन में पाप नहीं था। यह भी संयुक्त परिवार का नियम है।

चाचा बच्चों को खूब चाहते थे। मंदिर पर कबूतर बैठने की तरह बच्चे चाचा के कंधे, पीठ पर चढ़े रहते। दो कंधों पर दो बच्चों को बिठाये चाचा को बाहर घूमते देखना रोजाना का दृश्य था। पीठ पर चीनी बोरा बनाये घुमाएँगे बड़े बच्चों को, हालाँकि उन दिनों के बच्चों में विधान और आज के विधानबाबू थे चाचा के सबसे प्रिय। उसकी एकमात्र वजह थी कि विधान उन सबसे अलग थे। संयुक्त परिवार के हो-हल्ले में पढ़ाई की ओर किसी का ध्यान नहीं था। न मुखिया का, न बच्चों का। गाय-बैल की रखवाली के लिए जिस तरह एक चरवाहा बालक नियुक्त किया गया था, उसी तरह बच्चों की रखवाली के लिए एक मैट्रिक फेल ट्यूशन मास्टर नियुक्त किया गया था। नाम के लिए पढ़ाई। बाकी का समय बच्चों के झगड़े और फौजदारी की गवाही देने के लिए मास्टर जी सजग रहते थे। तालाब में बच्चे ज्यादा देर तक डुबकी नहीं लगाएँगे, इसके लिए मास्टर जी छड़ी लेकर खड़े रहेंगे। खाना खाते जूठन नहीं छोड़ना है, इसके लिए मास्टर जी छड़ी लेकर खड़े रहेंगे। दोपहर बाड़ी-बरामदे में घूमने को मना करते हुए उन्हें चुपचाप सुलाने के लिए मास्टर जी छड़ी लेकर पहरा देते हैं। शाम को खेलते समय मार-पीट करके बच्चे आपस में सिर-होठ न फोड़फाड़ डालें इसलिए मास्टर जी छड़ी लिए खड़े रहते थे। शाम को भी मास्टर जी के हाथ खड़िया नहीं होती थी, छड़ी होती थी। गरीब मास्टर के सिवा इन शरारती बच्चों को और कौन सँभालेगा? माँ-बाप भी बच्चों की शरारत खुद न सँभाल पाकर मास्टर जी को बुलाएँगे- 'मास्टर जी, जरा इधर आइए तो- लगाइए इस लड़के

को दो छड़ी। जरा पूछिए तो इससे, बात क्यों नहीं मान रहा...।'

लेकिन चाचा बच्चों के सारे उलाहने सह लेते हैं। कभी किसी को उँगली तक नहीं छुआते। हो सकता है इसीलिए चाचा के चारों लड़के आवारा हैं। विधान बचपन से ही शांत-शिष्ट है। पढ़ाई में मन लगाता है। मास्टर जी की बेंत उस पर नहीं पड़ती। हर कक्षा में फर्स्ट। इसलिए विधान है चाचा के गले का हार। हमेशा विधान-विधान करते रहते हैं। पहले विधान फिर विराज। यदि पहले विराज को पूछते फिर विधान को तो लोग कहते चाचा ने पक्षपात किया है। पर विधान पहले, विराज पीछे होने के कारण लोग चाचा को कहते देवता समान। अपने बेटे को पीछे करके भाई के बेटे को आगे रखा है। अपनी बदमाशी के लिए विराज को चाचा से अक्सर डाँट पड़ती। विधान को हमेशा वाहवाही और शाबाशी। शायद इसीलिए विराज अधिक बदमाशी करने लगा है। विराज दिन-प्रतिदिन बिगड़ता चला जा रहा है। उसके चेले बने हुए थे अन्य सभी भाई। विधान को माइनर कक्षा की छात्रवृत्ति परीक्षा देने पाँच मील दूर हरिपुर स्कूल जाना था, पर जाएगा कैसे? गाड़ी-मोटर नहीं चलती थी उन दिनों। चाचा को साइकिल चलानी नहीं आती थी। पिताजी को साइकिल चलानी आती थी पर कचहरी का काम छोड़कर वे नहीं जा सकते।

चाचा ने कहा, 'कोई चिंता नहीं, विधान कमजोर है, चल नहीं सकता। मैं उसे कंधे पर बिठाकर ले जाऊँगा।' केवल परीक्षा के दिनों में ही नहीं, बल्कि महीना भर पहले हरिपुर स्कूल के एक शिक्षक के पास छात्रवृत्ति परीक्षा के संभावित प्रश्न हल करने के लिए विधान को कंधे पर बिठाकर चाचा हरिपुर जाते। गर्मियों के दिन, गर्म रेत, पैर जलते रहते थे। चाचा को जरूर कष्ट होता होगा, क्योंकि नंगे पैर हैं। चाचा चप्पल नहीं पहनते। पिताजी चप्पल पहनते हैं, क्योंकि वे कचहरी में काम करते हैं। खेती-बाड़ी का काम करने वाला कौन-सा गाँवली आदमी चप्पल पहनता था उन दिनों। यदि किसी ने पहनी होती तो लोग कहते फैशन दिखा रहा है। इसलिए चलते-चलते चाचा के पैरों में छाले पड़ जाने पर भी चाचा ने चप्पल पहनने की इच्छा नहीं दिखायी। चाचा के लिए एक जोड़ी चप्पल न खरीद पाने जैसी हालत नहीं थी घर की। किंतु किसी के दिमाग में यह बात घुसी ही नहीं। घुसती भी क्यों। चाचा तो कारोबार करने वाले कमाऊ आदमी नहीं थे। पाँच लोगों के बीच उठना-बैठना तो होता नहीं। फिर क्यों पहनते चप्पल?

विधान चाचा के कंधे पर बैठ जाता सिर पर छाता लगाकर। चाचा उचक-उचककर चलते गर्म रेत पर। हरिपुर पहुँचने तक चाचा के पैरों की दुर्गति हो जाती। विधान की पढ़ाई खत्म होने तक चाचा स्कूल के चबूतरे पर बैठे थकान

मिटाते। विधान के आने पर उसे बाजार में नाश्ता करवाते। खुद चाय पीते-कभी-कभार साथ में दो सूखे बड़े।

विधान को कंधे पर बिठाकर लौटते समय पूछते- 'कोई परेशानी तो नहीं है बेटे?'

'मुझे क्या परेशानी होगी? चल तो तुम रहे हो दिन में दस-बीस मील गर्म रेत पर। मैं तो मजे से बैठा हूँ कंधे पर।'

'पर पढ़ाई तो तू ही कर रहा है। दिमाग खपाने में बहुत कष्ट है। भाई भी उसी तरह कचहरी में काम करते हैं दिमाग खपाकर। भला मेरा क्या काम? गया, आया, खाया, पीया बस। दिमाग गर्म होने जैसा कुछ नहीं। कष्ट क्यों होगा?'

'किंतु चाचा-तुम्हारे पैरों को तो कष्ट होता होगा। गर्म रेत से तुम्हारे पैरों में फफोले भी निकल आये हैं।'

चाचा ने अपनी लंबी ठोढ़ी पसारते हुए मुस्कराकर कहा था, 'कोई बात नहीं- हमेशा तो रहेगा नहीं यह कष्ट? तेरे इम्तिहान तो खत्म होने ही वाले हैं। छात्रवृत्ति पाने के बाद तू हरिपुर हाईस्कूल के हॉस्टल में रहकर पढ़ेगा। बड़ा आफीसर बनेगा भविष्य में। हमारे वंश का नाम उजागर करेगा...।'

विधान ने रुँधे स्वर में कहा था, 'लेकिन चाचा, मुझे कंधे पर ढोते-ढोते तुम्हारे दोनों पैरों में फफोले पड़ने का बहुत दुःख है मेरे मन में।'

'दुःख क्यों है रे पगले। बड़ी नौकरी करने पर क्या मुझे एक जोड़ी चप्पल नहीं खरीद देगा?' चाचा ने कहा था।

चकित उल्लास से विधान ने पूछा था, 'तुम्हें चप्पलें खरीद देने से तुम चप्पलें पहनोगे चाचा?'

'क्यों नहीं पहनूँगा रे? निकम्मा होने के कारण किसी और के पैसों की चप्पलें पहनने से लोग हँसेंगे, बेटे के पैसों की पहनने से भला कौन हँसेगा?' चाचा ने आत्मविश्वास के साथ कहा था। विधान को छात्रवृत्ति मिली थी। छोटे से गाँव के और भी छोटे बाजार में तहलका मच गया कि महांति परिवार के एक बच्चे को छात्रवृत्ति मिली है। पिता जी की मालिश करते-करते नाऊ ने पूछा, 'मालिक, सुना है आपके भतीजे को छात्रवृत्ति मिली है? कुछ भी हो, मालिक के वंश का नाम रौशन हो गया।'

पिताजी ने एक ब्रह्म तमाचा जड़ दिया नाऊ के गाल पर। आँखें लाल करते हुए कहा था, 'क्यों बे स्साले, आज तक नहीं जान सका कि विधान मेरा बेटा है, कहता है भतीजा...जा, बाजार में घूम-घूमकर कहना कि मेरे भतीजे को नहीं, बेटे विधान को छात्रवृत्ति मिली है...।'

पिताजी ने दस रुपये बख्शीश दिये थे नाऊ को। नाऊ ने दाँत निपोरते हुए कहा था, 'छोटे मालिक कंधे पर बिठाकर हरिपुर ले जाया करते थे, इसीलिए समझा था आपका भतीजा है।'

'तो क्या हो गया? बेटे और भतीजे में फर्क ही क्या है? क्या भतीजे को कंधे पर बिठाकर नहीं ले जाया जाता? मुझे फुर्सत ही कहाँ?' पिताजी ने गुस्से में कहा था।

चाचा ने जब यह सुना बहुत हँसे थे। कहा था, 'विधान को जन्म देने के बाद शोर मच गया कि भाभी बस जाने वाली हैं। भैया ने खुद मेरी बीबी को बुलाकर कहा, आज से यह लड़का पहले तुम्हारा है। बाकी सबका बाद में। इसकी माँ के बचने की कोई उम्मीद नहीं। और आज जब विधान को छात्रवृत्ति मिली है तो कहते हैं विधान उनका बेटा है! खुशकिस्मती से भाभी बच गयी। किंतु भैया की बात मानें तो विधान मेरा पहले है, उसके बाद फिर किसी का।'

पिताजी के जाने के काफी दिनों बाद तक चाचा नाऊ का ब्रह्म तमाचा याद करके मुस्कराते। फिर लंबी साँस छोड़ते कि 'विधान कितना मेहनती था। मन लगाकर पढ़ाई की। बड़ा आफीसर बना। हजारों रुपये कमाता है। भैया कुछ देख नहीं पाये।' सचमुच विधानबाबू के पिता बावनघाटी इलाके में चल बसे। उस समय विधानबाबू की उम्र तेरह या चौदह साल थी। उसके बाद उन्होंने अपनी निष्ठा और बुद्धि के बल पर पढ़ाई की और नाम कमाया। ऊँचे ओहदों पर रहे। लेकिन क्या यह कहा जा सकता है कि चाचा ने कुछ नहीं किया? यह सच है कि विधानबाबू को छात्रवृत्ति मिली थी। पर क्या सिर्फ उतने में ही उनका गुजारा हो गया। चाचा गाँव से चिउड़ा, चावल, लाई, गुड़, नारियल, घी, बड़ियाँ लेकर उसके पास जाया करते थे। विधानबाबू मेस बनाकर रहते थे। नौकरी पाने के बाद भी चाचा ने चावल बंद नहीं किया था। विधानबाबू चाचा को मानते थे। साँस रोग के लिए च्यवनप्राश, विटामिन के साथ-साथ मिठाई और फल गाँव भेजा करते। चाचा उतने से ही खुश हो जाते। आशीर्वचन उँड़ेल देते विधानबाबू पर।

देखते-देखते विधानबाबू बूढ़े हो गये, चाचा थुलथुल बूढ़े। अब वे शहर नहीं आ पाते। बेटे-बहू से जितनी सेवा-शुश्रूषा मिलनी चाहिए, नहीं मिल पाती। रोज-रोज कौन पूछता है बूढ़ों को! विधानबाबू भी नौकरी के दौरान बीवी-बच्चों के साथ आज कटक तो कल कोरापुट में तैनात रहते, बूढ़ा-बूढ़ी को साथ लेकर कितनी जगह घूमेंगे। चाचा-चाची भी गाँव छोड़कर हमेशा के लिए शहर नहीं जाएँगे। भला शहर उन्हें अच्छा लगेगा। आज कल चाचा चल-फिर नहीं सकते। चाची उन्हें ढो रही थीं। साँस रोग बढ़ गया था। शरीर कमजोर-उम्र काफी-पका

आम। विधानबाबू भी दायित्व-जंजाल छोड़कर गाँव में महीना-पंद्रह दिन नहीं रह पाते। मिठाई वगैरह लेकर गाँव जाते हैं। दूसरे दिन लौट आते हैं। पिछली बार चाचा की तबीयत उतनी अच्छी नहीं थी। पास-पड़ोस, बंधु-बांधव ने खाने की अच्छी-अच्छी चीजें लेकर उन्हें देखने जाना शुरू कर दिया था। अर्थात इस बार ऊपर से बुलावा आने का वक्त आ गया था। खबर पाकर विधानबाबू भी गये थे। कंदरपुर का रसगुल्ला एक हाँड़ी ले गये थे। चाचा को रसगुल्ला बहुत अच्छा लगता है। लेकिन चाचा के हिस्से के रसगुल्ले विधानबाबू को ही खाने पड़े थे। चित्रा चाचा के पास बैठकर उन्हें रसगुल्ला खिलाने लगी। मुँह में रसगुल्ला लेने से पहले चाचा ने पूछा, 'विधान को रसगुल्ला दिया है ना?' मानो विधानबाबू अब भी बच्चे हों! विधानबाबू की आँखें भर आयीं।

'और किसी चीज की इच्छा हो तो मन खोलकर कह दो- भतीजा आया है। पैसों का अभाव नहीं। जो भी कहोगे ले आएँगे कटक से। गाड़ी से आये हैं। चिंता क्या है- 'टोला-पड़ोस के लोग पूछ रहे थे बुढ़ऊ से- चाचा की अंदर धँसी आँखों के कोनों से कीचड़ मिले आँसू निकल आये। काँपते स्वर में कहा, 'विधान मेरा भतीजा नहीं, बेटा है। मेरा बेटा, भाई का भी बेटा। बेटे के सिवा वह किसी का भतीजा हो ही नहीं सकता...'

'चलो ठीक है, वह तुम्हारा ही बेटा है, यह हाट-बाजार में सभी लोगों को मालूम है। इसीलिए नाऊ ने भाई साहब से ब्रह्म तमाचा खाया था, 'याद नहीं'- चाची ने कहा।

चाचा के चेहरे पर मुस्कान उभर आयी। अतीत को याद करते हुए बोले, 'भैया ने भी बच्चों को मात दे दी थी उस दिन...'

'चलो, अब बताओ। क्या है तुम्हारी इच्छा,' किसी ने पूछा।

'इच्छा...? हाँ, बहुत दिनों से इच्छा थी, एक जोड़ी चप्पल पहनने की। भैया जैसा मैं नहीं बन सकता। पर उनकी तरह एक जोड़ी चप्पल पहनकर चलना चाहता हूँ। विधान ने कहा था। बचपन की बात है। शायद भूल गया। वरना क्या वह मामूली चप्पलें नहीं खरीद सकता था? अब क्या करूँगा? पैर फूलकर इतने मोटे हो चुके हैं, अब चप्पलें नहीं घुसेंगी...संभव है सूजन कम हो जाए...वैद्य ने कहा तो है...'

फीलपाँव की तरह फूले पैरों और पिंडलियों की ओर व्याकुल हो देखा चाचा ने। मौत के दरवाजे पर खड़े होने पर भी भला मरना कौन चाहता है? चाचा की बातें सुनकर विधानबाबू का मन भीतर से करोर गया। सचमुच वे चाचा के पूरे जीवनकाल में उनके लिए एक जोड़ी मामूली चप्पल तक नहीं खरीद सके!

विधानबाबू ग्लानि से उदास हो गए। ऐसा नहीं था कि वे चप्पल खरीदने की बात भूल गये थे, भला कैसे भूलते? चाचा के कंधे पर बैठकर परीक्षा देने जाने की बात- छात्रवृत्ति पाने की बात भला कैसे भुलायी जाएगी? लेकिन उन्होंने कभी सोचा तक नहीं था कि चप्पल पहनने की अभिलाषा उनके मन में लगातार बनी रही है। सोचा था, चाचा ने बच्चे का दिल बहलाने के लिए ऐसा कहा होगा। यदि चाचा के मन में सचमुच ऐसी कोई अभिलाषा थी तो चाचा ने कम-से-कम विधानबाबू या चित्रा को याद क्यों नहीं दिलायी? चाची तो खुलकर बातें करती हैं- गरम चादर, दवाइयाँ, छाता जो भी चाहिए, याद दिलायी हैं, पर...संभवत: संकोच कर गयीं। शायद इसलिए कि विधानबाबू बेटा नहीं भतीजा है? क्या बेटा होता तो माँगा होता उन्होंने? विधानबाबू ने भी सोचा था एक-दो बार, चाचा को चप्पल खरीद देंगे। फिर सोचा, चाचा चप्पल पहनकर जाएँगे कहाँ? क्या सचमुच पहनेंगे? कहीं सबकी तरह विधानबाबू ने भी तो यह नहीं मान लिया था कि चाचा जैसे निकम्मे आदमी को चप्पल नहीं पहननी चाहिए! वादा करके चप्पल न खरीदना क्या इस बात का सबूत नहीं है कि विधानबाबू ने भी चाचा को पिताजी से नीचे ही रखा? मन मारकर विधानबाबू शहर लौट आये। किंतु उसी दिन चाचा के लिए एक जोड़ी चप्पल भी खरीद लाये। ईश्वर चाहेंगे तो पैरों की सूजन कम हो जाएगी। कम-से-कम एक बार तो चप्पलें डाल ही लेंगे चाचा पैरों में।

चाचा के पैरों की सूजन सचमुच कम हो गयी थी। चाचा खुश हो रहे थे अपने झुर्रीदार पैरों को देखकर। विधानबाबू को चाचा के पैरों में चप्पलें पहनाते देख शरारती नाती-नतनी खिलखिलाकर हँसने लगे। उनमें से किसी ने कहा, 'दादा जी बेंत लेकर कचहरी जो जाएँगे...'

गनीमत थी- चाचा को ठीक से सुनाई नहीं दिया। किंतु औरतें होठ दबाकर धीरे-धीरे मुस्करा रही थीं। किसी ने फुसफुसाकर कहा, 'मरते समय बुढ़ऊ को शौक चर्रा रहा है।'

विधानबाबू खुद को अपराधी समझ रहे थे। क्यों किया उन्होंने यह मज़ाक? खुद को ग्लानिमुक्त करने के लिए वे चप्पल खरीदकर लाये हैं, चाचा के पहनने के लिए नहीं, यह बात उन्हें खुद को नहीं, वहाँ उपस्थित सबको साफ-साफ दिख रही थी। क्या जरूरत थी, मौत के मुँह में जाते चाचा के लिए चप्पल खरीद कर लाने की?

चाचा चल बसे। चप्पलों की जोड़ी वहीं रखी थी पैरों के पास। मरते दम तक कहते रहे, 'उन्हें वहीं रहने दो, मेरे विधान ने खरीदी हैं। शायद फिर उठकर

चलने लगूँ। शायद विधान की खरीदी चप्पलें पहनकर चलने के लिए ही भगवान मुझे जिला दें!' मरते समय बहुत बेचैन हो उठे थे जीने के लिए। विधानबाबू की खरीदी चप्पलों में इतनी शक्ति कहाँ थी कि वे चाचा की लौटती गाड़ी को रोक सकें?

चाचा के क्रियाकर्म के बाद विधानबाबू चाचा की वे चप्पलें माथे से लगा कर बगल में दबाकर वहाँ से ले आये जिन्हें चाचा के पैरों का स्पर्श सिर्फ एक बार मिला था।

चौदह वर्ष के बाद लौट आने का वचन भरत को दिया था रामचंद्र ने। चाचा ने ऐसा कोई वचन नहीं दिया। लेकिन उदास गर्मियों में-धू-धू करती दुपहरी में जब धरती जल रही होती है, चाचा उन्हीं चप्पलों को पहनकर थप-थप करते हुए विधानबाबू के सीने पर चल रहे होते हैं।

❑❑

मोक्ष

एक ही घर में एक पुरुष, एक नारी ने पैंतालीस साल तक सुख-दुःख, शोक-संताप साथ-साथ झेला पर एक-दूसरे को रू-ब-रू नहीं देखा, बातचीत तक नहीं की, छूना-छुलाना तो दूर की बात है!

नूरी दास ने शोशी का चेहरा सामने से देखा, वह भी पैंतालीस साल बाद, श्मशान में चिता पर, जब नूरी दास का एकमात्र कुल-कलंक पुत्र 'सतिया' (जो 'झुट्ठा' के नाम से प्रसिद्ध है) शोशी के मरे मुँह में अग्नि दे रहा था।

नूरी दास को शोशी का चेहरा धुँधला दिख रहा था, क्योंकि उस समय तक उनकी आँखों में मोतियाबिंद का पर्दा पड़ चुका था। उम्र हो चुकी थी अड़सठ साल। शोशी के अट्ठावन साल के चेहरे की मरी चमड़ी पर दोपहर की जरा-सी धूप सफेद बादलों को चीरकर पड़ रही थी, मानों सतिया उसके मुँह में अग्नि देने से पहले आकाश की ओट से भी कोई आग का नन्हा-सा टुकड़ा बढ़ा रहा हो उसके मुँह में। इतने पर भी शोशी का चेहरा वास्तव में कैसा है, यह नहीं जान पाए नूरी दास। धुँधले चेहरे की एक छाप है। बस, भला इतने से क्या पता चलता है कि पैंतालीस साल पहले यह चेहरा कैसा रहा होगा? अच्छा हुआ। प्रथा के अनुसार शोशी का मरा चेहरा तक देखना नूरी दास के लिए मना है।

शव-दाह करके घर लौटने के बाद नूरी दास को बहुत अकेला-अकेला-सा लगा। पृथ्वी 'खाँ-खाँ' करके खाने दौड़ी। वे घर के आँगन तक नहीं जा सके, जहाँ पैंतालीस साल तक वे शोशी के दो पैरों को आते-जाते देखा करते थे। जहाँ शोशी के दो हाथ उन्हें भात-तरकारी परोसा करते थे, उस बरामदे तक में वे बैठ नहीं सके। वे घर के सामने वाले बगीचे के बूढ़े आम के पेड़ के नीचे जाकर चुपचाप बैठ गए। सोचा, शोशी से क्या रिश्ता था उनका कि उसके मरने पर पूरा घर-द्वार उन्हें खाने को दौड़ रहा है?

शोशी के दोनों पैरों को देखते ही नूरी दास किनारे हट जाते, भात का कटोरा धरे दो हाथ जब उनकी ओर आते तो वे खिसक जाते। नूरी दास दीवार या घेरे को देखकर बातें कहते तो शोशी काम करके जवाब देती थी। नूरी दास को कब क्या चीज चाहिए, शोशी जानती थी। इसलिए बोलने-बुलाने की जरूरत ही नहीं पड़ती थी। शोशी सारी चीजें समय से उनके आगे लाकर रख देती। सुबह धूप निकलते ही गुड़ की लाल चाय और भुने चावल, उसके बाद चार खिल्ली पान। चाय पीने के बाद जैसे ही नूरी दास बगीचे की ओर जाने के लिए उठ खड़े होते, शोशी खुरपी, कुदाल, गैंती, बाल्टी- जिस दिन जो कुछ चाहिए, अपनी समझ से बगीचे में रख आती। बगीचे में काम करते समय शोशी की तरकारी की छौंक से नूरी दास को पता चल जाता कि सूर्य देवता सिर पर सवार हो चुके हैं- अब नहाने का वक्त है। नूरी दास बगीचा छोड़कर घर में घुसे भी नहीं होते कि बरामदे पर तेल की शीशी रखी होती। तेल लगाकर पिछवाड़े बगीचे की बावड़ी में डुबकी लगाकर आते ही पूजा-पाठ के लिए आसन और कोथली बरामदे में रखी होती। नूरी दास पद्मासन में बैठकर बाँहों पर तिलक की लकीरें बनाते। ललाट से नाक की नोक तक तिलक लगाते। ललाट की दो लकीरों के बीच चवन्नी आकार का चंदन का बुंदा रखते, सीने पर खींचते चंदन की लकीरें। उसके बाद पूजा-पाठ। जप, तप, प्रणाम। प्रणाम करके सिर उठाते ही भात-तरकारी परोसा जा चुका होता है। खाने बैठ जाएँगे राजा बेटे की तरह। कम-ज़्यादा नमक के बारे में मुँह से नहीं पूछ सकती कैसा बना है- अच्छा या बुरा। किंतु शोशी को उस बारे में पता चल जाता है नूरी दास के दुबारा भात लेने न लेने से।

शोशी बड़ी सावधानी और जतन से खाना पकाती नूरी दास के लिए। बेचारे कुछ नहीं कहते, कष्ट में होने पर भी, वरना भूख तो लगती ही होगी, गुस्सा तो आता ही होगा, सिर में पित्त तो चढ़ता होगा जरूर। पुरुष होकर कितने संयम से चल रहे हैं नूरी दास, यह बात शोशी के सिवा भला और कौन जान सकता है?

नूरी दास भले ही शोशी का देह-मुँह नहीं देख पाए हैं, किंतु शोशी ने घूँघट से जरूर देखा होगा उन्हें। युवावस्था में वे जैसे थे, वैसे ही हैं। न मोटे हुए हैं न दुबले। बस, जवान से बूढ़े भर हुए हैं। सीधे से झुक गए हैं थोड़ा, लेकिन सुंदर से असुंदर नहीं हुए हैं। युवावस्था में जवानी की- वृद्धावस्था में बुढ़ापे की भी अपनी अलग सुंदरता होती है, एक पुरुषत्व होता है। इसमें नूरी दास सूत भर भी कम नहीं हुए हैं। घुटनों के ऊपर सफेद फर-फर धोती-घर में खुला बदन, हाट-बाजार गए तो सफेद कपड़े की बंडी। बस, इतनी ही है पोशाक। एक लाल

अँगोछा पड़ा रहता है कंधे पर, चाहे घर हो या बाहर। गले से चिपकी रहती तुलसी की दोहरी माला। ललाट, नाक और बाँहों पर सदा-सर्वदा चंदन-टीका, यहाँ तक कि कानों में भी एक-एक बुंदा चंदन लगाते। गाँव के हिसाब से पाँच हाथ की ऊँचाई वाला मर्द। साँवला रंग होने पर भी अत्यंत सौम्य चेहरा। सीधी नाक, चौड़ा ललाट, छोटी-छोटी होने पर भी पैनी आँखें, दरवाजे-सी चौड़ी छाती, जुए-से सीधे चौड़े कंधे। मानों पर्वत ढो लाएँगे। किंतु पेट धँसता जा रहा है, कितना ही खाओ न खाओ। कमेरू, मेहनती, हाथ-पैर-बिना छूए कहा जा सकता है कि बड़े सख्त हैं। कुल मिलाकर हैं अच्छे व्यक्ति, भले ही गरीब हों।

खेतीबाड़ी नहीं है। खरीदकर खाते-पीते हैं। जायदाद के नाम पर केवल एक बाड़ी है। उसी में होती है जो भी कुछ फसल। आम के दो-तीन पेड़, सहजन, केला, कटहल को छोड़कर मौसमी साग-सब्जी उपजाकर हाट में बेचने से घर चलता है। हालाँकि आम के मौसम में आमदनी अच्छी हो जाती है। न जाने कहाँ से आए थे उसके पौधे। उसका मूल इतिहास नूरी दास नहीं बता सकते। बड़ी जाति का कलमी आम है। 'ठ' की तरह गोल। पतला छिलका। अंदर घृतकुँवारी-सा थक्कीदार चिकना गूदा। रेशा लेश मात्र भी नहीं। हाट में खूब बिक जाता है। आम का मौसम खत्म होने के दिनों में दाम चढ़ जाता है। नूरी दास आम का दाम बताते हैं आकार देखकर।

वह बाड़ी ही इन तीन प्राणियों के परिवार की भात की थाली है। बाड़ी में एक छोटी-सी बावड़ी है। उसी में नहाना-धोना होता है। बगीचे की सिंचाई के लिए उसी से पानी मिलता है। गर्मियों में बावड़ी सूख जाने पर छोटा कुआँ खोदकर काम चलाना पड़ता है। जिस तरह आसमान में खुद-ब-खुद तारे खिलते हैं, नूरी दास की बावड़ी में उसी तरह मछलियाँ खेलती हैं। गड़िशा, केरांडि, दंडिकिरी, माँगुर, कउ, शेउल, तोड़ी- ऐसे कई नाम हैं मछलियों के। पर नूरी दास के लिए ये किसी काम की नहीं। नूरी दास जाति से वैष्णव हैं। पूरी तरह शाकाहारी। घर में माँस-मछली आने की मनाही हैं। बावड़ी की मछलियाँ पानी को आमिष करती हैं, सोचकर पड़ोसियों को बुलाकर मछलियाँ पकड़ ले जाने को कहते हैं। किंतु बाड़ी की एक मिर्च तक में हाथ लगाने नहीं देते।

गर्मी का मौसम बड़ा खुश्क होता है। बैंगन पौधों में ही कठिया जाते हैं। मिर्च चिमड़ जाती है। साग में बीज भर जाते हैं। तुरई, ककड़ी, चचींड़ा, लौकी, कद्दू तो गर्मियों में सपना हैं। ऐसे में दूसरों के घरों में साग-सब्जी की दिक्कत होती है, किंतु गर्मियों में नूरी दास के घर में तो भात तक की किल्लत रहती है। वे सब्जी बेचकर ही चावल खरीदते हैं। पर गर्मियों में क्या करें?

नूरी दास की आय का एक और भी जरिया है। पहले यह उनका शौक था। तीन-तीन पेट की ज्वाला मिटाने के लिए आज नूरी दास का यह शौक खुराक में बदल गया। आय भी कम नहीं। अष्ट प्रहर, श्राद्ध, शुद्धि महोत्सवों में मृदंग बजाकर कीर्तन करके नूरी दास गर्मी के चार महीने गुजार लेते हैं। कीर्तन करके अरुआ चावल, पके केले, नारियल, खील, चिउड़ा, मिठाई, पैसे, कपड़े, अँगोछे लाते। नूरी दास को कीर्तन करना बहुत अच्छा लगता है। न जाने कितने युगों का अभ्यास है। साँझ होते ही नूरी दास घर के चबूतरे पर अँधेरे में आँखें मूँदकर बैठे तरकारी छौंके जाने तक अपना मृदंग टुँगटुँगाते रहते। कभी-कभी आधी रात तक नूरी दास के घर की ओर से मृदंग की टुँगटुँगाहट सुनाई देती। नूरी दास साँझ को मृदंग बजाते- हौले-हौले टुँग-टुँग। आधी रात को भूखे पेट मृदंग बजाते-जोर-जोर से टँग-टँग। दुनिया में तरह-तरह की 'भूख' है-मीठी, खट्टी, तीखी, नमकीन, कड़वी और कसैली-सी। भिन्न-भिन्न भूख का अनुभव भी अलग-अलग है। देह की भूख, पेट की भूख, मन की भूख, आत्मा की भूख-ये चार मूल भूख हैं। इनमें से और भी तरह-तरह की भूखों की शाखा-प्रशाखाएँ निकलकर जीव को बाँधे रखती हैं, मकड़ी के जाले की तरह। सब माया है! बेचारा जीव 'अरे है सूखा खड़-खड़- झूठी माया में पड़कर, होता है लड़बड़-लड़बड़-लड़बड़'- नूरी दास के मृदंग की ताल यहीं टूटती है। नूरी दास दो तरह की भूख स्वीकारते हैं। पेट की भूख को भोजन- आत्मा की भूख को कीर्तन। बाकी की भूख टालना नूरी दास के लिए कोई मुश्किल काम नहीं। पेट की भूख को कीर्तन नहीं टाल सकता; पर देह की भूख, मन की भूख को मृदंग की चोट से धकिया-धकियाकर आत्मा की भूख में शामिल कर लेते हैं नूरी दास। उनमें दो तरह की भूख सत्य होकर रह जाती है। ये भूख मिटती हैं भोजन और भजन से...हरे कृष्ण हरे कृष्ण, कृष्ण कृष्ण हरे हरे-हरे राम हरे राम, राम राम हरे हरे...

शोशी के पेट में कोई भूख होती है या नहीं, जानना संभव नहीं। घूँघट के नीचे सारी भूख अदृश्य रहती है। नूरी दास को तो बस शोशी के दो चलते-फिरते पैर और कमेरू हाथ नजर आते। सुबह से शाम तक शोशी चलती रहती, खटती रहती। उसके दो हाथ गोहाल-गोबर करते, घर द्वार लीपते, घर-आँगन बुहारते, जलावन की लकड़ियाँ संभालते, भात-तरकारी बनाते, बर्तन-भाँडा माँजते...यह सारा कुछ सिर्फ पेट की भूख के लिए नहीं, देह की भूख, मन की भूख, उसके पैरों तले गोबर के साथ दबकर मसल जाती हैं- लीपापोंछी के कपड़े के साथ मिट्टी-गोबर में मिल जाती है- खाँड़-लकड़ी के

साथ चूल्हे में जलकर राख हो जाती है। कौन जाने उसकी आत्मा की भूख नूरी दास के कीर्तन के साथ मृदंग की ताल से शांत होती है या नहीं?

युवावस्था में शोशी के पैर सफेद एंडूरी पूए की तरह थे। दुबले पतले- उम्र बढ़ने पर वात-ज्वर से चितउ पूए की तरह फूल उठे बीच से। पैरों में फूलों के काले-काले गोदने। शोशी के दोनों हाथ बड़े चचींड़े के बीच के हिस्से की तरह फूले हुए, पतले कोमल, हथेलियाँ छुँचीपतर पुए की तरह चिकचिक पतली। इसके अलावा शोशी की खुली बाँहें दिख जातीं। नीले-नीले गोदने नक्काशीदार होते। घूँघट के नीचे से दिखाई देती कनेर की उलटी पंखुड़ी-सी एक ओर की नाक। सोने की एक चिपटी-सी नकबेसर चमचमाती, नाक नहीं दिखती। इतने दिनों तक साथ-साथ गुजर-बसर करने के दौरान कभी किसी ने यह नहीं देखा कि घर पर नूरी दास की उपस्थिति में कभी शोशी के बदन या सिर से साड़ी सरकी हो, यदि कभी सरकी भी है, नूरी दास की नजर फिसलते किसी ने नहीं देखी। दोनों एक से बढ़कर एक संयमी, संभ्रांत हैं। समाज के तौर-तरीके, मूल्यबोध को जकड़े रहने की मानों कोई अनवरत तपस्या हो।

शोशी से दो साल छोटी उसकी बहन शशि ने यदि बेटे को जन्म देकर अपनी ससुराल में प्रसूति-यंत्रणा से आँखें न मूँदी होती तो शोशी को सारी जिंदगी घूँघट में मुँह छुपाकर बँधी-बँधी-सी जिंदगी नहीं बितानी पड़ती। लेकिन शशि की प्रसूति हुई अपने पिता के घर। क्योंकि शशि की सुसराल नहीं है। शशि के पति नूरी दास पाँच भाइयों में सबसे बड़े थे। वह पुत्र बनकर आए थे निःसंतान मामा के घर। पुत्र बनकर आने के बाद मामी एक के बाद एक तीन बेटों की माँ बनीं। नूरी दास हुए पोश्य-पुत्र- 'ये यहाँ से कहीं टरक क्यों नहीं जाता' जैसा उपेक्षित भाव। पर नूरी दास जाएँ कहाँ? उनकी अपनी कोई खास पैतृक संपत्ति न होने की वजह से बेटा बनाकर यह सोचकर उन्हें ममाने भेज दिया गया कि मामा की जायदाद मिल जाएगी। उनके चार भाई पिताजी के मरने के बाद जायदाद को चार भागों में बाँटकर गुजर-बसर करते थे। नूरी दास जवान हो गए थे। किस मुँह से घर लौटकर अपने भाइयों से हिस्सा माँगते? क्या उनका कोई मान-अभिमान नहीं है?

उसी समय शोशी के पिता शशि के लिए घर-जँवाई ढूँढ़ रहे थे। तब तक शोशी बाल-विधवा होकर घर में थी। वंश चलाने के लिए भाई तक नहीं था। शोशी से तो कोई उम्मीद थी नहीं। यदि शशि के कोई लड़का हुआ तो नाना के पिंड में पानी चढ़ाएगा। नूरी दास मामा का घर छोड़कर घर जँवाई बनकर ससुराल चले आए। मामा भी किसी ऐसे ही मौके की ताक में थे वरना उनके बेटों के

साथ वे भी अपना हिस्सा माँग बैठते।

सब कुछ ठीक चल रहा था। शशि पहले ही प्रसव में चल बसी। नाती का मुँह देखकर शोशी के पिता ने भी आँखें मूँद लीं। फूल-नाड़ी करके सतिया को गोद में उठा लिया था शोशी मौसी ने। घर में बच गए उनतीस साल के युवक नूरी दास, बिन माँ का बच्चा सतिया और अठारह साल की बाल-विधवा शोशी।

नूरी दास ने दुबारा शादी कर ली होती, यदि ससुराल में घर-जँवाई बनकर न रहते या शोशी उनकी बड़ी साली न होकर छोटी साली हुई होती। शशि से शोशी सिर्फ दो साल बड़ी थी, नूरी दास से ग्यारह साल छोटी। वह नूरी दास की छोटी साली भी हो सकती थी, पर नहीं हुई, वह है नूरी दास की बड़ी साली (देढ़सासू)। देढ़सासू और घर-जँवाई का रिश्ता गंगाजल-सा पवित्र होता है। छूना-छुलाना, ताक-झाँक बिल्कुल मना। हँसी-ठट्टे का तो सवाल ही नहीं उठता। संबंध बढ़ाने के अवसर होने पर भी नियम नहीं है। नरक भोग है।

छोटी बहन शशि के मरने के बाद शोशी ने पड़ोस की चाची के जरिए जँवाई जी को कहलवा दिया था कि यदि जँवाई जी चाहें तो अपने घर लौटकर फिर से शादी-विवाह करके घर-संसार बसा लें। उनकी उम्र के पुरुष के लिए पत्नी मरने के कारण अकेले रहने का सामाजिक नियम नहीं है, पर हाँ सतिया यहीं रहेगा, अपनी मौसी के पास। इस वंश को वह पिंड-पानी देगा। सौतेली माँ की परछाई उस पर नहीं पड़ेगी। नूरी दास की जब भी इच्छा हो वे बेटे को आकर देख जाएँ, किंतु बेटे को यहाँ से ले जाने की बात कभी जुबान पर न लाएँ।

शशि की याद को गले की कंठी बनाकर बाकी की जिंदगी गुजार देना नूरी दास का उद्‌देश्य कतई नहीं था। लेकिन परिस्थिति ऐसी थी कि न वे इस पार थे, न उस पार। क्या ममाने लौटकर मामा के बेटों से अपना हिस्सा माँगें? माँगने पर देगा भी कौन? इसके अलावा क्या उनका अपना कोई मान-सम्मान नहीं है? इस तरह दर-दर भटकते रहेंगे? और फिर शोशी मान में देढ़सासू होने पर भी उम्र में उनसे दस वर्ष छोटी है- असहाय बाल-विधवा, सतिया बिन माँ का बच्चा है और बेसहारा भी। इसलिए फिर से घर-संसार बसाने की उम्मीद में दो-दो बेसहारा जीवों को छोड़कर चले जाना मर्दानगी नहीं है।

नूरी दास ने कहा था, 'ससुराल की जायदाद का मुझे लालच नहीं, बस बेटे का लोभ है। खबरदार! जो किसी ने फिर कभी इस घर में दूसरी शादी की बात उठायी...'

उस दिन शाम को नूरी दास ने अपना मृदंग दीवार की खूँटी से उतारा। ससुराल आते समय वे अपना मृदंग साथ लेकर आए थे। ममाने में रहते समय

मामा के साथ मिलकर मठ में नदीया कीर्तन गाया करते थे। ससुराल में काफी दिनों से मृदंग में हाथ नहीं लगा है। आज मृदंग ही उनकी एकमात्र संपत्ति है- अंतरंग सहचर। उस दिन उन्होंने खूब मृदंग बजाया था आधी रात तक। उसके बाद से रोजाना शाम को एक-दो घंटे मृदंग बजाकर नाम-कीर्तन करते हैं। काफी पुरानी आदत है। शशि का पति बनकर दो साल हुए इस घर में आने के बाद से न जाने वे कैसे भूल गए थे?

'बाघ न देख सको तो बिल्ली देखो, माँ न देख सको तो मौसी देखो।' सतिया ने बाघ नहीं देखा, बिल्ली देखी है; माँ को नहीं देखा, मौसी देखा है। इस समय सतिया चाहे तो बाघ देख सकता है, जंगल में या फिर सर्कस में। लेकिन माँ को कभी नहीं देख सकता, क्योंकि माँ 'उस पार' है। सतिया ने बाघ का फोटो देखा है, किंतु माँ की तसवीर तक नहीं देखी। सभी कहते हैं, सतिया की मौसी उसे माँ से भी अधिक चाहती है। किंतु जब सतिया ने माँ का प्यार, पाया नहीं या जाना ही नहीं, वह तुलना करके कैसे कहे कि उसकी मौसी का प्यार माँ से अधिक है? न जाने होश सँभालने के दिन से सतिया लापरवाह मटरगश्त और निरा झुट्ठा कैसे हुआ?

सतिया अपने पिता से बहुत नाराज रहता है। क्योंकि उसके पिता गुस्से में उसे 'माँ को खाने वाला' कहते हैं सो कहते हैं, पर लाड़ में भी माँ को खाने वाला कहकर पुकारते हैं। सतिया गुस्से में हो तो वह भी अपने पिता से कहता है, तू 'औरत को खाने वाला' है। यह केवल सतिया ही नहीं कहता। पास-पड़ोस में सभी नूरी दास को कहते 'औरत को खाने वाला'। वरना जहाँ तेरह-चौदह साल की लड़कियाँ परिपक्व होती हैं, सोलह साल की शशि प्रसव-वेदना से क्यों मरती? नूरी दास की जन्म कुंडली में स्त्री-घर में अरिष्ट है। यह बात कई ज्योतिषियों ने सतिया की माँ शशि के मरने के बाद नूरी दास की जन्म कुंडली देखकर बतायी है। शोशी का मायका- नूरी दास की ससुराल है। पर कोई नहीं कहता शोशी का मकान है। सभी कहते हैं नूरी दास का मकान है। कहा जा सकता है कि नूरी दास का मकान अँग्रेजों के समय से बने एक प्रसिद्ध ग्रामीण हाई स्कूल की दीवार से सटा है। बस इतनी दूर कि साग-भात खाकर स्कूल के मैदान में कुल्ले का पानी फेंका जा सकता है। नूरी दास ने सोचा था, माँ को खाने वाला सतिया हाई स्कूल से मैट्रिक पास करके शिक्षकों में गिना जाएगा। कोई सरकारी नौकरी करके जिंदगी बिताएगा। उनकी तरह पेड़ के आम और मूढ़ी पर निर्भर करके आधा पेट खाकर नहीं जीएगा।

किंतु न जाने क्यों सतिया पढ़ाई चोर निकला। स्कूल का नाम सुनते ही

हालत खराब...। सिर्फ इतना ही नहीं, जिस बात पर पिता की 'हाँ' होती, सतिया की 'ना' होती। इसलिए बाप-बेटे में अक्सर खींचातानी रहती। सतिया दिन भर स्कूल न जाकर इधर-उधर मटरगश्ती करता फिरता है। कभी-कभी मास्टर साहब की शिकायत पर सतिया को कमरे में बाँधकर डाल देते नूरी दास। बाहर से दरवाजा बंद करके ताला जड़ते हुए कहते, 'जब तक यह नहीं कहता कि रोजाना स्कूल जाएगा, तब तक जो उसे खाना देगा, उसके लिए मुझसे बुरा कोई नहीं होगा।' अंतिम बात का संकेत शोशी की ओर होता। शोशी के अलावा और कौन है इस घर में जो सतिया के आँसू पोंछकर उसे खाना खिलाएगा...?

शोशी बीच-बचाव नहीं करती। पिता जो भी कुछ कर रहा है, बेटे की भलाई के लिए है। पिता अपना कर्तव्य निभा रहा है। मौसी होकर शोशी अपना कर्तव्य निभाएगी। उसके कर्तव्य में बाधा देनेवाला कोई मर्द का बच्चा हो तो आए जरा सामने? नूरी दास के बाजार जाते ही शोशी अपनी चाबी से ताला खोलकर सतिया को समझा-बुझाकर खाना खिलाती। खाट के पाये से बँधे सतिया को खोल देती। बाजार से लौटकर नूरी दास सतिया को राजा बेटे की तरह किताब लिए बैठा देखते, कुछ कहते नहीं। मानो वे पहले से जानते हों कि सतिया ने खाना खा दिया होगा, आँसू पोंछ लिए होंगे, बंधन से मुक्त हो गया होगा, किताब लिए बैठा होगा, भले ही पढ़े या न पढ़े।

महीने में दस बार होता ऐसा नाटक। हर क्लास में दो-तीन साल। शोशी के लिए यह चिंता का विषय नहीं था। बच्चे ने परीक्षा दी थी। यदि पास नहीं हुआ, मास्टर का दोष है, बच्चे का दोष नहीं। मास्टर से पढ़कर यदि अच्छे बच्चे पास हो जाएँ और शैतान बच्चे फेल, तो भला इसमें मास्टर की बहादुरी ही क्या रही! यदि शैतान बच्चे मास्टर से नहीं सुधर सके, तो फिर वह मास्टर ही क्या।

नूरी दास सतिया पर सारा दोष मढ़ते, शोशी मास्टर पर, और सतिया पिता को दोषी मानता। उसके पिता उसकी माँ को खा जाने के कारण सतिया का नूरी दास पर जो गुस्सा है, उसे वह इसी तरह फेल होकर निकालता है। पढ़ता तो वह पास जरूर होता। किंतु इससे उसके पिता को खुशी मिलती। पिता को दुःख देना सतिया का उद्देश्य था। इसलिए वह फेल होता है। सतिया को लेकर नूरी दास और शोशी मौसी की खींचातानी के चिंता-भरे दिन किस तरह गुजर गए, किसी को पता तक नहीं चला।

एक दिन अठारह साल का सतिया घर छोड़कर शहर चला गया और सौभाग्य से उसे एक छोटी-मोटी नौकरी भी मिल गयी। गाँव में बच गए दो प्राणी। नूरी दास और शोशी। सतिया की चिंता अब नहीं रह गयी। सिर्फ अपनी

चिंता थी। शोशी सीधी-सादी, भावुक औरत थी। नूरी दास फिर भी एक कठोर मर्द थे। कोई रोग-व्याधि नहीं। सिर्फ पेट की चिंता, बस और कोई चिंता नहीं। यदि होगी भी, मन में होगी-बाहर दिखाई नहीं देती, सुनाई नहीं पड़ती। नूरी दास के मृदंग की चोट से सब कुछ अनसुना रह जाता है। शोशी के घूँघट में सब कुछ अदृश्य।

वहीं, उन्हीं के वैष्णव टोले में, उसके पास दुदहा टोले, धोबी टोले, महांति टोले- हर जगह कुछ न कुछ न सुनने-सी बातें सुनाई देतीं- आँखें न देखने-सी चीजें दिखाई देतीं। देवर-भाभी, जेठ-देवरानी, साली-जीजा, धरम भाई-धरम बहन, यहाँ तक कि बाल-विधवा चाची और कुटुंब का ही भतीजा ...छि:-छि:! राम-राम! उसके अलावा साहूकार के घर की बेटी और नौकर तथा महांति के घर की बहू और घर का हलवाहा! सत्यानाश हो गया देश...! मानव समाज!! ग्रामीण जीवन के कठोर जीवन-संग्राम में ऐसी घटनाएँ तो रोजाना घटनी चाहिए। शहरी लोगों को नाच-गाने, सिनेमा-थियेटर से आनंद मिलता है, रोमांच मिलता है। मुफस्सिल जीवन में वह सब कहाँ धरा है? तालाब के घाट, धोबी-घाट, घर के चबूतरों, पंचायत-घरों में इस तरह की रोमांचकारी सनसनीखेज कहानियाँ तिल से ताड़ बनती हैं। ताड़ से बेताड़। जुर्माना, हुक्का-पानी बंद, गाँव से निर्वासन, और फिर इनका समाधान होता है मार-पीट, फौजदारी, जादू-टोना, हत्या और आत्महत्या में।

किंतु नूरी दास का घर इन सबसे बचा रहता है। जब सतिया गाँव में रहता था तब नूरी दास के घर को लेकर भी एक कुतूहल रहा करता था। रोजाना सतिया के कारण मार, फौजदारी, सतिया के नाम पर चोरी-चकारी, परंतु जिस दिन से सतिया ने गाँव छोड़ा है, शादी करके शहर में रह रहा है, उसी दिन से नूरी दास का घर एक बिन दरवाजे के मंदिर की तरह शांत और सूना है। आने-जाने वाले किसी की भी निगाह में 'तिल' तक का प्रमाण नहीं दिखाई देता। बिना 'तिल' के ताड़ बनाने का वक्त किसे है? भला गाँव में रोमांच, सनसनीखेज की कोई कमी है? हालाँकि इसके लिए नूरी दास या शोशी को गाँव वाले मैडल नहीं देते। मान लो यदि उनका संबंध देढ़सासू (बड़ी साली) और छोटी बहन के पति का न होकर जीजा-साली का होता तब देखते कि नूरी दास कहाँ तक संयमी और शोशी कितनी बड़ी सती है! यदि इन दोनों की इच्छाएँ अटल हैं, तब तो बड़ी साली और छोटे जँवाई के रिश्ते की सराहना की जानी चाहिए।

दुनिया में तरह-तरह की अफवाहें सुनी जाती हैं- यहाँ तक कि ससुर-

बहू–छिः–छिः किंतु बड़ी साली–छोटे जँवाई? हे भगवान, कम–से–कम इतना पुण्य तो दुनिया में बचा रहे! वरना पृथ्वी रसातल में चली जाएगी।

पृथ्वी को सिर पर उठाए नूरी दास धीरे–धीरे बूढ़े हो गए, शोशी बूढ़ी हो गयी।

कीर्तन गाते–गाते नूरी दास को साँस रोग हो गया। शोशी का बात–ज्वर बढ़ते–बढ़ते फील–पाँव हो गया।

किंतु किसी को किसी के शरीर या सिर पर हाथ फेरने अथवा सेवा–शुश्रूषा करने का विधान नहीं है। जब नूरी दास साँस फूलने पर बैठे हाँफते तब शोशी घूँघट के नीचे से चिचकारी भरती, और जब शोशी वात–ज्वर से छटपटाती तब नूरी दास बाहर चबूतरे पर बैठकर टुँगटुँग मृदंग बजाते। और उपाय ही क्या था? कभी–कभी मन के भीतर मृदंग बज उठता टंग–टंग। स्त्री–पुरुष में ऐसा विधान किसने किया कि एक के मरते मुँह में दूसरा पानी डाले तो पाप लगेगा। साली को पाप–गर्भ देना माफ है, पर बुखार से तपती साली की उम्र की देढ़सासू के पैरों पर हाथ फेरना, सेवा करना, धीरज बँधाना माफ नहीं! धन्य–धन्य...मृदंग में दुम–दुम ताल तोड़ते नूरी दास। जैसे–जैसे दोनों बूढ़ा–बूढ़ी होते जाते, आयु घटती जाती, रूप–रंग फीका पड़ता जाता, वैसे–वैसे दोनों का एक–दूसरे से लगाव बढ़ता जाता। एक के दुःख–कष्ट यंत्रणा से दूसरा घबराने लगा। आमने–सामने बातचीत न होने पर भी इस बीच दोनों दूसरों के आगे एक–दूसरे को बुढ़ऊ–बुढ़िया कहकर बुलाने लगे। औरतों के बीच शोशी कहती– 'बुढ़ऊ दमा से काफी परेशान हैं। पैरों में जरा–सा सरसों तेल रगड़ने के लिए घर में बिल्ली का बच्चा तक नहीं है। बेटे के मोह में ससुराल में पड़ा रहा जवानी से। अंत में बेटा–बहू अपने सुख से रहने लगे। जब तक जिंदा हूँ इसी तरह घिसट–घिसटकर पका दूँगी मुट्ठी भर। उसके बाद? क्या करेगा बुढ़ऊ अकेले में? क्या बुढ़ऊ में कम ऐंठ भरी है? बेटे को चिट्ठी लिखकर भले ही न बुला रहा हो, पर याद हमेशा करता रहता है। आखिर अपना ही तो खून है! उसके बिना बताए क्या मैं उसके मन की व्यथा नहीं समझ सकती?' पुरुषों के बीच बैठे नूरी दास कहेंगे– 'वात–ज्वर से बुढ़िया टूट चुकी है। हर महीने बुखार से मरती–तड़पती रहती है चार–छः दिन। मुँह में पानी तक देने के लिए कोई नहीं है घर में। बेचारी ने माँ से भी ज्यादा किया था भतीजे के लिए। कुलांगार ने कभी मौसी के सिवा 'माँ' तक नहीं समझा। अंत में मुखाग्नि देने आएगा भी या नहीं, कौन जाने? बुढ़िया की बस इतनी ही है अंतिम इच्छा। भले वह न कहे, पर क्या मैं नहीं जानता...?'

शोशी ने जो बात नहीं कही वह नूरी दास कैसे जान गए? नूरी दास जो बात नहीं कहते वह शोशी कैसे जान जाती है, यह किसी को नहीं मालूम। यह सवाल कोई करता भी नहीं। मनुष्य-मनुष्य के बीच कितनी ही बातें अनकही रह जाती हैं पर अनजानी नहीं रहतीं। जो सोचते हैं कि केवल मुँह से ही बातें होती हैं, वे नासमझ हैं। मनुष्य के हाथ-पैर भी बोलते-बतियाते हैं। तुम्हारी चाल से ही पता चल जाएगा कि तुम्हारी तबीयत ठीक है या नहीं। तुम्हारे भात परोसने से पता चल जाएगा, तुम मन से परोस रही हो या बे-मन से, तुम्हारे मृदंग के ताल से जाना जा सकता है, तुम हँस रहे हो या रो रहे हो। गरारी से पानी खींचने के अंदाज से ही पता चल जाएगा, तुम्हारा मन सूखा ठक-ठक है या संवेदनाओं से लबालब। पैंतालीस वर्ष का सुख, दुःख, भूख, अभाव, चिंता, उद्वेग, गुस्सा, क्षोभ, समझौता, अबूझ दोषारोपण- पेंटिंग बन चुकी है, अलग-अलग दूर-दूर खड़े मुँह में छींका बँधे दो लोगों की। बुलाकर किसी ने किसी से नहीं कहा मेरे सुख में शामिल हो जाओ-मेरे दुःख में शामिल हो जाओ। हवा में फूलों की महक समा जाने-सी, फटी जमीन में बारिश का पानी समा जाने-सा, चाँदनी में मृदंग का स्वर पुत जाने-सा मनुष्य-मनुष्य में भाव-अभाव, खुद-ब-खुद समा जाते हैं। इसीलिए शोशी का अंतिम समय भाँपकर अपनी ऐंठ, गुस्से और कठोर चेहरे को पीछे छोड़ते हुए नूरी दास ने सतिया को चिट्ठी लिखी- आयुष्मान सत्यानंद बेटे! तुम्हारी मौसी मौत के बिस्तर पर पड़ी है। मुँह खोलकर न बोल पाने पर भी तुम्हें एक बार देखकर प्राण त्यागने की उसकी अंतिम इच्छा है और वह यह भी सोच रही है कि उसके मरे मुँह में तुमने अग्नि न दी तो उसकी आत्मा को मोक्ष नहीं मिलेगा...।

उसके बाद तुम चाहो तो यहाँ कभी न आना, लेकिन इस चिट्ठी को तार समझकर अपनी मौसी के लिए-जहाँ जैसे भी बैठे हो, वहाँ से उठकर तुरंत सीधे चल पड़ने का अनुरोध है।

इति,

तुम्हारा शुभाकांक्षी,

नूरी दास

सतिया समझ गया कि नूरी दास ने अपना अहं बचाकर सिर्फ मौसी के लिए पत्र लिखा है। इसीलिए 'इति बप्पा' नहीं लिखा। फिर भी सतिया अपना परिवार साथ लेकर जहाँ बैठा था वहीं से उठकर चल पड़ा। बप्पा के अनुरोध से नहीं, मौसी के मोक्ष के लिए साथ लाया था बिस्कुट, फल, मिठाई। किंतु सतिया के पहुँचने तक शोशी बोलने की स्थिति में नहीं थी। आँखें धुँधली थीं।

गनीमत थी, साँसें चल रही थीं। न जाने शोशी यह जान पायी या नहीं कि सतिया जहाँ जैसा बैठा था वहाँ से उठकर सीधे चला आया है- सतिया लेकिन जान गया कि उसकी मौसी के प्राण-पखेरू उसकी ही राह तक रहे थे क्योंकि उसके अगले दिन भोर होते ही शोशी की अंतिम साँस उड़ गयी।

उस दिन दाह-संस्कार के बाद श्मशान से लौटकर साँझ के अँधेरे में बाहर चबूतरे पर आँखें मूँदे नूरी दास अति कोमल-मधुर मृदंग टुँगटुँगाने के दौरान उदासी-भरा स्वर छेड़ते हुए नाम-कीर्तन कर रहे थे, 'हरे कृष्ण हरे कृष्ण, कृष्ण-कृष्ण हरे हरे-हरे राम हरे राम, राम राम हरे-हरे...'

घर के भीतर से बहू का बिलखना सुनाई दे रहा था- 'हाय मौसी...कहाँ चली गयीं हम सबको छोड़कर...' यह प्रथा है, प्रेतात्मा की तुष्टि के लिए...

सतिया बुझे चूल्हे के पास बैठा बच्चों की तरह 'मौसी-मौसी' कहकर अनवरत आँसू बहा रहा था...सचमुच! कौन जाने शायद बुढ़िया इतने में ही मौसी जन्म से मोक्ष पा जाए!

बड़ी साली के देहांत का शोक मनाते हुए मृदंग सारी रात रोता रहा टंग-टंग-टंग-टंग...नूरी दास की अँगुलियों के पोरों से खून रिस-रिसकर मिलता जा रहा था मोक्ष की ताल से।

❑❑

केतकी-वन

शुभा से मुलाकात होने के बाद मुझे लगा कि इस बीच मैं बूढ़ा हो गया हूँ।

सरकारी नौकरी से सेवानिवृत्त होने में और एक साल बचा है। पर इस बीच अपने बुढ़ापे को लेकर मैं इतना चिंतित कभी नहीं हुआ। उम्र में शुभा मुझसे काफी छोटी थी। उसके चेहरे पर बचपना इस तरह झलकता था कि वह कभी बूढ़ी जैसी दिखेगी, यह मैं सोच तक नहीं सकता था। लेकिन शुभा को देखने के बाद चकित और उदास हो मैंने सोचा, शुभा बूढ़ी-सी सिर्फ दिख ही नहीं रही, वह सचमुच बूढ़ी हो गयी है। इसलिए इस बीच मैं भी बूढ़ा हो गया यह बात नकारी नहीं जा सकती। दौड़-धूप भरी जिन्दगी, अपना बूढ़ा हो जाना दिखाई देने पर भी उस बारे में सोचने की फुर्सत कहाँ। सोचो भी तो तुम्हें बूढ़ा होने देगा ही कौन? पत्नी, बेटा-बेटी, नाती-नतिनी किसे नजरअंदाज करके तुम कह सकते हो कि अब मुझे झंझटों से मुक्त करो, मैं बूढ़ा हो गया हूँ! बेटा-बहू, लड़की-दामाद, नाती-नतिनी को देखकर ऐसा कौन होगा जो खुद को जवान माने बैठा होगा। दुनिया में तुम्हें कौन जवान मानेगा? सभी तो बुढ़ापे में ही झूठे माया-बंधन में फंसे होते हैं। भला तुम कौन-से अनासक्त योगी हो! हाँ, यह सच है कि सरकार तुम्हें बूढ़ा कर देगी अट्ठावन साल में। किन्तु बाल-बच्चे तुम्हें बूढ़ा कहेंगे, राजनीतिक नेताओं की तरह, जर्जर बूढ़ा होने पर ही। इसके अलावा भला मध्यवर्गीय जीवन के सपने कभी पूरे भी होते हैं जो तुम सारे काम खत्म हो गये सोचकर झाड़-झूड़ कर बैठ जाओगे? मध्यवर्गीय परिवार में सच्चा जीवन-साथी पत्नी नहीं, अभाव है। सबकी तरह धनी बनने की आपाधापी में मैं मध्यवर्गीय बनकर ही रह गया। मेरे जैसे ढेरों लोग जानते हैं कि धनी होना दिवास्वप्न है, किन्तु मध्यवर्ग के रूप में खुद को स्वीकार कर लेना उतना आसान नहीं। इसलिए तमाम जिन्दगी बेतहाशा दौड़ते रहने में ही सार है।

हालाँकि मैं घर बसाने से पहले यह जानता था कि मैं धनी नहीं हूँ और धनी एक अलग जाति है क्योंकि बड़ी मुश्किल से मैट्रिक पास करने के बाद ममाने में इण्टर की पढ़ाई के समय मुझे दो-तीन ट्यूशन करनी पड़ती थीं। सिर्फ में ही नहीं, मेरे पिता और मामा भी जानते थे कि यदि मैं ट्यूशन पढ़ाने में समय न लगता तो स्कूल कॉलेज में फर्स्ट डिवीजन जरूर पाता। लेकिन फर्स्ट डिवीजन मेरे लिए सपना नहीं था, मेरा सपना था इण्टर पढ़ना और पास होकर बी.ए. पढ़ना। मुझ जैसे बहुत-से गरीब, मध्यमवर्गीय छात्र ट्यूशन करके पढ़ते हैं और भविष्य में अपने बच्चों के लिए पाँच-पाँच ट्यूशन मास्टर रख सकते हैं। किन्तु भविष्य में अपने बेटे को ट्यूशन पढ़ाने में समर्थ होने पर भी मैंने यह तय कर रखा था कि उसे ट्यूशन पढ़ने नहीं दूंगा। बच्चों को ट्यूशन भेजने पर शुभा की तरह वे हर काम में ट्यूशन मास्टर पर निर्भर हो जाएँगे। यहाँ तक कि न केवल शुभा का गणित हल करना और कॉपी-में चित्रांकन करना पडता था, बल्कि 'स्वयं को गाय मानकर' निबन्ध तक उसकी कॉपी में लिखना पड़ता था। नौवीं कक्षा की छात्रा शुभा को सौभाग्य से प्रतिदिन सुलेख नहीं लिखना पड़ता था, वरना वह भी मुझे ही करना पड़ता। मेरे ट्यूशन के छात्र-छात्राओं में शुभा के बारे में मुझे विशेष उच्चाकांक्षा नहीं थी। मैं जानता था, बड़े घरों की सुकुमारी लाड़ली लड़कियों का रंगोली बनाना, अंग्रेजी न पढ़े होने पर भी तकिये के गिलाफ पर 'स्वीट ड्रीम' की एम्ब्रायडरी करना, एम्ब्रायडरी के फन्दों में 'गॉड इज गुड' लिखकर भगवान का एक चरित्र प्रमाण-पत्र दिवार पर लटका देना, कशीदाकारी, पुआ-पूड़ी बनाना, जूड़ा बाँधने की तरह गिरते-पड़ते हर क्लास में चोट खाकर मैट्रिक तक की पढ़ाई करना भी एक शौक है। लड़के वाले देखने आएँ तब लड़की की योग्यता सूची में पढ़ाई शामिल होना भी एक कला है। मैट्रिक पास करने से पहले ही शुभा की शादी हो जाएगी, यह मैं नहीं जानता था, क्योंकि हर क्लास में लगभग दो वर्ष रहने के कारण दसवीं कक्षा के समय शुभा की उम्र थी बीस वर्ष। मैं भी देर से पढ़ाई शुरू करके, ट्यूशन करने में उम्र बर्बाद करके इण्टरमीडिएट में पढ़ते समय अपनी क्लास में बूढ़ा लगता था। किन्तु मैं चाहता था, शुभा की शादी देर से हो। ऐसा सोचने के पीछे मेरा कोई दुराग्रह नहीं था। एक उच्चाकांक्षी युवक के स्वार्थ के सिवा यह और कुछ नहीं था। शुभा के घर से मुझे अच्छे पैसे मिलते थे और बीच-बीच में दिव्य भोजन भी। इसलिए भगवान से यही मनाया करता था कि शुभा की शादी दो-चार वर्ष देर से हो तो मेरी बी.ए. तक की पढ़ाई का खर्च आसानी से निकल आएगा। लेकिन शुभा का हर तरह से योग्य वर मेरे चाहने न चाहने का इंतजार क्यों करेगा? मैट्रिक परीक्षा

को सिर से उतारकर शुभा ने अचानक विवाह का मुकुट पहन लिया। शुभा की शादी का दिव्य भोजन करने के बाद मैंने दूसरी ट्यूशन की खोज में खुद को लगा दिया था। शुभा के उस बड़े अफसर-वर को भी मैंने नहीं देखा था क्योंकि वर आया था आधी रात को। शादी की दावत खाने के बाद नींद खराब करके शुभा के वर को देखने जाने का मुझमें कोई खास आग्रह नहीं था। शुभा की वजह से मेरा सपना रुक नहीं गया था। किसी को भी वजह से दुनिया का कोई काम नहीं रुक जाता। केवल बी.ए. नहीं, मैंने एम.ए. कर लिया नाना संघर्षों के बीच, अपनी कोशिशों से। एक सम्मानजनक नौकरी मिल गयी थी। घर-संसार बसाया। स्वाभाविक जीवन बिताया। बच्चों की जरूरतें पूरी करने उनके लिए देखे गये स्वप्न और स्वप्न-भंग, पत्नी का प्यार और उलाहने, नौकरी में हताशा, सामाजिक जीवन में न्याय से वंचित, रात बीतते ही महंगाई, ठगबाजी, प्रतियोगिताओं से सामना, नौकरी की नाव में बैठकर अनचाहे स्थानान्तरण, शहर बदली, घर बदली, मित्र परिवर्तन और अन्त में अवकाश ग्रहण करने की तैयारी के बीच शुभा की खबर रखने की न जरूरत हुई ना वक्त ही मिला। सिर्फ इतना जानता था शुभा फिर से 'शोभा' हो गयी है। कुछ वर्ष पहले शुभा के बेटे का नाम अखबार में छपा था। उसमें लिखा था, श्री मदन मोहन महान्ति और श्रीमती शोभारानी महान्ति के पुत्र तथा चौधरी जगमोहन राय के पोते दीप्तिमान महान्ति... इत्यादि-इत्यादि।

हालांकि मैंने उसका नाम बदलकर शोभारानी से शुभा कर दिया था, यदि उसने मैट्रिक पास कर लिया होता तो उसके मैट्रिक सर्टिफिकेट में उसका नाम शुभा ही होता। शुभा और शोभा में अर्थगत अन्तर शुभा के लिए भले ही कुछ न हो, लेकिन मेरे लिए शुभा और शोभा में काफी फर्क था। लड़कियों के नाम शोभा, सुन्दरी, मेनका, उर्वशी क्यों रखे जाते हैं? और फिर नाम के साथ जुड़ा होगा रानी। पहले तो सुन्दरी, शोभा, सुनयना नाम ही लड़कियों में घमण्ड भर देगा, यदि वे जरा भी सुन्दर होंगी। यदि सुन्दर न हुई और नाम सुन्दरी हुआ तो हीनता का शिकार होना अस्वाभाविक नहीं। और फिर रानी बनना कितनों के नसीब में होता है? होता भी है तो रानी बनने में सचमुच कितना सुख है। ऐसी अनेक बातें उस उम्र में मैं सोचा करता था और शोभा का नाम मैंने शुभा कर दिया था। हालाँकि शोभा को मैं शुभा कहकर ही बुलाया करता था और यदि मैट्रिक का फार्म भरा गया होता तो मैं यही नाम भरता। खैर छोड़ो, यदि शुभा अपनी ससुराल में 'शोभा' बन गयी तो मैं अपना दिमाग क्यों खराब करूँ? पर सुना था कि शोभा 'रानी' भी बन गयी है। पति की अथाह आमदनी,

शान-ओ-शौकत, शहर में मकान। चल-अचल सम्पत्ति। एक अलग कार थी शुभा के लिए। ये सब देखा मैंने शुभा के घर जाकर, तीस-बत्तीस बर्षों के बाद। शुभा अतीत में सुन्दर थी या नहीं? याद करना पड़ा। यानी शुभा वैसी कोई खास सुन्दर नहीं थी, जिससे कि उसके चेहरे की तसवीर खिंच गयी हो स्मृति में। परन्तु उस उम्र में जो निष्पाप ताजगी और कान्ति लड़कियों में दिखाई देती है, वह कान्ति शुभा पर भी किसी ने जोर-जबर्दस्ती पोत दी थी। हर जवान लड़की-सी शुभा भी आँखों की सुहाती थी। बस, इसके सिवा शुभा वैसी कोई खास खूबसूरत नहीं थी। बरसात में कुछ नदियाँ उफन कर तट लांघ जाती हैं, तो कुछ गंभीर, शान्त पड़ी रहती हैं। शुभा चपल उम्र में गम्भीर और निस्तरंग थी। नापतौल कर बातें करती, हिसाब से हँसती, जबकि जानबूझकर ऐसा नहीं करती थी। गम्भीरता और महानता शायद उसकी आदत थी। यह भी हो सकता है कि होमवर्क न करने के कारण तथा किसी बात को बार-बार समझाने के बावजूद न समझ पाने की वजह से अक्सर वह मुझसे डाँट खाकर गम्भीर रहने को बाध्य होती। इसके अलावा भी, अधिकतर समय उसके अन्यमनस्क रहने का एक कारण और हो सकता है। उस उम्र में अन्यमनस्कता भी एक स्वाभाविक गुण होता है। बहरहाल, शुभा एक खामोश लड़की थी। शादी से पहले जिस दिन उसकी पढ़ाई बंद हुई, उस दिन शुभा ने कहा था, 'सर, मुझे बहुत दुःख है!'

'दुःख क्यों, एक न एक दिन तो हर लड़की की शादी होती है।'

'शादी का दुःख नहीं है, सर।'

'तो क्या पढ़ाई बन्द हो जाने का दुःख है?' मैंने पूछा। शुभा ने तुरन्त जवाब दिया, 'पढ़ाई बन्द हो जाने का मुझे जरा भी दुःख नहीं। क्योंकि पढ़ाई मुझसे नहीं होगी, यह मैं जानती हूँ। अच्छा ही हुआ कि परीक्षा से पहले पिताजी मेरी शादी कर रहे हैं। दुःख इसलिए है कि मेरी ट्यूशन बन्द हो गयी।'

मैं हँस पडा शुभा की बात सुनकर। बोला, 'बड़ी अजीब लड़की हो तुम! पढ़ाई के लिए ही तो ट्यूशन होती है, तुममें पढ़ाई की इच्छा नहीं है पर ट्यूशन बन्द हो जाने का दुःख है!'

'सर, कहीं आपकी बी.ए. की पढ़ाई न बन्द हो जाए, इसी बात का मुझे दुःख है, लेकिन यह सब भगवान की इच्छा से हो रहा है। यदि आपके नसीब में बी.ए. पास करना होगा तो अवश्य करेंगे। सर, आप मेरे घर जरूर आइएगा।'

'मेरा घर' कहते समय शुभा का चेहरा अकारण ही लाल पड़ गया था। मैं अवाक् देखता रहा शुभा की ओर। मुझे लगा 'मेरे वर' के बजाय 'मेरा घर' बड़ा होता है लड़कियों के लिए। नीड़-लिप्सा लड़कियों की सहज प्रवृत्ति होती

है। अधिकतर मामले में मनपसंद वर न मिलने पर भी घर को मनपसंद बनाकर लड़कियाँ उसी नशे में तमाम जीवन मग्न रहकर जी लेती हैं। मनपसंद वर पाना लड़कियों के वश में नहीं होता, लेकिन घर को मनपसंद बनाना लड़कियों के कर्तव्य की बात है। वर को चाहे बिना जीवन बिताया जा सकता है; पर छोटा हो या बड़ा 'घर' को बिना चाहे जीवन बिताना दूभर हो जाता है।

कौन जाने शुभा का वर मनपसंद था या नहीं? किन्तु शुभा के घर में कदम रखते ही ऐसा लगा, वह घर शुभा का मनपसन्द घर होगा, इसमें सन्देह नहीं। यानी शुभा के शुभकारी स्पर्श से एक मनपसन्द घर बन गया सिर्फ शुभा को केन्द्र करके। शुभा के बिना यह घर केन्द्र से विच्छिन्न होने को बाध्य है।

उस दिन बत्तीस वर्षो बाद अचानक मुलाकात हो गयी साड़ी की दुकान में। मैं शुभा को पहचान नहीं पाया, हालाँकि दुकान में शुभा मेरा ध्यान अपनी ओर बारबार खींच रही थी। शुभा के खिचड़ी बाल, भारी शरीर, पान चबाने वाले लाल काले दाँत, और किनारे की दाढ़ में सोने की कैप, शुभा के वजनी हाथ और भरेभरे गले में खप जाने लायक सोने के भारी-भारी गहने, दोनों गालों पर उम्र को दर्शाते थक्के थक्के काले दाग। इन सबकी परवाह न करते हुए कभी भी कॉस्मेटिक का इस्तेमाल न करने वाला शुभा का भरा-भरा गोल चेहरा तथा बड़े आत्मविश्वास से कीमती साड़ियाँ देखने की उसकी भंगिमा बता रही थी कि वह कोई संभ्रांत महिला होगी और अपने से अधिक महत्त्व अपनी धन-सम्पत्ति, घर-द्वार व स्टेट्स को देती होगी। सेल्समैन मुझ पर ध्यान न देकर शुभा पर दे रहा था। शायद शुभा रेग्यूलर कस्टमर होगी। मैं कम दाम की साड़ी का मोल-तोल कर रहा था पत्नी के लिए। साड़ी कम दाम की थी पर थी सुन्दर। शुभा की नजर उस पर पड़ गयी, फिर साड़ी से होती हुई उसकी नजर पड़ी मुझ पर। शुभा ने तुरन्त उठकर नमस्कार किया और खुशी से गद्गद् होकर बोली, 'सर, नमस्कार। आप यहाँ?'

मैंने चकित हो उसकी ओर देखा, 'कौन?'

'सर, नहीं पहचान पाए? मैं शुभा हूँ।'

शुभा के चेहरे से ताल मिलाकर उसका गला भी फटा-फटा सुनाई दे रहा है। मानों कफ जमकर बैठ गया है गले में। बोला, 'नहीं, मैं सचमुच पहचान नहीं पाया। तुम इतनी बदल गयी हो कि...'

'सर, साफ-साफ क्यों नहीं कहते कि इस बीच मैं निपट बूढ़ी हो गयी हूँ। पोता-पोती मिलकर तीन हैं, छोटे पोते का जन्मदिन है। कपड़े खरीदने आयी थी। पोते के लिए जैसा-तैसा लेने से चल जाएगा। किन्तु बहू के लिए मनपसन्द

साड़ी न लेने से उसे बुरा लगेगा', शुभा के स्वर में भरी नदी का गहरा संगीत था।

मैंने कहा, 'अखबार में पढ़ा था तुम्हारे बेटे का कर्तृत्व। चलो, तुम्हारा बेटा इतना मेधावी हुआ, यह बड़े भाग्य की बात है।'

'ठीक अपने पिता की तरह है। मेरी बुद्धि तो आप जानते हैं।' शुभा के स्वर में परम गौरव की झंकार थी पति और बेटे के लिए। चलो, शुभा सुखी है। खुशी हुई मुझे शुभा की सुख पूर्ण समग्रता देखकर। शुभा जैसी मोटी बुद्धि वाली लड़कियाँ सहज ही सुखी रहती हैं। बच्चे अच्छा पढ़े, पति खूब कमाए तो फिर उन जैसी लड़कियों को क्या कष्ट?

शुभा ने मेरी ओर देखकर धीरे से पूछा, 'सर, आपने बी.ए. पास किया या नहीं?'

शुभा का प्रश्न सुनकर चौंका। सिर्फ इतना ही समझ पाया कि शुभा का रूप बदला है, शुभा नहीं बदली, वैसी ही सहज और मोटी बुद्धि वाली है। शुभा के प्रश्न से यह स्पष्ट था कि उसने मेरी कोई खबर नहीं रखी। किन्तु इसका मतलब यह नहीं कि शुभा ऐसा सवाल किसी दुकान में करे। यह सच है कि शुभा की बुद्धि नहीं बढ़ी, पर उसकी उम्र तो बढ़ी है। मैंने उसके सवाल का जवाब न देते हुए कहा, 'घर का पता दो। कभी समय निकालकर आऊँगा। मुझे तो अभी छह महीने ही हुए है यहा तबादले पर आये। और एक साल बाद रिटायर हो जाऊँगा। अच्छा हुआ, बहुत दिनों बाद तुम जैसी छात्रा से मुलाकात हुई...'

शुभा ने पर्स खोलकर पति के नाम वाला एक कार्ड बढ़ा दिया। मैं उससे अधिक बात न करके दुकान से बाहर चला आया। आपने बी.ए. पास किया या नहीं की तरह यदि शुभा ने पूछ लिया होता, 'सर, आप अच्छी तरह कहीं खा-पी तो रहे हैं?' तो दुकान के भीतर मेरा दिमाग भन्ना गया होता।

शुभा का अनुरोध स्वीकारते हुए एक दिन उसके घर जा पहुँचा। शुभा को कम-से-कम यह बताना होगा कि उसने जल्दी शादी करके उसकी ट्यूशन बन्द करवा देने के बावजूद मैंने बी.ए. ही नहीं एम.ए. भी पास कर लिया और एक सम्मानजनक नौकरी करता हूँ, जिसके कारण माँस, मछली, दूध, घी, फल-मूल इत्यादि खाया करता हूँ; अब मैं ट्यूशन पर निर्भर नहीं करता। क्या समझ रखा है शुभा ने मुझे? होंगे शुभा के पति धनी, पर मैं भी गरीब नहीं। भारत में मध्यवर्गीय जीवन निर्वाह करना कोई खेल नहीं!

शाम को पाँच बजे शुभा के घर पहुँचने पर शुभा एक बाल्टी दूध लिये बैठी थी। मुझे देखकर बोली, 'सर, शायद आप दूध खरीदते होंगे। आपका घर करीब होता तो मेरे घर से आपको खाटी दूध मिलता। मेरे घर में साल में चार

महीने दुधारू गायें होती हैं। मैं दूध-दही के झमेले में ग्वालन बन चुकी हूँ।'

पति के स्टेटस के साथ-साथ घर में जर्सी गाय रखकर दूध का व्यापार करना, कुत्ते के पिल्लों और साड़ियों का व्यापार करना अब एक तरह के आभिजात्य में गिना जाने लगा है। शुभा ने जल्दी-जल्दी छेना बनाकर भर प्लेट छेना, मुट्ठी भर काजू और दूसरी मिठाइयाँ बड़े आग्रह से लाकर रखीं। अतीत में शुभा जितनी भी, जो भी खाने की चीजें मेरे सामने रखा करती थी, मैं पूरा खा जाता था। अक्सर मैं रात को फिर कुछ नहीं खाता था। लेकिन आज असमय इतनी सारी खाने की चीजें देखकर मैंने बिना आग्रह के कहा, 'इतना सारा। मैं क्या बैल या कुम्भकर्ण हूँ? और फिर मुझे मिठाई, काजू सब मना है। सिर्फ ताजा छेना दो, लेकिन थोड़ा-सा...'

'आपको खाना मना है!' मानो शुभा को विश्वास ही नहीं हुआ। एक जमाने में खाद्याभाव की वजह से मेरे खून में शर्करा, चर्बी सब कम थी। पौष्टिक आहार के अभाव में चेहरा कैसा दिखता है, मैं उसका नमूना था। डॉक्टर कहते थे सब खाओ- घी, दूध, छेना, माँस, मछली, फल-मूल सब...खूब खाने में कोई हानि नहीं। तब मैं उन चीजों के बारे में सिर्फ कानों से सुना करता था, आँखों से देख नहीं पाता था। पर आज सब मना है। शुभा को शायद विश्वास नहीं हो रहा था कि इस बीच मेरा खून इतना धनी हो गया है। धनी लोगों का खून धनी होना चाहिए, गरीब का खून तो हमेशा अकाल-ग्रस्त है।

शुभा का आग्रह मुरझा गया था। एक प्लेट में थोड़ा-सा छेना लेकर खाते हुए मैंने कहा, 'झूठ नहीं कहता। जब उम्र थी, खूब खाया। अब खून विरोध नहीं करेगा तो कौन करेगा? मध्यवर्गीय तो खाकर उड़ा देता है। अच्छा खाना ही मध्यवर्ग की श्रेष्ठ विलासिता है। और कोई विलास उसकी पहुँच में नहीं है। मैं धनी नहीं हूँ, पर मेरा खून धनी है।'

शुभा को जता देना चाहता था कि उसका मुझे गरीब समझना ठीक नहीं है, मैं अपनी कोशिशों से मध्यवर्ग बन पाया हूँ।

शुभा मेरे चेहरे की ओर देखकर चभर-चभर मीठे काजू चबाते हुए बोली, 'मुझे डॉक्टर ने सब कुछ मना किया है। मैं यह सब नियन्त्रण नहीं मानती। आदमी न खाए तो भी मरेगा, खाने से भी मरेगा। तो फिर खाते-खाते क्यों न मरे? खाने के शौक के सिवा मेरा और शौक ही क्या है?

वाकई बचपन में शुभा का खाने का शौक ही मुख्य था। पहनने का गौण। आज भी यदि उसे खाने का ही मुख्य शौक है, तो ऐसा क्यों सोचूँ कि शुभा सुखी नहीं है!

शुभा के घर जाना अब मेरा नियम बन चुका था। ट्यूशन पढ़ाने जैसा कोई निश्चित कारण न होने पर भी दो-चार दिनों में एक बार शुभा के घर न जाने पर कर्तव्य की अवहेलना करने-सा लगता। एक-दो बार बीवी-बच्चे भी शुभा के घर आये हैं। शुभा भी अपने पोते-पोतियों को लेकर हमारे घर आ चुकी है, हालाँकि हमारे घर आने की फुर्सत अभी शुभा के पति को नहीं मिली है। बड़े अधिकारी हैं, जिम्मेदारी अधिक है। घर भी लौटते हैं ऑफिस लेकर, मानों ऑफिस के अलावा और कुछ नहीं है इस दुनिया में! उच्च अधिकारियों का जीवन ऐसा ही दयनीय होता है। व्यक्तिगत सुख, पारिवारिक जीवन होते हुए भी नहीं होता। मैंने शुभा के पति को गलत नहीं समझा। मध्यवर्ग का पैमाना लेकर वे मेरे घर आते तो मुझे अटपटा लगता। उनके साथ अन्तरंगता तो है नहीं। शुभा के पति के तौर पर जितनी बातचीत और परिचय है, उतने से मैं जान चुका हूँ कि वे एक पारम्परिक पति हैं। पत्नी के सिर पर अपनी छोटी-सी दुनिया रखकर एक विशाल दुनिया का बोझ उन्होंने खुद उठा रखा है। मित्रों से मिलने का समय कहाँ?

किन्तु मेरा शुभा के घर जाना इतना नियमित था कि मुझे बाहर के लोग शुभा के तीन पोते-पोतियों का बूढ़ा ट्यूशन मास्टर समझने लगे होंगे। बच्चे भी दादी की सुना-सुनी मुझे सर-सर पुकारते थे। शुभा के पति, उसके नौकर-चाकर, यहाँ तक कि गाय-बैल भी अपनी-अपनी भाषा में 'सर' पुकारते थे। शुभा के घर पर मेरा आकर्षण कहाँ केन्द्रित था? शुभा पर तो कतई नहीं; उसके गम्भीर ऊँचे ओहदे वाले पति का तो सवाल ही नहीं उठता। शुभा के घर का स्वादिष्ट खाना भी नहीं, क्योंकि मैं शुभा के घर अधिक कुछ खाता भी नहीं था। सिर्फ शुभा के घर की चाय पीता था। शुभा के घर शायद वे लोग ग्रीन लीफ चाय पीते थे। बाहरवालों को डस्ट टी पिलाते थे, सभी बड़े लोगों की तरह। लेकिन मुझे शुभा के घर पर घरवालों जैसी चाय मिलती थी। क्या महक होती है उसकी! पूरी माप-तौल से दूध और चीनी। मेरे जैसे मध्यवर्गीय घर की डस्ट चाय में भरपूर दूध और चीनी के कारण जिस तरह चाय की महक बर्बाद हो जाती है, शुभा के घर ऐसा कभी नहीं होता। शुभा के घर की चाय ही मुझे दूध पीने वाले बछड़े की तरह दफ्तर से घर लौटते रास्ते से ही खींच ले जाती थी। कभी-कभी मैं माँगकर और एक कप चाय पी लेता था। शुभा के पोता-पोती मुझे चाय वाले सर कहकर बुलाते थे। किन्तु चाय के आकर्षण से नहीं, शायद शुभा के पोते-पोतियों के आकर्षण से मैं शुभा के घर जाया करता था। मेरे पोता-पोती मेरी साथ न रहने के कारण मैं शुभा के पोता-पोतियों को धीरे-धीरे अधिक चाहने

लगा था। मेरा जाना इतना नियमित हो गया था कि जिस दिन नहीं जा पाता, शुभा पूछती, 'कल क्यों नहीं आये? बच्चे बहुत ढूँढ़ रहे थे। आप क्यों नहीं आये, इस बारे में पूछ-पूछकर बच्चों ने मुझे परेशान कर दिया। मैंने आपके इन्तजार में शाम की चाय भी रात आठ बजे पी। कोई तकलीफ तो नहीं है आपको?'

अरे वाह, यह तो अच्छी जबर्दस्ती है। क्या एक कप चाय पिलाकर मुझे खरीद लिया है! जैसे कि मैं इनके घर ट्यूशन करता हूँ, रोजाना हाजिर होने को बाध्य हूँ। और फिर मैं अपनी इच्छा से जाता हूँ, उसकी इच्छा से नहीं। जिस दिन मन नहीं होगा, नहीं जाऊँगा, यह कौन है पूछने वाली। शुभा की बातों का जवाब दिये बगैर मैं कहता, 'आज दो-तीन कप चाय पीने की योजना है। पहले चाय बने, बच्चे कहाँ हैं?' फिर सब कुछ सहज हो जाता चाय की महक में।

धीरे-धीरे मुझे लगने लगा कि गुमसुम स्वभाव वाली लड़की शुभा आज कल औरतों की तरह बहुत बतियाती है। उसकी बातों में अतीत बेहद चमकीला और वर्तमान धुंधला लगता। शुभा याद करती अपना गाँव, नदी, अमराई और केतकी-वन, संगी-साथी और उस समय को। बात शुरू होती खाने के प्रसंग से। शहर में आम, अमरूद, पके केले, यहाँ तक कि जामुन, बेर भले ही खरीदे जा सकते हैं, पर झड़बेरी नहीं मिलती। यहाँ तरह-तरह के फूलों के अम्बारों में केतकी, नीली कुमुदिनी दिखाई नहीं देती। यहाँ खुला आसमान दिखाई नहीं देता। गगनचुम्बी इमारतों के बीच, चाँद खो जाता है बिजली के प्रकाश में, पक्षियों का कलरव सुनाई नहीं देता शहर की घरघराती गर्जना में, माटी की सोंधी गन्ध खो जाती है धूल और धुएँ के आगोश में, इनसान खो जाता है निजी स्वार्थ की विकटता में, रिश्ते खो जाते हैं अजनबीपन में...इतने निकट होते हुए इनसान इतनी दूर कैसे है! दीवारों से सटे दीवार वाले मकान हैं, लेकिन यहाँ दीवारें इनसान से अधिक ताकतवर हैं। यहाँ सुबह नहीं, शाम नहीं, समय नहीं, यहाँ एकाकी मन नहीं।

'सर, आप बिना किसी काम हमारे लिए समय निकालकर आ जाते हैं, यह हमारा सौभाग्य है। आपको देखने से मुझे विश्वास हो जाता है कि हमारे गाँव का वह केतकी-वन अभी सूखा नहीं है, नीली कुमुदिनी खिल रही है हमारे गाँव की गढ़ैया में, छप्पर दर छप्पर धुआँ मिल रहे हैं, तरकारी का लेन-देन चल रहा है, सबके पास सबके लिए समय है। एक अरसा हो गया गाँव गये। है ही कौन अब गाँव में? हमारे तो सभी लोग दूसरे-दूसरे शहरों में हैं, सुना है गाँव बूढ़ा हो गया है। वहाँ सिर्फ बीमारी, गरीबी, लाचार बूढ़ा-बूढ़ी बचे हैं। सर, क्या आप अब भी गाँव जाते हैं?' मैंने शुभा की ओर आश्चर्य से देखा। इस वयस्का महिला को

शहर में चर्बी और बुढ़ापे के सिवा शायद और कुछ नहीं मिला। आज बे-वजह केतकी वन को याद कर रही है। याद आया, मैं अक्सर शुभा के लिए केतकी फूल ले जाया करता था, उसकी दादी के केतकी कत्थे के लिए। केतकी फूल तोड़ने में मैं धुरन्धर था। मुझसे केतकी फूल लेते समय एक बार शुभा ने कहा था, 'केतकी कत्थे की महक से केतकी फूल की महक ज्यादा अच्छी होती है। नाहक ही दादी जी कत्थे के लिए फूल बर्बाद कर देती हैं।'

इतने प्राचुर्य और परिपूर्णता के बीच शुभा को कमी ही क्या है। शुभा जैसी मोटी बुद्धिवाली महिला की स्थूल दृष्टि में कोई अभाव दिखाई ही नहीं देता। भारी-भरकम शरीर और स्थूल चिन्ताओं में गोते लगाने वाली इस नारी का क्या कोई सूक्ष्मातिसूक्ष्म अभाव कहीं गोपनीय रूप से जिन्दा है, अतीत से लेकर अब तक? असम्भव है- शुभा की रोजमर्रे की जिन्दगी गौर से देखने पर उसमें कोई सूक्ष्म भावना है, यह विश्वास नहीं होता। शुभा की बातें सुनने पर कोई भी बाहरी व्यक्ति यह सोचेगा कि शुभा गाँवली की गाँवली ही रह गयी।

अब मैं शुभा के घर नहीं जाता। तय किया है कि अब नहीं जाऊँगा। अब शुभा के सामने न जाना ही बेहतर है। शुभा के पोते-पोतियों का उत्साही स्वर 'लो चाय वाले सर आ गये' और शुभा के घर की चाय की महक कभी-कभी याद आती है। हमारे घर की चाय में चाय की वह महक नहीं होती, हमारे घर में परदेसी पोते-पोतियों का हो-हल्ला सुनाई नहीं पड़ता। इसलिए मन बार-बार शुभा के घर की ओर पैरों को खींचता, किन्तु विवेक और सोच मेरे पैरों को लौटा लाते। उस दिन तेज बारिश के समय शुभा के हाथों की चाय की महक का जी भर स्वाद लेते वक्त अनजाने में जो घटना घटी क्या उसके बाद मेरा शुभा के घर जाना उचित होगा? क्या लाभ! हालाँकि जो घटना सहसा घटी, उस बारे में कोई और नहीं जानता, भविष्य में किसी के जानने की सम्भावना भी नहीं है। शुभा के पति, उसका ऊँचे पद पर कार्यरत प्रतिष्ठित बेटा, बेटी-दामाद, बहू किसी को भी उस घटना की भनक नहीं लगेगी। भविष्य में वह घटना दुबारा नहीं घटेगी। उस घटना के बाद और बचा ही क्या है जो घटेगा। वह घटना तो पूरी की पूरी घट ही चुकी। जो पानी बह चुका है क्या उसे फिर से लौटाया जा सकता है? कोई भले न जाने, मैं तो जानता हूँ, शुभा तो जानती है, हमारे मन, हृदय, विवेक और विचार तो जानते हैं। और फिर एक भद्र पुरुष-सा कुछ न जानने-सा, शुभा के स्वच्छ छवि वाले निरीह बूढ़े ट्यूशन मास्टर-सा उसके घर में ठाठ से बैठकर सुड़क-सुड़क कर चाय सुटकना क्या अपराध जैसा नहीं है? शुभा के पति से बहुत कम मुलाकात होती है, वह मुलाकात भी इतनी संक्षिप्त

और सतही कि हम दोनों एक-दूसरे के टकले सिर देखते हैं, परिपक्व चेहरे देखते हैं, परन्तु आँखों से आँखें नहीं मिलती थीं। अकारण ही रास्ता काट कर चले जाने जैसी थी हम दोनों की दृष्टि। लेकिन शुभा की आँखों से तो मिलेंगी मेरी आँखें। दोनों के मोटे चश्मे के पीछे अस्पष्ट हो सकती हैं आँखें, दृष्टि तो अस्पष्ट नहीं होंगी। क्या अब मैं शुभा की ओर पहले की तरह देख सकूँगा? क्या शुभा भी! हे भगवान, श्मशान की ओर पैर बढ़ने वाली उम्र में ऐसी अघटनीय घटना क्यों घट गई?

उस दिन वह घटना अचानक घटने से क्या हमारा जीवन बदल गया या बदल जाएगा? वह घटना न घटी होती तो क्या हमारा जीवन अधूरा रह गया होता? क्या उस घटना के बिना जीवन की एक विशेष उपलब्धि अधूरी रह गयी होती? इसका मतलब इस उम्र में उस तरह की घटना का घटित होना शोभनीय है? क्या उस घटना को रोका नहीं जा सकता था? कौन रोक सकता था- शुभा या मैं? उस घटना के लिए कौन जिम्मेदार है, शुभा या मैं? हालाँकि वह घटना शुभा की ओर से घटी है, लेकिन मेरी सहमति के बिना क्या शुभा जैसी सहज ही सन्तुष्ट मोटी बुद्धिवाली, वयस्का महिला एक ऐसी अनचाही घटना घटित कर सकती थी? शुभा मोटी बुद्धिवाली नहीं है, शुभा के भारी-भरकम शरीर में भी सूक्ष्म भावनाएँ मन्द, मधुर ध्वनि से गुंजरित हैं, आज यह बात मेरे सिवा और कोई नहीं जानता, यहाँ तक कि शुभा का उच्च पद पर बैठा पति भी नहीं, जो पिछले बत्तीस वर्षों से शुभा के साथ, एक ही छत के नीचे रहते हैं, एक ही बिस्तर पर सोते हैं।

मनुष्य का मन है एक केतकी-वन। वहाँ पहुंचना कठिन है- कितनी कँटीली-झाड़ियों, तेज धार से होकर पहुँचना होता है। पर केतकी की मदमस्त महक छिप नहीं सकती। केतकी ढोल बजा बजाकर यह क्यों कहेगी कि मेरी महक मदमस्त है, मुझे सूंघो।

उस घटना के बाद मेरी यह धारणा बन गयी है कि दुनिया की कोई भी लड़की थोड़े से सन्तुष्ट नहीं होती, कोई लड़की मोटी बुद्धि की नहीं है, कोई लड़की वयस्का नहीं होती। लड़कियों से संबंधित मेरी बँधी-बँधायी धारणा को शुभा ने क्षण भर में झकझोर दिया। सिर्फ इतना ही नहीं, शुभा ने मुझमें अपने ही बारे में बने दम्भ और दृढ़ धारणा को भी हिला दिया। हम दोनों बूढ़े-बूढ़ी नहीं हैं, यह साबित कर दिया है शुभा ने। बूढ़े-बूढ़ी हैं ऊपरी आवरण-आवरण निकाल देने से भरपूर रस छलक उठेगा। उस घटना के लिए मैं शुभा को दोष नहीं दे रहा। दोष सिर्फ इतना है कि जो घटना बत्तीस साल पहले घटित होनी

थी, उसे अब घटित करने से किसी को क्या लाभ हुआ? आखिरकार यही हुआ कि शुभा के घर का रास्ता मेरे लिये हमेशा के लिए बन्द हो गया। शुभा ने दरवाजे बन्द नहीं किये, किन्तु शुभा यह जरूर चाहती होगी कि उस घटना के बाद अब मैं उसके घर न जाऊँ। उसके साथ अनजानी-सी सुख-दु:ख की बातें न करूँ। मैं जानता हूँ, यदि अब मैं गया, शुभा मेरे साथ पहले जैसी स्वच्छन्द नहीं हो पाएगी। मैं भी पहले की तरह खुलकर बातें नहीं कर सकूँगा।

उस दिन शाम को जो कुछ घटित हुआ, सम्भवत: वह मूसलाधार बारिश ही उसके लिए जिम्मेदार है। घर में कोई नहीं था। पोता-पोती ममाने गये थे। इतना बड़ा घर लग रहा था गर्मी की छुट्टियों के स्कूल जैसा वीरान, खाँय-खाँय। तभी शुरू हो गयी तेज बारिश। मुँहजली बारिश ठीक बत्तीस साल पहले की बारिश की तरह हर-हर बरस रही थी। नदी के तट टूट जाएँ, फसल बर्बाद हो जाए, घर-द्वार बह जाएँ, बारिश को कोई परवाह नहीं। ऐसी घनघोर बारिश में बीस वर्षीय शुभा ने अपनी शादी की बात स्पष्ट स्वरों में बतायी थी। उसने कहा था कि ट्यूशन बन्द हो जाने का उसे अफसोस है। उसने अनुरोध किया था मुझसे ससुराल आने का! शादी के बाद ससुराल जाने वाली बाकी लड़कियों से जरा भी अलग नहीं लग रहा था शुभा का चेहरा। गरीब छात्र ट्यूशन मास्टर की ट्यूशन बन्द हो जाएगी, उसे चाय-नाश्ता नहीं मिलेगा। बी.ए. पढ़ने का सपना अधूरा रह जाएगा, यह सोचकर उस दिन शुभा नामक उस सरल युवती का चेहरा करुणा से सजल दिखाई दे रहा था। आज जब दूर-दूर तक वीरान बारिश का उपभोग करने के लिए गर्म-गर्म पनीर के पकौड़े बनाकर शुभा ने मेरे सामने लाकर रखे, मैंने साफ-साफ कह दिया, 'तली हुई चीजें खाने की मनाही है मुझे, अब उन दिनों की तरह पनिया नहीं है मेरा खून, बहुत गाढ़ा है'- सुनकर शुभा के चेहरे पर 'अहा, परोसी हई थाली तक का खाना इस आदमी के नसीब में नहीं है। जैसा व्यथित भाव उभर आया था। बस, यही व्यथा थी? कितना स्थूल है उस व्यथा का स्वरूप। यदि यह बात सच है, तो सहसा शुभा एक ऐसा काण्ड क्यों कर बैठी?'

पकौड़े की प्लेट वापस ले जाते समय मुझे लगा शुभा की आँखें छलछला आयी हैं। शायद आँसू नहीं, बारिश के छींटे हों। बिना चीनी की चाय लेकर मेरे पास आते वक्त शुभा के ललाट और चेहरे पर उम्र की काली-काली झुर्रियों के बीच पसीने की नन्ही-नन्ही बूंदें झलक रही थीं, शायद आग की आँच हो।

कहीं बिजली गिरी। खिड़की के बाहर इतने दिनों तक केले के घौंद का बोझ ढो रहा पेड़ गिर पड़ा।

ओह, शुभा ऐसा क्यों कर बैठी?

क्या शुभा ने उस वक्त मुझे कोई मूर्ख, निर्बोध समझ रखा था।

भला सारी बातें इस तरह कही जाती हैं?

जीवन में जितनी बातें कही जाती हैं, उससे कहीं अधिक अनकही रह जाती हैं, क्या शुभा यह नहीं जानती थी? कही गयी बातें खुद को ठीक से अभिव्यक्त करने में अक्षम हो सकती हैं; किन्तु अनकही बातें तो मन की सूक्ष्मतम भावनाओं को व्यक्त करने में सबसे अधिक शक्तिशाली होती हैं, क्या आज तक इतना बड़ा ज्वार सीने में दबाये रखने के बावजूद यह बात शुभा समझ नहीं पायी! पलक झपकते ही केतकी की पंखुड़ी पर लिखी गोपनीय पंक्ति को उसने छिन्न-भिन्न कर दिया।

शुभा ने मेरी ओर चाय का कप बढ़ाते हुए सहसा कह दिया, 'सर, आपने उस वक्त यह बात खुलकर क्यों नहीं कही? भला मैं लड़की होकर कैसे मन खोलकर कहती...।'

उसकी इतनी बात सुनकर मूसलाधार बारिश की चोट सहता मैं शुभा के घर से निकल आया था। क्या उसका ही प्रश्न मैं ट्यूशन मास्टर होकर उससे पूछ सकता था।

बारिश में मत जाइए, भीग जाएँगे, 'कहकर शुभा ने मुझे रोका नहीं था। क्योंकि तब तक मैं पूरी तरह भीग चुका था।'

❑❑

आँखें

आँखें! आँखें नहीं, बात करनेवाले दो होंठ। क्या आँखें भी बातें करती हैं?

मेरे दोनों पैर ठिठक गए। रेलिंग के बाहर दो आँखें दो होंठ बनकर मानों मुझसे कुछ कह रही हैं। मैंने सुनने की कोशिश की, पर सारी सुनी हुई बातें समझ में नहीं आतीं। सारी समझी हुई बातों का जवाब भी नहीं दिया जा सकता।

उन करुण आँखों में अनेक उलाहने हैं, उन उलाहनों का जवाब कौन देगा? तैयारी न होने की वजह से शिक्षक के सरल सवाल का जवाब न दे पाकर अन्यमनस्कता का बहाना करके, शिक्षक की नजर बचाकर बच निकलने की कोशिश करनेवाली पढ़ाईचोर छात्रा-सी मैं उन कैफियत माँगनेवाली आँखों को अनदेखा करने का बहाना करके उस विशाल दीवार-घिरे दो मंजिले भवन के गेट की ओर बढ़ गयी। वे दोनों आँखें रह गईं उस विशाल भवन की अकेली कोठरी की खिड़की की रेलिंग के उस पार।

गेट खोलकर अंदर जाने से पहले मैं रुक गयी। गेट के सामने कल की तरह वह अबोध अपरिचित बालक हाथ में एक गिट्टी लिए जमीन पर लकीरें खींच रहा था। बैठे-बैठे अपने चारों ओर एक सुंदर वृत्त बनाया है उसने। वह वृत्त मानों गेट के अंदर उसके प्रवेश-निषेध की चेतावनी हो।

दरबान ने गेट थोड़ा खोलकर पकड़ा। लड़के के दोनों होंठों पर मुस्कान बिखर गयी। होंठ कुछ खुले। मैं अंदर चली गयी। गेट फिर बंद हो गया। लड़के के होठ भी बंद हो गए। सिर झुकाकर वह फिर जमीन पर लकीरें खींचने लगा।

मेरा काम खत्म होने तक दिन के एक बज चुके थे। वह लड़का उसी तरह सिर गड़ाए चिलचिलाती धूप में बैठा एकाग्रचित्त हो जमीन पर लकीरें खींच रहा था। बेचारा, न जाने किसका लावारिस बच्चा होगा! अभी उसकी स्कूल जाने की उम्र है। इतनी एकाग्रता से यदि पढ़ता होता, तो कौन कह सकता है कि एक दिन वह इस देश का एक उज्ज्वल सितारा बनकर न चमक उठता?

किसे समय है इस लड़के का परिचय पूछने का? समय तो भाग रहा है। उसके साथ-साथ हम सभी भाग रहे हैं जी-जान से। किंतु यह बात सच है कि समय के साथ कितनी ही प्रतियोगिता करके दौड़ने पर भी हम सभी निर्दिष्ट पथ के यात्री हैं। पर इस दौड़ प्रतियोगिता का अंत कहाँ है?

कलाई घड़ी की ओर देखकर दौड़ना शुरू करने से पहले अचानक मेरा ध्यान उस लड़के की ओर आकर्षित हुआ। लड़के ने एक लकड़ी की डंडी से जमीन पर बड़े-बड़े अक्षरों में लिखा है, 'मेरी माँ पागल नहीं है-मेरी माँ पागल नहीं है।' मेरे पैर ठिठक गए। इस महिला पागलखाने के हर रोगी की केस-हिस्ट्री मेरी फाइल में दर्ज है पर इस अबोध बालक ने पागलखाने के गेट के सामने यह क्या लिखा है? मैंने उसके निकट जाकर सवाल किया, 'ए लड़के! तू यहाँ बैठा क्या कर रहा है? अपने घर क्यों नहीं जाता?'

'मैं अपनी माँ को साथ लेकर जाऊँगा। माँ को वे लोग छोड़ नहीं रहे। मैं घर जाकर क्या करूँगा?' लड़के ने जवाब दिया।

'क्या तेरी माँ यहाँ है?' मैंने सवाल किया। लड़के ने सिर हिलाया। मैंने पूछा, 'कौन है तेरी माँ? क्या नाम हे उसका?'

'माँ तो माँ है। उसका और क्या नाम होगा?' लड़के ने झट जवाब दिया। मैंने प्यार से सवाल किया, 'तेरे बप्पा तेरी माँ को क्या कहकर बुलाते हैं?'

'बप्पा!' लड़के ने सकपकाकर देखा मेरी ओर मानों मैंने बप्पा के बदले बाघ कह दिया हो। दूसरे ही क्षण वह आश्वस्त हुआ कि उसका बप्पा यहाँ नहीं है। उसने झिझकते हुए कहा, 'बप्पा माँ को किसी एक नाम से नहीं बुलाता, दिन में बुलाता है-अबे सुन जा...'

'और रात में?' मैंने मजाक में सवाल किया।

'रात में? रात में बुलाता है- हरामजादी, कुलक्षणी...।' वह लड़का कहते-कहते रोने लगा।

बात ऐसी होगी, मैं सोच नहीं सकती थी। मैं पसोपेश में पड़ गयी। लड़के की पीठ थपथपाते हुए पूछा, 'अच्छा, अच्छा! कुछ खाया है?'

'बप्पा की जेब से जितने रुपये निकालकर गाँव से भागा था, गाड़ी का खर्चा देने के बाद दो दिन खा-पी लिया। आज एक भी पैसा नहीं है।' लड़के ने झेंपते हुए कहा।

एक अदम्य कुतूहल से मैं लड़के को अपने साथ घर लिवा लायी। अपने साथ लिवा लाने से पहले लड़के को वचन देना पड़ा कि उसकी माँ को जल्दी ही छुड़वाने की कोशिश करूँगी। खा-पी लेने के बाद लड़के का मन स्थिर होने

पर मैंने सवाल किया, 'अच्छा राजू, तेरे बप्पा का नाम क्या है?'

राजू पुनः चौंक उठा। संदेह भरी निगाह से मेरा चेहरा देखता रहा। उसके बाद डरते हुए मुझसे सवाल किया, 'मैं यहाँ हूँ, क्या आप यह खबर बप्पा को भेज देंगी?'

मैंने राजू की पीठ पर थपकी देकर आश्वासन दिया, 'अरे नहीं-नहीं। तेरे बप्पा का नाम मालूम हो तो तेरी माँ को पहचानने में मुझे आसानी होगी।' राजू का चेहरा खिल उठा। मुझे लगा, उसने मेरी बात पर विश्वास कर लिया। दूसरे ही क्षण उसने अपने बप्पा का नाम बताया। उसके कहने के लहजे ने मुझे चकित किया। मानों वह अपने बप्पा का नाम लेने तक को तैयार नहीं।

मैंने प्यार से पूछा, 'राजू! क्या तेरे बप्पा तुझसे प्यार नहीं करते?'

राजू का सुंदर, कोमल, अबोध, चेहरा घृणा, गुस्सा, यंत्रणा और भय-मिश्रित आवेग से विकृत हो उठा। उसने बेखातिर-सा कहा, 'बप्पा किसी से प्यार नहीं करते...मुझसे नहीं...मेरी दीदी से नहीं...मेरी दोनों छोटी बहनों से नहीं...और माँ से भी नहीं। इसीलिए वह मेरी माँ को लाकर पागलखाने में छोड़ गया है। उसे लिवाने नहीं आता। पर मैं जानता हूँ, मेरी माँ पागल नहीं है।' राजू की आँखों में आँसू भर आए माँ की बात कहते-कहते।

मैंने धीरे से कहा, 'पागलखाने में सभी पागल होते हैं। इसकी जाँच डॉक्टर खुद करते हैं। तुझे कैसे मालूम कि तेरी माँ पागल नहीं है?'

निकट अतीत में देखी फिल्म की कहानी याद करने-सा साँझ के आसमान के एकाकी नक्षत्र को देखते हुए राजू धीमी आवाज में स्वगतोक्ति कर रहा था, 'नहीं, मेरी माँ पागल नहीं हो सकती। रोज की तरह वह मुझे अपनी गोद में बिठाकर खाना खिलाती थी। रात में ढिबरी जलाकर मुझे पढ़ाती। बप्पा को सुनाई न देने-सा धीरे-धीरे कहती-राजू, मेरे बेटे, मन लगाकर पढ़। एक दिन तू बड़ा आदमी बनना। अपने बप्पा की तरह नशाखोर, शराबी मत बनना। भले-बुरे, न्याय-अन्याय की पहचान ठीक से करना। बड़ा होकर तू ही मेरा दुःख दूर करना। रात को अँधेरे में मुझे सीने से लगाकर माँ सिसक-सिसककर रोती। मेरी नींद खुल जाने पर माँ आँसू पोंछकर कहती, सपना देखकर रो रही थी, सो जा मेरा राजा बेटा! और कभी-कभी आधी रात को...' राजू रुक गया। कोई भयावह वीभत्स दृश्य देख लेने-सा विवर्ण हो गया उसका चेहरा।

मैंने उसे अपने करीब बिठा लिया। उसका डर दूर करने-सी बोली- 'मैं तेरे पास बैठी जो हूँ। बोल, क्या होता कभी-कभी आधी रात को?'

राजू ने मेरा एक हाथ जकड़कर पकड़े हुए बहुत धीमे-धीमे कहा,

'कभी-कभी आधी रात को माँ की बिलखती रुलाई और बप्पा की गर्जना से हम सबकी नींद खुल जाती। माँ को पीटते-पीटते लहूलुहान कर देता बप्पा! हम सभी बच्चे एक साथ रोने लगते तो बप्पा हमें भी बिछौने से घसीटकर पीटता। उस वक़्त बप्पा आदमी नहीं होता, जानवर बन जाता है। बप्पा की मार से हमें बचाने के लिए माँ रणचंडी की तरह बप्पा के सामने आकर खड़ी हो जाती। चीखती-चिल्लाती, बप्पा को नोचने लगती। एक दिन बप्पा का हाथ दाँतों से काटकर खून निकाल दिया उसने। उसके बाद का बप्पा का भयानक चेहरा और माँ पर जो निर्दयता-भरी मार पड़ी...' राजू के हाथ बर्फ की तरह ठंडे पड़ने लगे थे। चेहरा सादे कागज-सा रक्तहीन। राजू काँपता हुआ घुटनों में मुँह छुपाकर शिथिल पड़ गया। मानों उसके किशोर मन की कोमल शाखा-प्रशाखाएँ बाप के निष्ठुर रौद्र ताप से जल-भुनकर राख बन रही हों!

मैं राजू को दिलासा देकर, घर पर छोड़कर पागलखाने की ओर चल पड़ी।

सिस्टर की मदद से राजू की माँ का पता लगाया। प्रतिदिन पागलखाना आते वक्त निचली मंजिल की उसी एकांत कोठरी की खिड़की की रेलिंग से जिसकी दो आँखें बाहरी जगत को ताकती रहतीं ज्वलंत कठोर दृष्टि से, वही है राजू की माँ। उसके साथ इंटरव्यू करने की इजाजत माँगते ही सिस्टर ने बेहिचक मना कर दिया। विमला इतने तीव्र मानसिक रोग से पीड़ित है कि पागलखाने की तमाम सुरक्षा-व्यवस्थाओं के नियंत्रण से बाहर जा चुकी है। इसीलिए उसे बिल्कुल अगल कोठरी में क़ैदी के रूप में रखा गया है।

अंत में बड़ी मुश्किल से अधिकारियों की अनुमति मुझे मिल गयी। दरवाजा खुलते ही विमला ने खिड़की की ओर से मुँह फेरा। उसकी दोनों धधकती आँखें मुझ पर टिक गयीं। एक अज्ञात भय से मैं अंदर ही अंदर सिहर उठी। मैंने खुद को सँभालते हुए कहा, 'मैं इस अस्पताल की कोई कर्मचारी नहीं हूँ। मैं तो समाजशास्त्र की अध्यापिका हूँ। शोध-कार्य के लिए यहाँ आयी हूँ।' अचानक जोरों से हँसने लगी विमला, मानों उस हँसी का कोई अंत न हो। उसके बाल अस्त-व्यस्त हो गए थे पर उस ओर उसका ध्यान नहीं था। मैं किंकर्त्तव्यविमूढ़ होने ही वाली थी कि मेरे मन में एक खयाल आया। मैंने शांत स्वर में कहा, 'राजू गाँव से भाग आया है। वह मेरे पास है।'

आग की लपटें पानी की धार के स्पर्श से कुछ ही देर में शांत हो गयीं। राजू की माँ सहसा ठीक हो गयी। मुझे स्थिर निगाह से देखते हुए बोली, 'उसे आपने क्यों रोक लिया? क्या उसे भी पागलखाने में भती करवाएँगी?'

मैं साहस बटोरकर अंदर गयी। शांत स्वर में बोली, 'राजू ने कसम खायी

है कि तुम्हें साथ लिए बगैर गाँव वापस नहीं जाएगा। बाप की जेब से रुपये चुराकर गाँव से भाग आया है।'

राजू की माँ ने असहाय स्वर में कहा, 'उसका बाप उसे वापस लेने आ पहुँचेगा। पर वह उस नरक में आसानी से लौट जानेवाला लड़का नहीं है। अपने बाप को देखकर न जाने वह क्या कर बैठे, मैं कल्पना तक नहीं कर पा रही। अंत में उसे भी मेरी तरह पागलखाने में भर्ती करा जाएगा वह शैतान।'

मैंने अपनत्व भरी आवाज में कहा, 'लगता है, तुम पूरी तरह स्वस्थ हो। तुममें किसी तरह की मानसिक विकृति का लक्षण नहीं है।'

वह अचानक गर्म हो उठी, 'क्या मेरा मजाक उड़ा रही हैं?'

'नहीं, मेरा विश्वास करो।' मैंने थूक निगलते हुए कहा। वह मेरा चेहरा देखती रही कुछ देर।

मेरी आँखों में अपनत्व का स्पर्श पा वह पुनः शांत हो गयी। अवसाद भरे स्वर में वह बोली, 'गलती से हो या ठीक से, जो इस पागलखाने में एक बार भर्ती करा दिया जाता है वह फिर जिंदगी-भर हँस नहीं सकता, रो नहीं सकता, मान-अभिमान व्यक्त नहीं कर सकता। जब भी कुछ करता है, सभी सोचते हैं, उसका पागलपन शुरू हो गया। उसके बाद मेरी जैसी हालत। और इस पागलखाने की एकांत कोठरी। ठीक होकर घर लौट जाने पर फिर उन्हीं पुरानी बातों की पुनरावृत्ति, अनसुलझे सवाल की तरह फिर सारा कुछ गड़बड़-सड़बड़। कितना ही सँवारों, सब बिगड़ जाता है। माँ एक बार पागलखाने चली जाए तो बच्चों की भी कम दुर्गति नहीं होती। मेरे राजू की भी वही हालत है। बात-बात कर उसके दोस्त-यार, भाई-बंधु, स्कूली लड़के और शिक्षक उसकी जरा-सी गलती पर कटाक्ष करते हैं, माँ तो पगली है, लड़का कहाँ से ठीक होगा? कौन कह सकता है कि लड़का भी पागल नहीं? कभी-कभी राजू ऐसी बातों से इस कदर तिलमिला उठता है कि मेरे मन में भी संदेह होने लगता कि कहीं वह सचमुच पागल तो नहीं है और अब तो वह घर छोड़कर भाग आया है। अब उसे कोई नहीं बचा सकता।' वह विवश होकर बेड पर बैठ गयी।

मुझ पर उसने विश्वास कर लिया है, सोचकर मैं भी कुर्सी पर बैठ गयी, उसके सामने। मैंने नरम गले से कहा, 'तुम्हारी बातें अक्षरशः सही हैं। लगता है, तुम काफी पढ़ी-लिखी भी हो। तुम जरा भी पागल नहीं हो। राजू ठीक ही कहता था, उसकी माँ पागल नहीं है।'

'ऐसा राजू कहता था?' विमला की आँखों से खुशी के आँसू बह चले।

मैंने कहा, 'तुम यहाँ क्यों रुकी हुई हो, मेरी समझ में नहीं आता। अब

तो तुम पूरी तरह ठीक हो चुकी हो।'

उसने चिहुँकते हुए कहा, 'तो क्या आप सोचती हैं कि पहले मैं पागल थी? इस पागलखाने में कोई भी पागल नहीं है। जो लोग पागलखाने से बाहर हैं वे ही लोग पागल, विकारग्रस्त, अस्वस्थ हैं। हमारा जब मन करता है, हम हँसते हैं, हँसते-हँसते दम निकल जाता है। और जब मन करता है, रोने लगते हैं, रोते-रोते बेहाल हो जाते हैं। किसी को चाहने लगते हैं तो उसके लिए जान तक दे देते हैं, घृणा करते हैं तो उसकी जान लेने तक में पीछे नहीं हटते। जबकि आप लोग ठीक इसका उल्टा करते हैं। अंदर ही अंदर जलते वक्त आप लोगों के ऊपरी चेहरे पर मीठी मुस्कान बिखरी होती है। दूसरों के दु:ख से खुश होने पर मगरमच्छी (घड़ियाली) आँसू बहाते हैं। आप लोगों का स्नेह, प्रेम, हँसी, रुलाई, बातचीत, वादे-सब झूठे हैं। आप लोगों के मुँह और मन की बात एक नहीं होती। तो फिर बताइए, कौन है अस्वस्थ? कौन है पागल?'

मैं हतप्रभ-सी देखती रही राजू की माँ को। इसे कौन पागलखाने में भर्ती करा गया? वह अपनी आपबीती सुनाने लगी-

'हाई स्कूल करते समय मेरी शादी हो गयी। कम उम्र में अनेक सपने सँजोये मैं पति के घर गयी। मैंने नहीं सोचा था कि तरुण उम्र के सपने इतने झूठे होते हैं। जोरों की ठेस पहुँची मन को। सहसा मुझे लगा, औरत एक पालतू जानवर है। मुँह बंद करके काम करते रहना, जीने के लिए जितना खाने की जरूरत है उतना मिल जाना ही पर्याप्त है। लेकिन मैं किसी भी सूरत में खुद को मनुष्य की जगह पालतू जानवर नहीं बना पायी। मुँह बंद किए काम करते रहने पर भी मेरे अंदर एक भीषण प्रतिक्रिया का अंत:प्रवाह चलता रहता था।'

'पति के बुरे स्वभाव और बुरी आदतें जानने में मुझे अधिक समय नहीं लगा। रात को वे नशे में धुत होकर लौटते, उसके बाद मुझसे मनचाहा दुर्व्यवहार करते। मैं देखा करती थी एक छोटे सुखी परिवार का सपना, पर पति की अदूरदर्शिता के कारण मुझे एक के बाद एक चार बच्चों को जन्म देना पड़ा। राजू एकमात्र पुत्र है। तीन कन्याओं को जन्म देने के कारण मेरी दुर्दशा और बढ़ गयी, मानों कन्याएँ पैदा करने का कसूर सचमुच मेरा ही था। उसके बाद अभाव, गरीबी, अनाहर और बच्चों के दु:ख-कष्ट के बीच मैं पिसती चली गयी। पति ने सोचा कि बच्चा पैदा होते ही पिता बनने का कर्तव्य पूरा हो गया। किन्तु मैं माँ होकर ऐसा नहीं सोच सकी। बच्चों के मुँह में मुट्ठी भर खाना डालने के लिए मैं दिन-रात यंत्र-सी खटने लगी। फिर भी मेरे मन में कई सपने थे। राजू पढ़ेगा और अपने पैरों पर खड़ा होगा, मेरा दु:ख दूर होगा...। कष्ट से अर्जित पैसों

से कुछ-कुछ बचाकर जमा करने की धुन मुझ पर सवार होने लगी। इस बात का पता मेरे पति को लगने के बाद मेरी दुर्दशा अंतिम सीमा तक पहुँच गयी। उन्होंने घर खर्चे के पैसे देना बंद कर दिया। बल्कि मुझसे रुपये वसूलने की कोशिश करने लगे।...देखेंगी उसका प्रमाण?' उन्होंने अपनी नंगी पीठ मुझे दिखायी। मैं देख नहीं सकी। उस निर्मम व्यक्ति के अत्याचार से पूरी पीठ क्षत-विक्षत थी।

मैं चुपचाप बैठी रही। कुछ देर रुककर उसने कहा, 'आखिर कब तक सहती? रक्त-माँस का ही तो है शरीर। कभी-कभी इच्छा होती कुछ दिनों तक आराम करने की। मैं बहुत कमजोर होने लगी थी दिन-प्रतिदिन। पर यदि मैंने आराम किया तो घर कैसे चलेगा? एक दिन रात को रोटी सेंकते समय सोचा कि यदि मेरे ये दोनों हाथ बेकार हो जाएँ तो मुझे आराम करने को मिल जाएगा। पति अपने बच्चों को खाना न देकर क्या करेगा? सहसा एक आवेग की झोंक में कोयले की आँच की लकलक करती आग में अपनी हथेलियाँ झोंककर मैं बेहोश हो गयी।

'वही थी मेरे पागलपन की शुरुआत। सबने कहा, मैं पागल हो गयी हूँ। जिस दिन अपने अंदर अवांछित पाँचवीं संतान का अहसास हुआ था, उस दिन मेरे मन की गहराई में अपने पति के प्रति अब भी बचा मोह, घृणा और असहिष्णुता में बदल गया। मुझे लगा, मैंने किसी खूनी मुजरिम का हाथ थामा है। वह तिल-तिल करके मार रहा है मुझे, मेरे बच्चों को। अपने दिल में दबे आक्रोश, घृणा को मैं कहाँ प्रकट करूँ? पति के पशुत्व के आगे तो बिल्कुल असहाय थी। अपनी उत्तेजना का सारा आवेग मैंने उतार दिया खुद पर, घर की निर्जीव चीजों पर।

'उस दिन रात जब पति नशे में धुत होकर लड़खड़ाते हुए घर लौटे, सारी चीजें टूट-फूट चुकी थीं। बच्चे दरवाजा बंद करके फूट-फूटकर रो रहे थे, मेरा प्रचंड रूप देखकर। इससे पहले कि पति मुझसे कहे, मैंने पहले ही उस पर धावा बोल दिया और उसका मुँह नोच लिया। उसके बाद यह पागलखाना। पहली बार कुछ दिनों के बाद छूटकर घर चली गयी। किंतु फिर उसी कहानी की पुनरावृत्ति होने लगी। बड़ी लड़की विवाह योग्य हो गयी थी। बस्ती के लड़कों की आँखें उस पर टिकी रहतीं। राजू दिन-प्रतिदिन कुछ बदलने-सा लगा। पिता को देखकर मुट्ठियाँ बाँध लेता, दाँत किटकिटाता, घर से बाहर जाकर अपना सारा गुस्सा और आवेश उतार आता किसी निर्दोष बच्चे पर। राजू के चलते बस्ती में रोजाना मार-धाड़, फौजदारी मची रहती। सबके मुँह में वही एक बात होती, माँ तो है

ही पगली, बेटा भी पगला जाएगा। राजू के पिता की नामर्दी तो मैंने सहन कर ली थी, पर राजू को वैसा कुछ होगा, यह बात मेरी सहनशक्ति से परे थी। एक दिन मैंने अचानक सोचा- यदि मैं वाकई पागल हो जाऊँ तो इतना सारा दु:ख मुझे सहना नहीं पड़ेगा। सारे दु:खों से मुक्ति मिल जाएगी।

'उसके बाद वही कांड और बारंबार पागलखाने में बंदी जीवन। पर मैं पागल नहीं, मुझे सब कुछ याद है। इस पागलखाने में मैं अपने मासूम बच्चों को याद करती रहती हूँ। राजू के बप्पा मुझे लेने नहीं आते। डॉक्टर कहते हैं कि मेरा पागलपन ठीक नहीं हुआ है। इसलिए अब मेरा सारा गुस्सा डॉक्टरों पर है। ये लोग मुझे अधिक कष्ट देते हैं, मेरे कष्ट को कम नहीं कर पाते।'

राजू की माँ की बातें खत्म हो गयी थीं। मुझे और कुछ नहीं कहना था। यह समस्या राजू की माँ की व्यक्तिगत समस्या नहीं है। यह एक गंभीर सामाजिक समस्या का रूप धारण कर चुकी है। मैं सम्भवत: राजू की माँ को आजाद करके ले जा सकती हूँ, पर उसके घर के उस दूषित परिवेश को नहीं बदल सकती। उसे फिर यहीं लौट कर आना पड़ेगा। मैं असहाय-सी बैठी रही। उसने कहा, 'मैं जानती हूँ, आप मेरे बारे में लंबा लेख लिखेंगी, भाषण देंगी, वाहवाही लूटेंगी। किंतु मेरी समस्या का समाधान नहीं कर पाएँगी। मेरी तो बस इतनी ही विनती है कि राजू को बचा लीजिएगा, ताकि अंत में उसे भी पागल न बना दिया जाए।'

मैं उससे कोई वादा नहीं कर सकी। मेरी मुलाकात का समय खत्म हो चुका था। डॉक्टर, नर्स और दो परिचर आ पहुँचे। विमला को इंजेक्शन देने का समय हो चुका था। मानो सहसा उसके अंदर एक विराट विस्फोट हो गया। वह परिचरों पर झपट पड़ी। चीखने लगी, गंदी-गंदी गाली-गलौज करने लगी। उसकी वे सुंदर आँखें भयावह हो उठीं। उसे जोर-जबर्दस्ती से इंजेक्शन लगाया गया। दूसरे ही क्षण वह शांत पड़ गयी। बिस्तर पर लेटकर सिसक-सिसककर रोने लगी। उस असह्य दृश्य से पीठ फेरकर बाहर जाने लगी तो पीछे से सिस्टर ने कहा, रुकिए, थोड़ी देर बाद फिर हँसी का फुहारा छूटेगा। हम सब मूर्ख, बुद्धू, जानवर हैं, कहकर इस तरह हँसेगी कि आप खुद ही पागल हो जाएँगी।'

मैंने धीरे से पूछा, 'वह यहाँ और कितने दिनों तक रहेंगी?'

'शायद जीवन भर। पति वापस ले जाने को तैयार नहीं है। उसका पति कहता है कि पगली को घर में रखकर क्या करेगा? पर यदि वह आदमी हमारे साथ जरा भी सहयोग करे तो यह पूरी तरह ठीक हो सकती है। खैर छोड़िए, बहुत-से हैं ऐसे केस हमारे पास।'

एक लंबी साँस छोड़ते हुए मैं बाहर चली आयी। रात में राजू की माँ की केस हिस्ट्री के साथ उसकी आपबीती को मिलाकर देखा तो हताशा हुई। राजू के पिता ने जो केस हिस्ट्री दी है, वह सही नहीं है। ऐसे में क्या डॉक्टर बीमारी ठीक कर पाएँगे?

अगले दिन सुबह राजू फिर जा पहुँचा पागलखाने के गेट के सामने। उसी तरह बैठा लकीरें खींचता रहा जमीन पर। मैंने उसके बाप के पते पर पत्र डाल दिया था। बेटे को ढूँढ़-ढूँढ़कर वह बेचारा परेशान होगा। वह आया तो राजू को समझा-बुझाकर साथ भेज दूँगी। उस आदमी को आदतें बदलने के लिए कहूँगी, ऐसा निश्चय किया।

दोपहर एक बजे अस्पताल से लौटते समय मैंने देखा, राजू उसी तरह लकीरें खींच रहा था जमीन पर। तीन दिनों से वह मेरे घर पर थोड़ा-सा खाना खाकर पागलखाने के सामने आकर बैठ जाता है। आज शायद उसका बाप आ पहुँचे। दोपहर को जब मैं आराम कर रही थी तब हठात् एक दारुण कोलाहल सुनाई दिया। मैं बाहर निकल आयी। पागलखाने के सामने भीड़ इकट्ठी थी। मैंने जल्दी-जल्दी भीड़ हटाकर अंदर घुसते हुए पूछा, 'क्या हुआ?'

किसी ने कहा, एक लड़का पागल हो गया है। पढ़ाई छोड़कर घर से पैसे चुराकर करीब आठ दिन पहले अपने गाँव से भाग आया था। आज अचानक गुस्से में 'बाघ-बाघ' चिल्लाकर उसने पत्थर से मार-मार कर कई लोगों को घायल कर दिया। एक आदमी का सिर फट गया है, दाँत से काटकर खून निकाल दिया उसका। न जाने उस लड़के के शरीर में इतनी ताकत आयी कहाँ से?'

जिस आदमी को सिर पर चोट लगी थी, वह अँगोछा सिर पर दबाए हुए तपाक से बोला, 'पगली का बेटा भला ठीक कैसे होगा? भर्ती कर दो पागलखाने में। एक काँटा निकल गया।'

मैंने पूछा, 'तुम कौन हो ?'

'मैं उसी कुलांगार बेटे का बाप हूँ। बदनसीबी से ऐसा बेटा जन्मा है।' वह आदमी अपनी बात कहकर वहाँ से धप-धप करता चला गया बेपरवाह-सा। राजू को पागलखाने के शिशु वार्ड में भर्ती करा दिया गया था।

मैं अपराधिन-सी सिर झुकाए लौट आयी। खिड़की के उस पार दो स्थिर निश्चल आँखें थीं। आँखें नहीं, मानों वाकई दो आरोप-पत्र हों, जिनका कोई उत्तर नहीं था।

❑❑

भूख

महनी की थाली में ज्यादा से ज्यादा भात-तरकारी परोसते समय मैना का फूला-फूला चेहरा धीरे-धीरे खिल उठता था। महनी के पास बैठकर उसे मना-मनाकर खिलाना मैना के जीवन का सबसे सुखकर क्षण हुआ करता था। भात के बड़े-बड़े निवालों के साथ मैना के हाथ से बनी तरकारी अमृत की तरह खाते हुए महनी ने उस दिन पूछा था, 'अपने लिए बचाकर रखा या नहीं? सब तो मेरी ही थाली में उड़ेल दी होगी। तेरी आदत मैं जानता जो हूँ। न जाने भूखा जीवन कैसे बिता लेती हो तुम औरतें?'

महनी के ये कुछ शब्द मानो मैना के स्त्री होने का प्रशंसा-पत्र होता। मैना खुशी से गद्‌गद्‌ होकर कहती, 'पति खाता है तो पत्नी का पेट भरता है। जो कुछ जूठन तुम छोड़ोगे, वही तो हमलोगों का प्रसाद होता है। प्रसाद का चुटकीभर खाने से भी पेट भर जाता है।' महनी लोटाभर पानी गटगटाकर पीने के बाद तृप्ति से डकार लेते हुए पत्नी को खुश करने के लिए कहता, 'हर औरत तेरी तरह पति के जूठन को क्यों प्रसाद समझेगी। मेरे दोस्त बिसिया की पत्नी तो अपने पति को थोड़ा परोसकर अपने लिए ज्यादा बचा लेती है।' मैना घृणा से मुँह बिदकाकर कहती, 'छिः, भुक्खड़ है, धिक्कार है ऐसे जीवन को।'

महनी पत्नी की थोड़ी और तारीफ करके कहता, 'उसकी बात छोड़। वह तो मूर्ख औरत है। हमारे मालिक के घर की मालकिन क्या करती हैं? क्या तेरी तरह वे साहब की थाली में अच्छी-अच्छी चीजें परोसकर खुद थोड़ा प्याज, हरी मिर्च और चटनी लगाकर खाती हैं? मालिक और मालकिन, साहब और मेम साहब की तरह टेबुल पर साथ-साथ बैठते हैं। रसोइया बराबर-बराबर परोसता है दोनों को। मालिक को ज्यादा नहीं, ना ही मालकिन को कम, बाद में दोनों से पूछता है बार-बार। मुझे लगता है जैसे घर नहीं, होटल हो। वे लोग मानों पति-पत्नी नहीं, दो साथ पढ़नेवाले दोस्त हों। वाकई बहुत आश्चर्य होता है उनका रहन-सहन देखकर।'

मैना बड़ी-बड़ी आँखें करके कहती, 'क्या सच कह रहे हो, या? छिः छिः, पति के साथ बराबर-बराबर कैसे खा लेती हैं ये औरतें? उनके पेट में जाता कैसे है? बड़े घरों की होने से क्या हुआ, हैं तो सब चटोरी ही?'

वाकई मैना सोच नहीं पाती है कि पति और बच्चों को न खिलाकर इस दुनिया में किसी औरत का ज्यादा खा लेना संभव है या नहीं। यदि कभी ऐसा हुआ तो उस दिन सूरज पूरब से न उगकर पश्चिम से उगेगा। हर इंसान जानवर बन जाएगा। एक पक्षी भी तो अपने छौने के मुँह में ही पहले दाना डालता है। इंसान होकर पति और बच्चों का पेट काटकर खुद कैसे खा जाती हैं? ऐसा तो मेरी जान चली जाने पर भी संभव नहीं है। एक बार महनी कह रहा था- ओड़िशा में 'नअंक' के अकाल के समय बच्चों के मुँह से निबाला छीनकर माँ खा जाती थी। अपने बच्चों का माँस माँ खा जाने की बात भी सच हुई थी उस वक्त। महनी के मुँह से ऐसी रोंगटे खड़े कर देनेवाली कहानी सुनते समय मैना के बदन में सिहरण-सी दौड़ जाती। जाड़े के दिनों की तरह देह काँपने लगती। आँखों के सामने अपने बच्चे का माँस माँ गपागप खाने का दृश्य चलचित्र की तरह उभरने लगता। उसका सिर चकरा जाता- आँखों में भरे आँसू में महनी का चेहरा धुँधला-धुँधला-सा दिखता। सिसकियाँ दबाते समय अंधेरे में बिजली की गड़गड़ाहट से डरकर माँ के आँचल में मुँह छुपा लेनेवाले बच्चे की तरह उसने महनी की गोद में मुँह छिपाते हुए कहा, 'हे भगवान! इससे तो ज्यादा अच्छा है मर जाना। जंगली जानवरों के मामले में भी ऐसा कभी सुनने में नहीं आया।' महनी मैना को दिलासा देते हुए प्यार से कहता, 'मैंने तो बहुत पुरानी बात बताई है- अब तो यह कहानी बन चुकी है। इसे हाल ही की बात समझकर तू मेरी बात सुनकर बच्चे की तरह रोने लगी। इतना नाजुक दिल लेकर कैसे घर बसाएगी रे? घर-गृहस्थी में आपदा-विपदा, दुःख-कष्ट किस पर नहीं आते? दो-दो बच्चों की माँ है तू, उन्हें पाल-पोसकर कैसे बड़ा करेगी इतना कमजोर दिल लेकर!'

मैना अतीत को आँखों के सामने देखने की तरह घबरायी-सी कहती, आज जो कहानी है- 'कभी तो वह घटना घटी थी- इस देश की माँ बन गई थी राक्षसी। भगवान करे, इस दुनिया के किसी भी कोने में दुबारा वैसी भयावह घटना न घटे। अपनी छाती चीरकर बच्चे के मुँह में रक्त उड़ेलकर सारी माँएँ बच्चों को जिलाए रखें।'

मैना की बात सुनकर महनी मुस्कराते हुए कहता, अब इस देश में 'नअंक' का अकाल नहीं पड़ेगा। समय बदल चुका है। तू बिलावजह तिल का ताड़ बनाकर काफी रो चुकी है!' महनी काम पर चला जाता।

मैना बैठे-बैठे सोचती, कहावत है कि- 'अभाव में स्वभाव बदल जाता है।' किसकी गृहस्थी में रोजाना पूस का महीना रहा है? मैना की चार प्राणियों की छोटी-सी गृहस्थी में भी अभाव होता है। भात ही तो पेट भरकर मिलता है- अच्छा-बुरा, पूआ-पकवान, साग-सब्जी की कमी तो हमेशा बनी रहती है। महनी कहता, 'देश में ही ना दुबारा 'नअंक' का अकाल फिर नहीं पड़ेगा- पर महँगाई की बीमारी इस देश से नहीं जा रही है; बल्कि कोढ़ की तरह धीरे-धीरे फैलती जा रही है।' पर अभाव में मैना का तो स्वभाव नहीं बदला। दोनों बच्चों और पति को पतीला पोंछ-पाँछकर सारी तरकारी-साग वह परोस देती है। हरी मिर्च और नमक के साथ पखाल भात खाने में उसे कोई कष्ट नहीं होता। बिना साग-तरकारी के औरतों का निवाला गले के नीचे नहीं सरकता, यह खोखली बात नहीं तो और क्या है? उसके नसीब में तो कभी-कभी कढ़ाई पोंछकर थोड़ी-बहुत तरकारी मिल भी जाती है, किंतु अपनी माँ को कभी तरकारी खाते नहीं देखा उसने। जो थोड़ी-बहुत साग-सब्जी माँ के लिए बचती थी, जब वह खाना खाने बैठती, हम चारों भाई-बहन चाहे जितना भी खाए हों माँ के हाथ का एक-एक निवाला खाने के लिए उसके आस-पास मँडराने लगते थे। वह हम सबको एक-एक निवाला खिलाती थी। निवाला के साथ बची-खुची साग-सब्जी भी वह हमें ही खिला देती थी। चार निवालों में उसकी थाली का भात भी आधा रह जाता। मैना भी तो उसी की बेटी है। यदि कभी पुआ-पकवान बनाती है तो सिर्फ चखने के लिए वह थोड़ा-सा मुँह में डाल लेती है, बस उतना ही काफी होता है उसके लिए। पति और बच्चों के खाने के बाद यदि कुछ पुए बच जाते हैं, मैना सोचती है एकाध खा लेगी; पर उसके पेट में कहाँ जा पाता है। बच्चे भला कहाँ रोजाना खाते हैं। गाहे-बगाहे कुछ अच्छी चीज मुँह में जाती है। हर चीज के लिए रंक की तरह तरसते हैं। बच्चे बाद में खाएँगे, इसलिए रख देती है मैना। इसके लिए उसे दु:ख नहीं; बल्कि एक अद्‌भुत संतोष से मन भर जाता है उसका। पूआ खाते समय जब खुशी से बच्चे होंठ चाटते हैं, तब मैना का पेट भर जाता है। मुँह में मिठास भर जाती है। महनी कहता, तुझ जैसी अजीब औरत करोड़ों में एक होगी। मैना उसकी बातों को टाल जाती। कहती, 'दुनिया की सारी माँओं का मन एक जैसा होता है। बच्चों की मुस्कराहट देखने से भूखा पेट भर जाता है।' अमावस-पूनम की तरह सुख-दु:ख में मैना की गृहस्थी ठीक-ठाक चल जाती थी। अभाव असुविधा राह में रोड़े नहीं अटकाते थे।

लेकिन एक दिन ऐसा आया, जब मैना की गृहस्थी के आकाश में अमावस के बाद पूनो नहीं आई। महनी की नौकरी बैठे-बिठाए चली गई। काम

से उसकी छटनी हो गई। अब गृहस्थी कैसे चलेगी? महनी ने मजदूरी की। महनी की मजदूरी के पैसों से किसी तरह उसकी गृहस्थी चल जाती थी। मैना एक जून खाती, दूसरे जून उपवास रहकर बच्चों के मुँह में निवाला डालती। पर महनी न जाने किस अनजान बीमारी से तुड़ा-मुड़ा घर में पड़ा रहा। उसका इलाज तो दूर, पेट में मुट्‌ठीभर दाना तक मिलना असंभव लगने लगा मैना को। मैना ने एक साहब के घर काम शुरू कर दिया। दोनों वक्त बर्तन माँजना, कपड़े धोना, झाड़ू-पोंछा लगाने का काम। इसमें मैना को लाज नहीं आती थी। तनखा महीने में तीस रुपए। दिनभर का एक रुपया। उसमें चार प्राणियों का कुटुंब। महनी की दवाइयाँ, बच्चों की तबीयत वगैरह, कपड़े आदि सब उसी में। मैना ने फिर भी मन को दृढ़ कर लिया। गृहस्थी चलाने के लिए उसे आधे दिन उपवास रहना पड़ता। साथ ही गधे-सा खटना पड़ता। और एक घर का काम पकड़ लेने से काम चल जाता। पर अब मैना में ताकत नहीं बची थी। काम भी तो करना पड़ेगा। यदि वह भी किसी दिन बीमार पड़ गई, तब तो उसके पति और बच्चे गए काम से।

मैना का शरीर भी धीरे-धीरे शिथिल पड़ता जा रहा था। उसके पेट की भूख राख के नीचे की आग की तरह दप-दप जलती रहती है। किस दिन दहक उठेगी, कौन जाने? भूख की तड़प से यदि मैना किसी दिन कूएँ या तालाब में कूद पड़ी, तो उसके बच्चों की हालत क्या होगी? मैना अब काम पर नहीं जा पाती। साहब के घर की मालकिन कई बार धमकी दे चुकी हैं काम से निकालने की। एकाध दिन काम करने न जाने पर तनखा काट लेती हैं। मैना कर भी क्या सकती है। देह को घसीटते हुए जितना कर सकती है, उतना तो कर ही रही है।

इस महीने एडवांसवाले रुपए काट लिए हैं मालकिन ने। महनी की दवा के लिए पंद्रह रुपए एडवांस लिए थे उसने। बाकी के पंद्रह रुपए में पूरा महीना कैसे चलेगा? मैना के घर भात नहीं बना कई दिनों से। चार आने की लइया लाकर थोड़ा-थोड़ा खाकर भूख मारनी पड़ी है। बच्चे पस्त पड़ चुके हैं। भूख न संभाल पाकर किसी दिन भीख न माँगने लगें। बीमार पड़े-पड़े महनी की मति भी बिगड़ गई है। दिन-रात खाने को माँगता रहता है, कुछ और चिंता नहीं घुसती उसके भेजे में। भूख-उपास में खटते-खटते बुखार में पड़ गई मैना। आठ दिन बाद घिसटती हुई साहब के घर गई थी। थोड़ा-सा माँड़ माँगकर पीने के लिए। होंठों पर पपड़ियाँ निकल आई थीं। चारों ओर अंधेरा दिखाई देने लगा था भूख से। घर में चावल का एक दाना तक नहीं, एक पैसा भी नहीं है हाथ में। जिन दिनों वह बुखार में पड़ी थी तब बच्चों के हाथों जलेबी-गुलगुला मँगवाकर बच्चों

के साथ मिलकर खा डाला महनी ने महीने भर के लिए बचाकर रखे कुछ रुपयों से। साहब के घर पहुँचते ही मैना के सिर पर आसमान टूट पड़ा। साहब के घर नई नौकरानी काम कर रही थी। मैना लौट आई। अब कोई मददगार नहीं था। बीमारी की हालत में पुराने मालिक ने भगा दिया। नया मालिक कहाँ से मिलेगा? मैना ने सोचा, जब तक शरीर काम करने लायक नहीं हो जाता, वह भीख माँगेगी बच्चों और पति के लिए। इसमें शर्म कैसी?

मैना सड़क पर निकल आई। पर क्या भीख में मिले पैसों से पेट भरता है?

आठ दिन से मैना के घर चूल्हा नहीं जला। पर सबके पेट में आग जल रही है हुत-हुत। जितना माँग-मूंगकर लाती है, बच्चों के पेट को ही पूरा नहीं पड़ता। महनी तो रोग में पड़े-पड़े सात बच्चों से भी ज्यादा बच्चा बन गया है। दोनों बच्चे भूख-उपास से रोगहे हो गए हैं। टुकुर-टुकुर ताकने के सिवा मुँह खोलने तक का जोर नहीं है उनमें। शरीर तप रहा है उनका। महनी भूख से दिन-रात कराहता रहता है। मैना ने कई दिनों से मुट्ठीभर भात तक नहीं देखा। नल के पानी से पेट भरके, दिन-रात भीख माँगकर जो कुछ लाती है, वह कुछ भी नहीं। मैना ने सोचा किसी दिन वह लुढ़क जाएगी। भूख से और कितना जी पाएगी? उसके पीछे सभी चले जाएँगे। भले ही चले जाएँ, वह तो नहीं होगी किसी की मौत देखने को? उस दिन करीब एक पाव चावल मिल गया था मैना को किसी दयामयी माँ जी से। न जाने कबके घुन खाए चावल थे। भले ही घुन खाए हों, दयामयी माँ जी अपने बैलों की हाँड़ी में भी तो डाल सकती थीं!

उस चावल को पल्लू में बाँधते समय मैना के शरीर में भात खाने जैसी ताकत आ गई। आज बच्चों को दो-दो निवाला गर्म-गर्म भाप निकलता भात परोस देगी। मुट्ठीभर महनी को भी देगी। माँड़ वह पी लेगी। या फिर उसमें से दो घूँट महनी के मुँह में भी डाल देगी। माँड़ में अधिक ताकत होती है। हो सकता है वह कमर सीधा करके खड़ा हो जाए। उसके बच्चों का दुःख दूर हो जाए। वे लोग जी जाएँ शायद...

मन के भीतर से कोई चीख-चीखकर कह रहा था, 'मैना, क्या तू मर जाएगी?' मैना जवाब दे रही थी, 'हाँ-मरूँगी- बच्चों के लिए- पति के लिए मरकर अमर हो जाऊँगी। बैकुंठ में बैठूँगी।'

मैना चावल चढ़ाकर बच्चों के पास गई। महनी को देखा। सभी निढाल पड़े थे। महनी ने धीमे स्वर में पूछा, 'कुछ लाई?' दोनों बच्चों की पनीली आँखों में आशा की मशाल दप-दप जल रही है। मैना ने हकलाते हुए कहा- 'हाँ, आज

गर्म-गर्म भात मुट्ठी-मुट्ठी भर खा लेना। चावल चढ़ा आई हूँ।' बच्चों ने धीरे-धीरे कहा, 'जल्दी पकाओ- और देर हुई तो जान निकल जाएगी माँ- 'एक ने कहा, 'मुझे ज्यादा देना माँ।'

दूसरे ने कहा, 'नहीं, नहीं मुझे ज्यादा। मुझे अधिक भूख लगी है।' महनी ने भी दाँत निपोरकर मिन्नत की- मुझे भी मुट्ठीभर ठीक से देना। तेरा धर्म होगा...

मैना की आँखों से आँसू भी नहीं निकल रहे। भूख की आँच से आँखें भी सूख चुकी थीं। मैना वहाँ से दौड़ी चूल्हे के पास। पैर पसारकर बैठ गई। एक लकड़ी चूल्हे में डालते ही हबककर जल उठी आग उसके पेट में। मैना ने उसकी परवाह नहीं की। बच्चों के मुँह में निवाला डालने के लिए जलकर मर जाने का प्रण करनेवाली इंसान आग से क्यों डरेगी?

चूल्हे में जितनी तेजी से आग जल रही है, उतनी ही तेजी से सबके पेट में भूख की आग जल रही है। भात जितना खदबदाता है- भूख उतनी ही खौल रही है पेट में। घुन लगे चावल की उठती भाप की महक पेट में भूख को सौ गुना बढ़ा रही थी। उसी महक को आँख-नाक-कान समस्त इंद्रियों से पीते चले जा रहे हैं सभी। छह-छह जलती आँखें उसकी ओर ताक रही हैं। सभी आँखों में वही एक-सा अनुनय। जिसका अर्थ था- मुझे थोड़ा ज्यादा देना।

मैना विचलित हो गई। भात की हाँड़ी उतारते समय उसके हाथ काँप रहे थे थरथर। तीन जगह वह भात परोस रही है। किसे ज्यादा दे- किसे कम, कुछ सूझ नहीं रहा था। बराबर-बराबर परोसने से महनी के प्रति अन्याय होगा- महनी को जरा ज्यादा दे तो, बच्चों का अधीर अनुनय विचलित करता है मन को। मैना बच्चों की ओर पीठ करके इस थाली से उस थाली- उस थाली से इस थाली, थोड़ा-थोड़ा भात इधर-उधर कम-अधिक कर रही है। ठीक से बाँट नहीं पा रही थोड़ा-सा भात। छोटे से आँचल से पूरे शरीर को ठीक से ढँकना जैसे संभव नहीं, ऐसी हालत थी उसकी। किसी को ज्यादा परोस देने से किसी का कम पड़ जाता है। पीछे से सुनाई दे रहा है समवेत स्वर- मुझे ज्यादा- मुझे ज्यादा। भूखे कुत्तों की विकट रुलाई-सा सुनाई दे रहा है अति प्रिय लोगों का स्वर। सिर्फ चूल्हा हुत-हुत जल रहा है। बूँदभर पानी डालकर उसे बुझाने तक कि ताकत नहीं जुटा पा रही मैना। मैना के अंदर भी आग जल रही है। वह आग बुझने का सवाल ही नही उठता। परोसे हुए भात में उसका हिस्सा नहीं है। मैना ने बड़ी मुश्किल से सारा भात बाँट दिया। हाथ में माँड़ के साथ कुछ भात चिपके हुए थे। मैना ने सोचा हाथ को चाट-चाटकर साफ कर लेगी। जीभ घुमा-घुमाकर उसने सारी अंगुलियाँ चाट लीं। वाह, कौन कहता है भात में कोई स्वाद नहीं होता? भात तो

अमृत से भी अधिक स्वादिष्ट है। भूखा बच्चा अंगुली चूसने की तरह मैना हर अंगुली को घुमा-फिराकर चाट रही है। बच्चे बिल्ली के बच्चों की तरह चिचिया रहे हैं- क्या कर रही है माँ- भात ला रही है ना- ज्यादा ला रही है ना? क्या कर रही है? हम तो उठकर जा भी नहीं पा रहे- ताकत नहीं है- देह से जान निकलती जा रही है...माँ...ओ माँ- सुन क्यों नहीं रही...माँ...माँ रे- सुनती क्यों नहीं...

महनी धीरे-धीरे बुलाने के बाद दाँत किटकिटाकर बोलने लगा, 'हरामज़ादी, क्या कर रही है बैठकर- इतनी देर से बुला रहा हूँ, सुनती क्यों नहीं- ला, दे भात- अरे ला पूरा मेरे पास- मैं पूरा खाऊँगा। और किसी को नहीं दे सकती- खबरदार- मरने दे सबको- किसी और को मुट्ठीभर भी दिया तो तेरा खून पी जाऊँगा...' बच्चे बोल रहे हैं, 'मरने दे बप्पा को, सब हमें दे दे- जल्दी दे-'

मैना को कुछ सुनाई नहीं दे रहा था। गाय दुहना खत्म होने के बाद जिस तरह बछड़ा सूखे थन को एक के बाद एक बार-बार चूसता रहा है- वह भी उसी तरह तब से अपनी पाँचों अँगुलियों को एक के बाद एक चूसती जा रही थी। मैना फिर एक बार माँड़-भात में सारी अँगुलियाँ अच्छी तरह डुबो लाई। फिर चूसने लगी। वाह, क्या स्वाद है! क्या महक है! झट से मैना के पेट से एक राक्षसी निकल आई। गप गप करके तीनों जगह से सारा भात खाने लगी वह निर्मम, भयावह, अंधी, सर्वग्रासी राक्षसी। झुंड में से एक चूजे को चील झपट्टा मारकर ले जाने पर दूसरे चूजे जिस तरह एक साथ चीखते हुए जान बचाने के लिए चिंचिंयाने लगते हैं, मैना के दोनों बच्चे भी उसी तरह पतली आवाज में चिंचिंयाने लगे। महनी गुस्से में अंधा होकर मिट्टी कुरेदने लगा था। उसमें उठने तक की ताकत नहीं बची थी। मैना आँख बंद करके उसी राक्षसी को जलती हुई लकड़ी से जोर-जोर से पीटती चली जा रही है- 'जा, चली जा! मेरे बच्चे भूखे हैं- उनके मुँह का निवाला छीनकर मत खा- इससे तो बेहतर है कि इस जलते हुए चूल्हे में जलकर मर जा-मर जा-मर जा।' वह राक्षसी किसी की बात नहीं सुन रही। बच्चों की ओर पीठ करके वह दोनों हाथों से हबक-हबककर खा रही है भाप निकलता गर्म-गर्म भात। थालियाँ खाली हो गईं- राक्षसी ने एक-एक करके थालियाँ चाटकर साफ कर दीं। मैना उस राक्षसी को पीट-पीटकर थक गई। वह राक्षसी सारा भात खा-खू लेने के बाद फिर से समा गई मैना के पेट की अंधेरी गुफा में। इस बार पृथ्वी पूरी तरह शांत थी। मैना डकार ले रही थी। वाह- इतने दिनों बाद मुट्ठीभर भात पेट में गया। पेट की आग बुझने लगी। थोड़ा-सा पानी पीकर जी जाएगी कुछ दिनों तक; पर यह क्या? उसके

पूरे हाथ में थक्के-थक्के खून- मैना ने तो भात नहीं खाया- भर-भर अंजुलि खून पीया है- इंसान का खून- अपने जन्म किए बच्चों की छाती का खून, अपने पति का खून। थाली में खून- उसके हाथों में खून, पीछे से अब किसी की आवाज सुनाई नहीं दे रही। मैना पीछे मुड़कर नहीं देख रही। मैना के होंठों पर नमकीन खून का स्वाद है। पर इतना खून उसके होंठों से झर कैसे रहा है? मैना ने हाथ लगाकर देखा, उसकी आँखों से खून रिस-रिसकर मुँह में घुस रहा है। वह खून उसके बच्चों का है- उसके पति का है। मैना पागलों-सी हँसते हुए जमीन पर लोट रही थी। खुद ही खुद से कह रही है, 'हँह- महनी' फिर कहती 'अरी मैना, अब 'नअंक' का अकाल नहीं पड़ेगा। अब इंसान इंसान का माँस नहीं खाएगा। यह क्या हो गया? बच्चों की छाती चीरकर माँ कैसे खून पी गई- माँ कैसे राक्षसी बन गई बिना अकाल के...'

धिक्कार है उस माँ के जीवन को- धिक्कार है- धिक्कार है- धिक्कार है। मैना ढाँय-ढाँय सिर पटक रही है जमीन पर, बच्चों की ओर उसी तरह पीठ किए- घड़ीभर पहले पीया हुआ सारा खून सिर से बाहर निकल रहा है...। काश! उस बहकर आते खून की एक बूँद ही सही डाल पाती अपने बच्चों के मुँह में मैना। वह भी नहीं हुआ- धरती भूखी है- चारों ओर सर्वग्रासी भूख मुँह बाए बैठी है। जमीन पर झरते मैना के सिर के झर-झर रुधिर को दया-मायाहीन उस राक्षसी की तरह पीती जा रही है माटी...हँह, कहते हैं माटी भी माँ है...

❑❑

प्रेम-पत्र

बेटी की गणित की किताब में बेटी के हाथ से लिखा प्रेमपत्र देखकर माँ सन्न रह गई। मानों दीन-दुनिया से बेखबर चौदह वर्षीय नवीं कक्षा की छात्रा, उनकी बेटी ने विश्व का प्रथम प्रेमपत्र लिखकर कुआँरीव्रत तोड़ा है। जैसे कि इससे पहले किसी कुआँरी कन्या द्वारा प्रेमपत्र लिखने की नजीर नहीं है। इतना बड़ा कांड कर बैठी उनकी बेटी! उनकी बेटी जो अच्छे पोशाक, अच्छा खाना, माँ के लाड़, पिता के दुलार के अलावा भी कुछ सोचती है, किसी दूसरी की ओर झुक रही है- इसकी भनक तक नहीं लगी सुषमा को।

रीमा भी प्रेमपत्र लिखेगी- उनकी बेटी होकर! कौन है वह आवारा लड़का जिसने उनकी बेटी को प्रेमपत्र लिखने के लिए उकसाया है? सामने आ जाए तो उसकी कनपटी लाल कर देगी। एक ही बार में प्रेम-फ्रेम का बुखार उतार देगी। इतना दुस्साहस! क्या वह नहीं जानता कि रीमा किसी ऐरे-गैरे घर की लड़की नहीं है, सुषमा और सुबोध की बेटी है। नहीं जानता वह कि रीमा कितने लाड़-प्यार में पली है- न जाने कितने सपने और अभीप्साएँ हैं रीमा की माँ सुषमा के अपनी बेटी के लिए।

किसका बेटा है वह- क्या उसमें योग्यता है रीमा से प्रेमपत्र पाने की? घर-द्वार, खानदान, वंश परंपरा ऐसा क्या है उसके पास जो उसने रीमा से प्रेमपत्र लिखवा लिया?

हँ:! यह भी कोई प्रेम है? रीमा अभी बच्ची है। अपने हाथ से चोटी नहीं बना पाती। ठीक से बिंदी तक नहीं लगा पाती माथे पर, मछली से काँटा निकालकर खाना नहीं जानती। निबंध, पत्र-लेखन ठीक से लिखना नहीं जानती। स्कूल का काम मिलने से माँ के आगे बैठ जाएगी मुँह फुलाकर। माँ लिख देगी- या फिर क्या लिखना होगा बता देगी। बाहर कहीं कुछ हुआ होगा तो बखानने

लग जाएगी घर में पैर रखते ही, 'जानती हो माँ- आज क्या हुआ...एक लड़का मुझे देखकर सिनेमा का गाना गाने लगा...मेरे रिक्शे के पीछे-पीछे फॉलो किया- सीटी बजाई। बड़ा बेशर्म है ना माँ?' साड़ी पहनना तो दूर, चूड़ीदार नाड़े में गाँठ लग जाए तो सुषमा ही उसे खोलेगी। जबकि इस शरारती लड़की के मन में गाँठ लग गई और सुषमा को भनक तक नहीं लगी।

उसी बचकानी रीमा ने लिखा है किसी ऐरे-गैरे लड़के को प्रेमपत्र? और माँ को मालूम तक नहीं चला। उसी के पेट से जनमी है, उसी से छिपाकर इतनी दूर निकल गई?

सुषमा के सिर से पैर तक आग लगी हुई है। रीमा सामने होती तो न जाने क्या कर बैठती। कौन है वह रसिक लड़का? नाम भी नहीं लिखा रीमा ने, वरना अब तक उस लड़के का पता लगा चुकी होती सुषमा। हालांकि लड़के का ही अधिक दोष है। रीमा से एकाध साल बड़ा होगा उम्र में, किसमें अक्ल ज्यादा है, रीमा में या उस लड़के में? दुनिया का छल-कपट नहीं जानती उनकी बेटी। प्रेम-फ्रेम क्या है, नहीं जानती। शायद किसी के बहकावे में आकर यह पत्र लिखा होगा। आज कल सोहबत ने सभी बच्चों का सत्यानाश किया है। पहले की तरह सिर्फ अच्छे घर के ही बच्चे पढ़ाई करेंगे, ऐसी बात नहीं रह गई अब। ऐरे-गैरे सभी बच्चों के लिए स्कूल-कॉलेज खुले हैं। धान-खरपात सब बराबर। ऐसे में अच्छी सहेली कहाँ मिलेगी? रीमा की ऐसी ही सहेलियाँ प्रेमपत्र अवश्य लिखती होंगी। मौका पाकर किसी के साथ फरार हो जाएँगी। माँ-बाप के सिर से बेटी का बोझ उतर गया समझो। कई माँ तो बेटियों को सिखाती हैं, अच्छे घर के लड़कों को कैसे फँसाया जाता है। वैसी लड़कियाँ बिना झमेले के अच्छा वर पाकर शादी कर लेती हैं। रीमा जैसी संभ्रांत सुशील लड़कियों के लिए माँ-बाप वर ढूँढ़ते-ढूँढ़ते थक जाते हैं। इसका मतलब यह नहीं कि वह प्रेमपत्र लिखे आवारा लड़कियों की तरह। बेटी ने देखा-देखी एक पत्र यों ही लिख दिया होगा। पर इस तरह पत्र लिखना अनुचित है। आज यह पत्र उनके हाथ न लगकर यदि गणित की मास्टरनी के हाथ लग जाता तो बात न जाने कहाँ से कहाँ पहुँच गई होती। रीमा भले ही न समझे, क्या रीमा की माँ किसी को मुँह दिखाने लायक बचती! कितने शर्म की बात है।

पर यदि रीमा ने वाकई किसी सिरसिरे लड़के को अनजाने में प्रेमपत्र लिखा होता, तो उसने निश्चय माँ को दिखाया होता। अभी हाल ही में किसी लड़के ने 'आई लव यू रीमा' लिखकर रीमा को नववर्ष का कार्ड भेजा था। आवारे ने नाम-वाम न लिखकर लिखा था कि- 'आई लव यू- गेस हू? (मैं

तुमसे प्यार करता हूँ- बताओ भला मैं कौन हूँ?) नॉनसेंस, ईडीयट। इतना बड़ा प्रेमी है कि सुषमा की बेटी उसके अक्षर देखकर 'गेस' कर लेगी कि वह कौन है? उस दिन रीमा के सामने फड़फड़ करके फाड़ दिया था 'ग्रिटिंग कार्ड' सुषमा ने। बेटी को आँखें दिखाकर कहा था- 'बेकार की बातों पर ध्यान न देकर पढ़ाई पर ध्यान दे। इस उम्र में अच्छे घर की लड़कियों को फालतू घर के लड़के ऐसी बेकार की बातें लिखते रहते हैं। इन्हें रत्ती भर की भाव मत देना।'

उसी रीमा ने अपनी लिखी चिट्ठी माँ को न दिखा किताब के भीतर छिपाकर रखी है? इसका मतलब माँ की आँखों से बचाकर अपने मन की बात छिपाना शुरू कर दी है उसने।

सुषमा का आकाश-पृथ्वी सब गड्डमड्ड हो गया। सुबह-साँझ घुल-मिल गए। इस लड़की का भविष्य अब क्या है? सुषमा की आँखें भर आईं क्रोधित आँसुओं से।

रीमा स्कूल से लौटते ही उससे साफ-साफ पूछे, या पहले खिला-पिलाकर पूछे, उस बारे में सूची बना चुकी थी सुषमा। नहीं- बच्ची भूखी-प्यासी लौट रही है। मुँह सूख गया होगा। माँ के मुँह से प्रेमपत्र की बात सुनकर शर्म से गड़ जाएगी। कौन जाने? आज कल की लड़कियों के लिए यह लाज की बात है या नहीं। कम से कम सुषमा के हिसाब से तो उनकी बेटी को लाज से धूल में मिल जाना चाहिए। इसलिए धीरज रखते हुए बिटिया को पहले मुट्ठीभर खाने के लिए कुछ वक्त देना उचित होगा। क्योंकि माँ के सवाल करने पर बेटी को इस क्षेत्र में एकाध दिन बिना खाए-पीए मुँह गड़ाकर सोए रहने की बात है। सुषमा यदि रीमा की जगह होती तो यही करती।

पत्र बार-बार पढ़ा सुषमा ने। कभी लगता था बेटी की लिखावट है, तो कभी कुछ अलग। बेटी की किसी सहेली की लिखावट रीमा की तरह होगी। क्या यह संभव है? हे प्रभु! न हो यह बेटी की लिखावट...किंतु इतनी सुंदर लिखावट तो उनकी बेटी के सिवाय किसी और की नहीं होनी चाहिए। कहीं किसी सहेली के लिए तो नहीं लिखा था यह प्रेमपत्र उनकी बेटी ने। कभी-कभी रीमा मोटी बुद्धि-सा काम करती है।

स्कूल से लौटकर बेटी ने खाना खत्म किया ही था कि माँ ने तपाक से वह पत्र निकालकर बेटी को दिखाते हुए पूछा, 'यह पत्र तुमने लिखा है?' बेटी मौन थी...अर्थात् हामी भरने के अलावा और कोई चारा नहीं था।

'कौन है यह आवारा-लफंगा लड़का?'

बेटी काठ की तरह चुप थी।

'पूछ रही हूँ ना, कौन है यह आवारा जिसने तुम्हें यह पत्र लिखने को उकसाया है?'

बेटी बुत बनी बैठी थी।

'लगता है, समझ नहीं आ रही मेरी बात!'

बेटी चाँद की तरह शीतल थी। जड़ दिया एक तमाचा सुषमा ने बेटी के गाल पर।

बेटी लोहे-सी दृढ़ थी कि वह चुप रहेगी।

सुषमा गुस्से से तिलमिला उठी थी, उत्तेजना से लंबी-लंबी साँसें भर रही थी, दुख से दिशाहीन होती जा रही थी। मानों उसका कलेजा टो-टूक हो जाएगा-सिर ठाँय करके फट जाएगा।

इतना दुस्साहस है इस लड़की में, अभी चौदह साल की ही तो है, पर इतनी बड़ी प्रेमिका हो गई है कि प्रेमी का नाम तक अपने मुँह से नहीं ले रही। पर बेटी को मार-मार कर उससे कुछ उगलवा नहीं पाएगी सुषमा। वह समझ चुकी है कि फाँसी पर चढ़ा देने पर भी बेटी अपना मुँह नहीं खोलेगी। रहस्य से पर्दा नहीं हटाएगी। ऐसे में उस लड़के के विरुद्ध कोई कार्रवाई करना भी संभव नहीं। कौन कह सकता है कि बेटी को उकसाकर वह दुबारा प्रेमपत्र न लिखवा ले?

सुषमा ने धमकी दी- 'नाम नहीं बताएगी तो कल से तेरी पढ़ाई बंद। स्कूल में बैठकर प्रेमपत्र लिखने से बेहतर है अनपढ़ बनी रह। आज आने दे तेरे बप्पा को...मैं नहीं संभाल सकती उनकी बेटी को। कर दें अगले साल कहीं शादी ...बदनामी होने से पहले बोझ उतर जाना अच्छा है...सुषमा ने आखिरी फैसला सुना दिया। सोचा था, इस बार बेटी आसानी से मान जाएगी। बेटी का पढ़ाई में खूब मन लगता है।

लेकिन बेटी नदी के तटबंध-सी अडिग थी। नदी भले ही लबालब भर जाए, तटबंध ठोस है। बेटी माँ की नस-नस पहचानती है। वह जानती है कि चाहे कुछ भी हो जाए माँ उसका स्कूल जाना बंद नहीं कर सकती। बप्पा के कान तक यह बात पहुँचने से पहले माँ दफना लेगी अपनी छाती में। इस तरह दफना लेगी कि बप्पा जीवनभर नहीं जान पाएँगे। माँ की छाती मानों बेटी के दोष, गलती, पाप और दुख छिपाने का अगाध सागर हो।

चौदह साल की बेटी माँ से चार अंगुल ऊँची हो गई है। उसी लंबी बेटी को गोद में बिठाकर माँ रातभर समझाती रही। नाहक ही बेटी को थप्पड़ जड़ने की वजह से खुद को धिक्कारने लगी। अभी बच्ची है, किसी बुरे ग्रह ने उससे

यह बुरा काम करवाया होगा सोचकर तय किया कि तुरंत ग्रह-शांति पूजा करवाएँगी। बेटी को सहलाते-सहलाते बेटी सो गई। लेकिन माँ रात-भर सो नहीं पाई। लगातार बहते आँसुओं से तकिया गीली हो रही थी। रीमा के बप्पा निश्‍चिंत खर्राटे ले रहे थे, सुषमा आकाश-पाताल सोचते-सोचते सुबह हो गई। बेटी खाना खाकर स्कूल जाएगी। एक नया दिन सामने खड़ा था। रीमा के पोशाक पहनकर निकलने तक धूप से चारों ओर उजाला फैल गया था।

छि:- रीमा ऐसा काम करनेवाली लड़की नहीं है। पर वास्तव में वह किसी से प्यार करती है या नहीं, यह जाने के लिए माँ का शक्की मन निरंतर विचलित होता रहा। यदि बेटी सचमुच प्रेम करने लगी है, तो उसके लक्षण माँ की नजरों से बच नहीं सकते। बेटी खोयी-खोयी-सी रहेगी। उदास हो जाएगी- बिलावजह एकांत में रहना पसंद करेगी। खुराक कम हो जाएगी- नींद तो उड़ ही जाएगी। परंतु क्या ऐसे लक्षण दिख रहे हैं! पर माँ डाल-डाल थी तो बेटी पात-पात। बेटी में प्रेम का कोई लक्षण नहीं था। खुराक में कोई कमी नहीं थी- सोने में हमेशा से कुंभकर्ण। परीक्षा में हर बार संतोषजनक परिणाम। अद्‌भुत लड़की है। प्रेमपत्र में इतना प्रेम, इतने सपने, इतनी उदासी, इतना एकाकीपन, इतनी बेचैनी पर खुद में ऐसा कुछ भी नहीं। पूरी तरह काठ! आज कल की लड़कियाँ तो भयंकर प्राक्टिकल होती हैं।

बहरहाल अब से सुषमा बेटी के हर कदम पर वह नजर रखने लगी। ताकि वह एक और प्रेमपत्र न लिख बैठे। यदि एक के बाद एक प्रेमपत्र लिखने लगी, तो फिर भविष्य में कुछ नहीं बचेगा। रीमा का कोई फोन आने पर सुषमा का ध्यान उधर चला जाता। लेकिन बेटी की बातों से मालूम नहीं पड़ता था कि दूसरी ओर सुननेवाला लड़का है या लड़की। आज कल के बच्चे एक जैसे बाल कटवाने लगे, ड्रेस पहनने लगे एक जैसे- और हलो-हाय संबोधन सखा-सहेली सबके लिए एक जैसा। बातचीत से कैसे पता चले कि दूसरी ओर लड़का है या लड़की? यदि सहेली है तो रात में इतनी देर से फोन क्यों करती है? यदि सखा है, तो इतनी ऊँची आवाज में माँ के आगे बातें कैसे कर लेती है? आवाज तो खुद ब खुद धीमी हो जाएगी आवारा प्रेमी से बातें करने पर।

किशोरी बेटी की माँ जासूस न बने तो न जाने कब बेटी के मासूम मन में कोई चोर सेंध लगा ले। पर सुषमा हर चीज में फेल थी। उसे कोई सुराग नहीं मिल रहा था। यदि दुबारा बेटी का प्रेमपत्र उसके हाथ में पड़ जाए, तो सचमुच सुषमा आसानी से नहीं छोड़ेगी। किसी भी तरह बेटी के पेट से बात निकलवाकर उस चरित्रहीन लड़के को ठीक से सबक सिखाएगी।

बेटी को अपनी माँ के मन के संतुलन का आभास मिलता है या नहीं, बेटी ही जानती होगी। किसके मन में कौन घुसा है? माँ के मन में बेटी या बेटी के मन में माँ?

बेटी की माँ के मन में बेटी के भविष्य को लेकर हर क्षण चिंता लगी रहती है। किंतु माँ की बेटी के मन में माँ के लिए हर क्षण कोई चिंता रहती हो, यह आवश्यक नहीं। रीमा के मन में जिस दिन माँ के लिए कोई गोपनीय चिंता घुसेगी, रीमा समझ जाएगी कि माँ के जन्म से बेटी का जन्म कष्टकारी है।

मान लो- माँ यदि बेटी का प्रेमपत्र पकड़ती है, माँ बेटी का कान पकड़ेगी। पूछेगी, कौन है यह आवारा लड़का? इस उम्र में प्रेमपत्र लिखने पर भविष्य क्या होगा जानती हो? इत्यादि...परंतु बेटी ने यदि माँ का प्रेमपत्र पकड़ लिया, उस बेटी से बढ़कर असहाय जीव इस दुनिया में और कोई नहीं होगा।

माँ की स्टील की अलमारी के कपड़ों की ताक के नीचे बिछे कागज के नीचे जिस दिन रीमा को एक 'प्रेमपत्र' मिला, उस दिन वह इस तरह स्तब्ध रह गई कि उसकी चिंताशक्ति जड़ हो गई। वह समझ नहीं पाई कि वह झटका विस्मय का था या ग्लानि का। शायद ग्लानि, लज्जा, विस्मय, अविश्वास के एक मिलेजुले प्रचंड आघात से उसके मन में बनी माँ की मूर्त्ति खंड-खंड होकर ढह गई। रीमा परेशान-सी अपने अंदर माँ को ढूँढ़ने लगी। उसने पाया कि माँ की मूर्त्ति विकृत हो गई है सामान्य कागज पर, कुछ बूँद स्याही की लकीरों से, एक गुमनाम प्रेमपत्र से।

हालाँकि रीमा का प्रेमपत्र देखने के दिन सुषमा को भी झटका लगा था। लेकिन रीमा के झटके से वह झटका सौ गुना कम होगा। क्योंकि रीमा की उम्र की दुनियाँ की सैकड़ों रीमाएँ रोजाना प्रेमपत्र लिखती हैं, यह बात उनकी माँ जानती हैं, पर रीमा की माँ की उम्र की कोई माँ प्रेमपत्र लिखती होगी, ऐसी एक अग्राह्य, अवांछित बात रीमा नहीं जानती। भले ही प्रेम की कोई उम्र न होती हो, किंतु प्रेमपत्र लिखने की तो एक उम्र होती ही है। क्या माँ अपनी उम्र भूल गई है! यह भी भूल गई है कि वह एक माँ है! माँ होकर कोई प्रेमपत्र...

परंतु माँ ने किस उम्र में किसको यह प्रेमपत्र लिखा है, जानने का उपाय नहीं था, क्योंकि पत्र पर स्थान, काल, पात्र का उल्लेख नहीं है। पत्र में संबोधन की जगह एक छोटा-सा हाइफन है। कागज का रंग और माँ की लिखावट दोनों पत्र की तारीख बताने में अक्षम हैं। हो सकता है बीस साल पहले का हो- हो सकता है- बीस साल बाद का हो।

वह पत्र रीमा के बप्पा उर्फ सुषमा के पति को नहीं लिखा गया था, यह बात सोलह साल की रीमा को किसीने भले ही न पढ़ाई हो, पर बहुत-से अनपढ़े पाठ की तरह रीमा का मन स्वीकार कर चुका था। बप्पा से विवाह के बाद, माँ का कोई प्रेमी रहा होगा, यह बात सिर्फ शास्त्र-विरुद्ध ही नहीं, बल्कि रीमा के स्वप्न-विरुद्ध भी थी। विवाह से पहले कई माँओं के प्रेमी होने की बात सुनने में आती है। पर रीमा की माँ कम से कम वैसी लड़की नहीं रही होगी, इस बात पर रीमा को दृढ़ विश्वास था। यदि कुँआरे में माँ का कोई प्रेमी रहा होता तो बचपन की अनेक मधुर स्मृतियों के साथ उसने इस बारे में रीमा को अवश्य बताया होता। रीमा की माँ ने कभी कोई बात बेटी से छिपाई होगी, इस बात पर रीमा विश्वास नहीं कर पा रही थी, माँ का प्रेमपत्र पढ़ने के बाद भी। तो क्या माँ ने विवाह के बाद ही पूर्व प्रेमी को पत्र लिखा है? या इस पत्र को पानेवाला माँ के विवाह के बाद का प्रेमी है! पहली बात किसी तरह उसे स्वीकार्य हो सकती है। किंतु विवाह के बाद माँओं की रोजमर्रा की रूटीन में बिल्कुल आवश्यक न होनेवाले इन स्वप्नविलासी प्रेमी पदधारियों की आवश्यकता ही क्या है? रीमा की चिंता, भावना, कल्पना और वास्तविकता सब में तालमेल नहीं रह गया था। रीमा की छाती के नीचे की कोमल ग्रंथियाँ टभकने लगी थीं।

हालांकि रीमा ने फिल्मों में देखा है- विवाहित होने पर भी किसी-किसी को प्रेमी की जरूरत पड़ती है, जहाँ दांपत्य जीवन में कहीं एकाध सुराख दिखाई देता है। उसी सुराख से होकर प्रवेश करता है प्रेमी और वह सुराख एक विशाल फाट में तब्दील हो जाता है, जिसे फिर पाटा नहीं जा सकता।

लेकिन रीमा के बप्पा का दांपत्य जीवन पत्थर और लकड़ी की तरह ठोस है, मजबूत है। उस दांपत्य जीवन की मजबूत दीवार पर प्रेम, समझौता, त्याग, स्नेह, सहानुभूति, सुख और मित्रता के राग-अनुराग की लताएँ पसर जाती हैं। सदाबहार हरियाली रीमा के बप्पा और माँ के छोटे सुखी परिवार को ढके रहती हैं पल-पल। वहाँ अणुमात्र भी सुराख कहाँ कि पाखंडी प्रेमी घुस आए उसकी माँ की स्टील की अलमारी की एकांत ताक में।

हालांकि घर-गृहस्थी में थोड़ी-बहुत नोक-झोक तो होती ही है। किंतु इतनी-सी स्वाभाविक नोक-झोक किसी प्रेमी को दांपत्य में घुसने के लिए फाट पैदा करेगा, यह बात रीमा की सोच से परे एवं रीमाओं की राय में नीति-विरुद्ध थी।

अब रीमा को अपने माँ-बाप के दांपत्य जीवन पर संदेह हो गया। उसे लगा- जो परिवार सबसे घनिष्ठ, पवित्र ऊष्मा से एक-दूसरे को जकड़े हुए था, क्या वह झूठ-छल-अभिनय था? हालांकि बप्पा में कुछ बुरी आदतें हैं, जिससे

रीमा की माँ सुषमा कई मर्तबा खीझ उठती हैं। बप्पा सिगरेट पीते हैं, जोकि सुषमा के अनुसार उच्च परंपरा विरोधी है। सुषमा संगीत प्रिय थीं, जबकि रीमा के बप्पा देश की राजनीतिक परिस्थिति में अधिक रुचि लेते थे। सुषमा शाकाहारी और मिताहारी थी, जबकि उसके बप्पा माँसाहारी और भोजन विलासी। इन सबके बावजूद सुषमा की पति-भक्ति और रीमा के बप्पा का पत्नी-प्रेम बच्चों की नजरों से भी नहीं बच पाता था। रीमा तो सोचती थी, उसके माँ-बाप के दांपत्य जीवन जैसा आदर्श पूरी दुनिया में नहीं है। क्या यह झूठ है- छल है- अभिनय है! और अब यह प्रेमपत्र मिलने के कारण रीमा को चारों ओर से घेरकर रखी गृहस्थी 'कीड़ा लगे' फूल की तरह अति तुच्छ और प्रताड़ित लगने लगी। उसकी इच्छा हुई, माँ के कान तक उसका हाथ न पहुँचने पर भी माँ की आँखों तक उसकी आँखें पहुँच जाएँगी- रीमा माँ की आँखों में आँखें डालकर पूछती- सच कहना माँ- यह सब तमाशा तुम खामखाह क्यों कर रही हो? बप्पा की सारी बुराइयाँ अब धुँधली पड़ गई हैं। बप्पा तो बड़े सीधे-सादे बप्पा हैं, जिस तरह सारे बप्पा होने चाहिए, ठीक उसी तरह। अपनी कमाई लाकर माँ के हाथों में रख देते हैं। पत्नी के हाथों से बने खाने के प्रति लोभ- पत्नी को चाहने का आदि-अंत नहीं। पति के रूप में जब चाहें तब चाय की फरमाइश कर देते हैं। पैर दबवाते हैं। सिगरेट पीते हैं और दफ्तर की खिचखिच लेकर घर लौटते हैं, सब पर गुस्सा उतारते हैं। कुछ क्षण में गुस्सा भूलकर बेटा-बेटी से लड़ियाते हैं- पत्नी पर प्यार उड़ेलते हैं। अनेक पिताओं की तरह सारा कुछ भाग्य और भगवान पर छोड़कर जुटे रहते हैं बच्चों के कैरियर, भविष्य के लिए। इसमें क्या त्रुटि रह गई कि माँ का यह प्रेमपत्र! रीमा के बप्पा कितने अच्छे हैं। जबकि सुषमा? नहीं-नहीं, माँ खराब नहीं है! पर इतनी भावुक होकर क्यों यह प्रेमपत्र लिखा माँ ने! यदि लिखा भी तो उसे रीमा के हाथ में पड़ने क्यों दिया?

रीमा ने सोचा, जिस तरह माँ ने उसके मुँह पर उसके प्रेमपत्र को जरा भी सम्मान न देते हुए फड़फड़ करके फाड़ दिया था, रीमा भी माँ से कुछ बोले बगैर माँ के हाथ से लिखा प्रेमपत्र उसके सामने फाड़कर बदला लेगी। माँ कम से कम यह जाने की उसकी गुप्त भावनाएँ अब रीमा से छिपी नहीं हैं। इतना करना शायद माँ को भविष्य के लिए आगाह कर देगा। वरना यदि माँ ऐसा प्रेमपत्र लिखे और वह बप्पा के हाथ में पड़ जाए, तो कैसा हो जाएगा इस सुखी परिवार का भविष्य। यदि अचानक यह बात बाहर फैल गई तो क्या सिर उठाकर रास्ते में चल सकेगी रीमा? रीमा को बड़ा असुरक्षित लगा। रुआँसा-रुआँसा-सा, डर-डर-सा लगा। हमेशा गुस्सा आने लगा। पर वह गुस्सा कहीं उतार नहीं पाई।

माँ की जगह यदि ऐसा कोई गोपनीय कांड बप्पा ने किया होता, रीमा इतना विचलित न हुई होती। ढेरों पिता इससे भी कई गुना अधिक अवांछित और नीच काम करते हैं- उनकी गृहस्थी जरा भी नहीं डगमगाती। ना ही उलट-पलट हो जाती है। समाज भी उसके लिए उतना अनुदार नहीं होता। किंतु माँ का यह काम बर्दाश्त नहीं किया जा सकता। लेकिन रीमा वह पत्र माँ के मुँह पर तो दूर, माँ की नजरों से बचाकर भी नहीं फाड़ सकी। न जाने क्यों उसे कोई अपराध करने जैसा लगा। चोरनी की तरह चुपचाप वह पत्र यथास्थान रखकर रीमा विपन्न हो गई आगामी दिनों के लिए। वह पतला-सा कागज रीमा को माँ से अलग करके एक अदृश्य दीवार बन गया।

बेटी को भी माँ के लिए जासूसी करनी पड़ती है और यह लिखा होता है रीमा जैसी कुछ बेटियों के नसीब में। अब रीमा माँ का मोबाइल लेकर जाँच करने लगी। कोई जाना-अनजाना, बंधु-अबंधु घर पर आए तो रीमा माँ के हाव-भाव, वेष-भूषा और बातचीत पर ध्यान देने लग जाती। घर पर आने वाले सभी पुरुषों को एक-एक बार 'खलनायक' की जगह रखकर अपने पैमाने से परखने लगती। बप्पा को छोड़कर बप्पा के उम्र के सभी पुरुष बड़े घृणित लगने लगे। सबों को माँ के उस दोगले प्रेमी की जगह रखकर रीमा ने बदला लेने के लिए कुछ तरकीब सोची। तरकीब न मिलने पर तिलमिला उठी।

परंतु रीमा किसी में सफल नहीं हुई। अर्थात् माँ का वह अनजान मित्र इन लोगों में से कोई नहीं है, यह निश्चित होते ही रीमा हताश हो उठी। यानी वह खलनायक इस सुखी परिवार से अनपहुँच दूरी पर है। एक अदृश्य, अजेय, रिश्ता जोड़े हुए है वह इस परिवार की केन्द्र-बिंदु रीमा की माँ के साथ। रीमा उसका पता नहीं लगा पा रही। आमने-सामने मिल नहीं पा रही, गुस्सा नहीं उतार पा रही, बदला ले नहीं पा रही। रीमा असह्य क्षोभ और ग्लानि के बोझ से उदास हो गई। फिर मन को समझाया कि रहने दो उस फालतू आदमी को दुनिया के दूसरे सिरे पर। लिखती रहे उसकी माँ प्रेमपत्र। डाक खर्च लगाकर भेजती रहे उसे। रीमा को कोई फर्क नहीं पड़ता। आगे जब कभी रीमा का प्रेमपत्र उनके हाथ में पड़ेगा और माँ उससे सवाल-जवाब करेगी, उस दिन रीमा उनके मुँह पर बता देगी कि, माँ की हकीकत वह कितना जानती है! इसलिए उसे रोकने का अधिकार माँ को नहीं है। एक माँ होकर बप्पा के अलावा किसी गैर-पुरुष को प्रेमपत्र लिखने के कारण उसने बेटी को टोकने का अधिकार खो दिया है। अब से जब भी रीमा की इच्छा होगी, वह प्रेमपत्र लिखेगी। माँ की परवाह नहीं करेगी!

किंतु जिस दिन वाकई रीमा का दूसरा, तीसरा और चौथा प्रेमपत्र माँ के हाथों में पकड़ा गया, माँ ने जिरह की, दंड दिया, चिड़चिड़ाई, गुस्सा किया, रीमा को पैदा करने के कारण अपने गर्भ को कोसा, लेकिन रीमा ने जो कुछ सोचा था, कुछ भी कह नहीं पाई। महिषमर्दिनी देवी दुर्गा की अशुभनाषिनी मूर्त्ति-सा दिख रहा था माँ का सुंदर चेहरा। उत्तेजना के ज्योतिर्मंडल के बीच सुषमा सिर्फ रीमा की माँ जैसी लगी। किसी अवांछित घृणित प्रेमिका जैसी बिल्कुल नहीं लगी। माँ को मुँह पर जवाब देने का प्रण ज्वाला बनने से पहले जलधार बनकर बह गया। रीमा माँ के आँचल में मुँह छिपाकर भुभुआकर रोने लगी और उसके क्रोध, क्षोभ, संशय ने पानी बनाने का प्रयास किया। परंतु पहले की तरह उसने अपने प्रेमी का नाम जाहिर नहीं किया। रीमा का प्रेमी भी माँ के लिए अदृश्य और अज्ञात ही रहा।

सुषमा ने भी विवश होकर सोचा, यदि उसकी बेटी प्रेमपत्र लिखती है तो उस आदमी को न भेजकर किताब में छिपाकर क्यों रखती है- क्या माँ के हाथ में पड़कर तिलमिलाने के लिए? यदि रीमा में इतना दुस्साहस है कि वह प्रेम करेगी- पत्र लिखेगी और माँ को कुछ नहीं बताएगी, तो न बताए। अच्छी-अच्छी जगहों से रिश्ते आते हैं। बात बढ़ने पर रीमा खुद ही प्रेमी के बारे में बताएगी। यदि तब भी उसने अपने प्रेमी को छिपाकर रखा, तो वह लड़का निश्चित ही बाजारू होगा। उसके बारे में प्रस्ताव रखने की हिम्मत बेटी में नहीं होगी। इसलिए अपना नसीब समझकर विवाह कर लेगी और चुपचाप घर-गृहस्थी बसाने के सिवाय अन्य गति नहीं होगी। आवारे स्वप्नविलासी लड़कों से प्रेम करके पागल होना और कमाऊ दूल्हे से विवाह करके पागलपन छूट जाना- स्वस्थ गृहस्थी बसाने में रीमा जैसी अनेक लड़कियों के उदाहरण सुषमा की उँगलियों में हैं। रीमा के लिए भी कोई अच्छा रिश्ता मिल जाए तो विवाह के बाद वह एक आदर्श गृहस्थी बसाएगी, इसमें संदेह नहीं।

सुषमा ने अब से बेटी के विवाह प्रस्तावों को महत्व दिया। रीमा ने भी सोचा, यदि माँ इस उम्र में भी किसी से प्रेम करती है, तो फिर पत्र लिखकर अलमारी में रखती क्यों है? क्या उसका पता भूल गई है? तब से पत्र उसी तरह रखा है। पत्र की बात माँ नहीं भूली, यह रीमा जानती है। क्योंकि सुषमा अलमारी की ताक झाड़कर पुराने कागज की जगह नया कागज बिछाने के बावजूद पत्र वहीं का वहीं रखा है। रीमा ने कुतूहलवश बीच-बीच में जाँच की है और पत्र अभी तक भेजा नहीं गया है, यह प्रमाण है। पर पत्र काफी कवित्वपूर्ण है- रीमा से सुषमा प्रेमपत्र लिखने में काफी दक्ष है।

अपने पते पर डाक से आनेवाले पत्र भी सुषमा अखबार की तरह सबके हाथ की पहुँच में खुला छोड़ देती है। तो फिर कौन है यह कुलंगार व्यक्ति जो सुषमा और रीमा के बीच एक अदृश्य दीवार बना खड़ा है? रीमा उस अभद्र असामाजिक व्यक्ति को जितना-जितना ढूँढ़ती, वह दीवार उतनी ही मजबूत होती चली जाती।

रीमा का विवाह एक उचित पात्र से हो जाने के बाद सुषमा फिर से सहज हो गई। उसके सिर से एक बड़ा बोझ उतर गया। उसका मन संशयमुक्त हो गया। उसने सोचा, बिटिया ने एकाधपत्र लिख दिया था किसी लड़के के अंकुरित मूँछ देखकर, आँख मारने, होंठ दबाने के इशारों से बहककर। कोई बुरा काम तो नहीं किया ना। उस लड़के के साथ घर से तो नहीं भागी। आवारा होने पर भी उससे विवाह न किया तो जान दे दूँगी कहकर कसम खाकर जग हँसाई तो नहीं कराई। माँ-बाप ने जहाँ विवाह तय किया, रानी बिटिया की तरह चुपचाप विवाह कर लिया। माँ की छाती पर सिर रखकर सिसक-सिसककर रोते हुए एक बार भी तो नहीं कहा- 'माँ- मैं किसी और से...' रीमा ने किसी भी परेशानी में नहीं डाला उन्हें! कहीं बैठकर खिखियाने, हें-हें, फें-फें करते किसी ने नहीं देखा। सभी तारीफ करते हैं। तमाम लड़कियाँ तो माँ-बाप की नाक कटवा देती हैं। उनकी लड़की ने बचकानी बुद्धि के कारण यदि चार पत्र लिख भी दिए तो क्या हो गया?

बेटी ससुराल चली जाने के बाद उसकी एक-एक किताब खोलकर कुछ और प्रेमपत्र हासिल की थी सुषमा ने और अपने हाथों से उस कलंक को मिटा दिया था। बेटी के हाथ से लिखे पत्र जलकर खाक हो जाने के बाद सुषमा के सीने से वे तमाम अक्षर मिट गए। उसके मन में अब कोई संशय नहीं रह गया। किंतु विवाह होने के बाद अपनी गृहस्थी की सीढ़ियाँ चढ़ते हुए माँ पर से रीमा का संशय नहीं टूटा। उसकी माँ ही तो सब कुछ है उसके लिए इस दुनिया में, सिवाय उस प्रेमपत्र के जो अमृतबान में चुटकी भर विष की तरह है।

जब मायके आई थी, गोपनीय रूप से पत्र ढूँढ़ा रीमा ने। माँ का प्रेमपत्र वैसा ही था। रहे माँ की कीर्त्ति सुरक्षित। वह किसे भेजेगी या नहीं, उस बारे में सिर खपाने की फुर्सत कहाँ अब रीमा को? वह तो खुद भी घर-गृहस्थी वाली हो गई है। अब उसे माँ की गृहस्थी में झाँकने की क्या जरूरत है?

उम्र बढ़ती है- समय आगे बहता है- इंसान की भावनाएँ चारों ओर छितरा जाती हैं। बीते कल की बड़ी बात कितनी नगण्य- कितनी छोटी हो जाती है। रीमा सोचती, आखिर कब तक वह माँ से मुकाबला करेगी-

रीमा के मन में एक छोटा-सा घुन होने के बावजूद माँ के प्रेमपत्र को इतना महत्व देने के लिए काल इंतजार नहीं करता। माँ से मुकाबला करने की काफी दिनों की योजना भी ध्वस्त हो गई बप्पा का तार मिलते ही।

माँ चली गई- जहाँ बैठी हो वहीं से चली आओ! वाकई जहाँ बैठी थी, वहीं से उठकर चली गई रीमा।

माँ के शव को अगोरे बैठी है बेटी। शव उठाने की तैयारी चल रही है। जितनी जल्द हो माटी के पिंड को घर से उठा ले जाने के लिए सभी तत्पर हैं। रीमा को दिख रही है माँ की जीती जागती तसवीर। गिरि गोवर्धन को उठाए रखने की तरह इस छोटी-सी गृहस्थी को उठाए रखने वाले माँ के सख्त कोमल कल्याणकारी हाथों को पकड़े बैठी है, जिस हाथ ने उसे खिलाया है, उसकी चोटी बनाई है, ट्रेस पहनाकर स्कूल भेजा है, टिफिन तैयार किया है, उसकी कॉपियों में पाठ लिखा है, ड्राइंग बनाई है- शुरू-शुरू में साड़ी पहनाया है, रसोई, सिलाई न सीखने पर उसी हाथ से उसे धमकाया है। दुनिया का भला-बुरा समझाते-समझाते उसी हाथ से उसे पीटा भी है। फिर गोद में बिठाकर लाड़ भी किया है, आँसू पोंछा है। उसी हाथ ने इस गृहस्थी की गंदगी साफ की है। एक-एक का मन जानकर खाना परोसा है। सबके कल्याण के लिए इसी हाथ ने दीये जलाए हैं, चंदन घिसे हैं- ठाकुरजी की पूजा अर्चना की है- इस घर के एक-एक धूलकण में माँ के हाथ की छाप है। क्या नहीं किया माँ के इस हाथ ने इस छोटी-सी गृहस्थी को बड़ा बनाकर खड़ा करने के लिए। और- और इसी हाथ ने लिखा है प्रेमपत्र! उससे क्या हो गया? जिस हाथ ने इतने तरह के काम करके गृहस्थी जमाई, क्या एक प्रेमपत्र लिखकर अपवित्र हो गया? इतने दिनों तक एक ऐसी धारणा बनाकर क्यों परेशान रही रीमा? क्यों माँ के अनजाने अंदर ही अंदर माँ के सामने एक दीवार खड़ी कर दी? क्या माँ भाँप पाई होगी बेटी की भावना और उसका दुख? संताप से सड़ रही होगी, पर सहनशक्ति के कारण सब कुछ पीछे छोड़कर स्नेह- आशीर्वाद उड़ेलती जा रही होगी।...

सहसा माँ के प्रेमपत्र की बात याद आ गई रीमा को। कितना वक्त गुजर गया इस बीच। माँ ने शायद वह प्रेमपत्र भेज दिया होगा सही आदमी के पास। उस पत्र का अलमारी की ताक में न होना ही मंगलकारी है। कई सालों बाद माँ की अलमारी खोलकर रीमा ने उस ताक में पत्र ढूँढ़ा। माँ अब नहीं रही- प्रेमपत्र जहाँ था, वहीं है। कितनी सुंदर है माँ की लिखावट, माँ के चेहरे की तरह माँ के स्नेह और आकांक्षा की तरह। माँ मरकर सोई है। अक्षर अमर हैं। माँ का प्रेम अमर है।

दुबारा पत्र पर नजर डालने पर रीमा की आँखें भर आईं। अक्षर नहीं दिखे। यदि रीमा की माँ कोई कवयित्री होती, तो यह प्रेमपत्र एक कविता के रूप में सराहा गया होता। रीमा की माँ यदि कहानीकार होती, तो यह प्रेमपत्र किसी अद्‌भुत प्रेम-कहानी का एक अंश होता। रीमा की माँ कोई चित्रकार होती, तो इस प्रेमपत्र का एक-एक शब्द किसी अनन्य चित्रकारी का प्रतीक होता।

परंतु सुषमा न तो कवयित्री थी, न कहानीकार, न ही चित्रकार! वह थी सिर्फ एक माँ। इसलिए रीमा का उस प्रेमपत्र को कहानी या कविता सोचने के पीछे क्या तर्क था? जिसे प्रेमपत्र की आख्या दी जाती है, क्या वह मन की कविता नहीं, आत्मा की आख्यायिका नहीं? सभी प्रेमपत्र के नायक क्या संदेही प्रेमी होने को बाध्य हैं। सभी प्रेमपत्रों में क्या डाक का पता होता है? अपने अंदर कौन नहीं लिखता प्रेम-कविता? शायद अत्यधिक भावुक होकर कोई-कोई रीमा की तरह या उसकी माँ सुषमा की तरह मन की कविता को अपना हाथ काटकर शब्दों में साकार कर लेती हैं और जीवनभर ढूँढ़ती रहती हैं प्राप्तकर्त्ता- कौन है-कौन है? उसकी ही तरह माँ का भी कोई संदेही प्रेमी नहीं था, इस नतीजे पर पहुँचने के बाद रीमा ने तय किया कि वह माँ का यह प्रेमपत्र किसी अनजान पत्रिका के प्रेम-कविता सेक्शन में छद्मनाम से छपवा देगी। क्या सहेजकर रख ली उसकी सारी पंक्तियाँ अपने सीने में और जीवित रहने तक रीमा के लिए धड़कनेवाली माँ की मरी हुई छाती से चिपककर रीमा ने अपनी आत्मा उड़ेल दी माँ की छाती में। रीमा की छाती के बोझ से बीच की दीवार ढहकर चूर-चूर हो रक्त बहने लगा झर-झर रीमा की आँखें चीरते हुए।

❑❑

घुन

गोपकृष्ण को दोष देने से क्या लाभ? लक्ष्मण जैसा भाई वही बन सकता है जिसकी उर्मिला जैसी पत्नी होगी। अरे बाबा, पुरुष घोड़ा ही तो है- स्त्री तो साईस होती है। लगाम जितना कसोगे, घोड़ा उतना ही चलेगा। लगाम बँधे घोड़े और विवाहित पुरुष की इच्छाएँ क्या अलग-अलग होती हैं? रामकृष्ण का छोटा भाई गोपकृष्ण ही नहीं, शास्त्र-पुराण खोलकर देखो- वेद की रेखा की तरह पत्नी की बात सदा मानता आया है पति!

भ्रातृभक्त लक्ष्मण से ही बात की शुरुआत करें। उस दिन उर्मिला ने लक्ष्मण की राह रोककर ज़िद नहीं की थी, 'भाई के साथ-साथ तुम क्यों जाओगे वन? भाई तो पिता की आज्ञा का पालन करने वन जा रहे हैं। तुम किस सत्य का पालन करके राजभवन, नवविवाहिता पत्नी, वृद्ध पिता, शोकातुर माता को छोड़ ब्रह्मचर्य अपनाकर चौदह वर्ष वनवास जा रहे हो? कहे देती हूँ मैं, तुम वन नहीं जा सकते- यदि गये, सच कहती हूँ मैं अपनी जान दे दूँगी।' इस तरह की बातें किसी रामायण में नहीं लिखी हैं। बेचारी निरीह, सहिष्णु दूसरे के दुःख में दुःखी नारी। मुँह बन्द करके, छाती पर पत्थर रख पति की इच्छा मान गयी। यदि जिद करके पति की राह रोक भी लेती तो लक्ष्मण की भ्रातृभक्ति निरर्थक होती या नहीं, देखा जा सकता था। उसी तरह भ्रातृभक्त भरत को देखिए। नवविवाहिता पत्नी के साथ रहकर, गेरुए वस्त्र धारण कर, राजसुख त्यागकर चौदह वर्ष तक पत्नी की ओर नहीं देखा। ब्रह्मचर्य का पालन करते हुए भाई की पादुका पूजन की। सारा जग उन्हें धन्य-धन्य कहने लगा। पर क्या माण्डवी के बारे में कभी किसी ने कुछ सोचा? यदि माण्डवी ने नारी के अमोघ सम्मोहन मन्त्र का उपयोग करते हुए भरत को वशीभूत कर लिया होता, तब उनका ब्रह्मचर्य व्रत डगमगाया होता या नहीं, देखा जा सकता था।

माण्डवी ने कहा भी नहीं, 'तुम्हें यदि चौदह वर्ष ब्रह्मचर्य पालन करना था तो मेरा हाथ क्यों थामा? पिता की आज्ञा का पालन करने के लिए आपके भैया चौदह वर्ष ब्रह्मचर्य पालन करेंगे, आपको क्या गरज पड़ी है? सांसारिक धर्म का निर्वाह करते हुए भी क्या भ्रातृभक्त नहीं कहलाया जा सकता है? यदि आप चौदह वर्ष तक मेरी ओर नहीं देखेंगे, तो फिर मैं क्यों रहूँ यहाँ। मायके चली जाती हूँ, फिर अयोध्या नहीं लौटूंगी। जिधर आँखें ले जाएँगी, उधर निकल जाऊँगी। मुझसे फिर कोई आशा मत करना...' नहीं, माण्डवी के इस तरह कहने का कहीं कोई उल्लेख नहीं है। उसने भी बिना दुविधा के पति का साथ देते हुए स्वयं चौदह वर्ष ब्रह्मचर्य का पालन किया। भरत के साधना-पथ पर विघ्न नहीं डाला। यदि माण्डवी ने इस तरह की प्राणघाती धमकी दी होती तो भरत क्या करते, ईश्वर ही जानते हैं। रामचन्द्रजी की स्थिति भी देखें। उन्होंने सीता को मना किया, अनुनय-विनय की, तुम मेरे साथ वनवासिनी मत बनो। घर पर बुद्ध माता-पिता हैं- रुग्ण और शोकाकुल- उनकी सेवा करना ही तुम्हारा धर्म है। तुम घर की बड़ी बहू हो...इसके अलावा वन में तरह-तरह की विघ्न-बाधाएँ और संकट भी तो हैं...।'

सीता अन्ततः नहीं मानीं। बड़ी जिद्‌दी हैं। जनी हुई जो नहीं हैं- पाली गयी कन्या हैं, दिल में कहीं ठेस न पहँचे इसलिए माता-पिता ने बड़े लाड़-प्यार से पाला होगा। किसी तरह की बंदिश नहीं रखी होगी शायद! आसमान से चाँद तोड़ लाने को कहने पर सारी सेना स्वर्ग की ओर कूच कर जाती होगी। इसलिए सीता की ज़िद रह गयी। श्रीराम के सारे तर्क निरर्थक गये। सीता ने कहा- 'पिता ने विदाई के समय उपदेश दिया था- पति की अनुगामिनी बनना। जहाँ राम हों, वहीं तेरी अयोध्या हो। तुम पिता की आज्ञा का पालन करने वन जा रहे हो। मैं कैसे कर दूँ अपने पिता की आज्ञा की अवज्ञा?' राम ने हूँ-हाँ कुछ नहीं किया। अकाट्य तर्क था। रामचन्द्र तो कह सकते थे, 'तुम चारों बहनें एक ही परिवार की हो- एक ही खून है तुम सबकी देह में। एक ही दिन विवाह हुआ- इकट्ठे विदा होकर आयीं हम चारों भाइयों की धर्मपत्नी बनकर। पिता का उपदेश क्या सिर्फ तुम्हीं पर लागू है? बाकी बहनों को भी तो यही उपदेश मिला है। उर्मिला कैसे रुक गयी लक्ष्मण को छोड़कर सास-ससुर की सेवा करने? सास-ससुर की सेवा करने तथा उनका शोक कम करने का उपेदश क्या तुम्हारे पिता ने नहीं दिया?' नहीं- ये तर्क राम ने नहीं दिये। सीता के तर्क के आगे चुप रहे और सीता को साथ लिवा गये। अब इससे आगे की घटनाएँ देखते हैं।

जनक नन्दिनी, दशरथ की पुत्रवधू, रामचन्द्र की पत्नी सीता सोने के मृग

के लिए अड़कर बैठ गयीं। रामचन्द्र समझाने की कोशिश करके हार क्यों गये? क्या रामचन्द्र कह नहीं सकते थे, 'तुम यह जानती हो कि सृष्टि में स्वर्णमृग असम्भव है, सीते! भ्रम के पीछे तुम्हारा मन भागता है तो भागे, पर मैं नहीं भागूंगा भ्रम के पीछे। मैं अपने विवेक के निर्देश की अवमानना नहीं कर सकता...' सिर्फ इतनी ही बातों से सीता चुप हो जातीं। किन्तु अन्त में नारी की जिद को रामचन्द्र जैसे मर्यादापुरुष तक ने मान लिया और धनुष तीर लेकर भ्रम के पीछे भागने लगे।

अब वृद्ध राजा दशरथ को देखें। रात बीतने पर रामचन्द्र राजा हुए होते; किन्तु वन चले गये। किसके कारण? पत्नी कैकेयी के कारण। पुत्र शोक में प्राण गवाँ बैठे, पर क्या पत्नी की बात का खंडन कर पाये? ऐसे अनेक उदाहरण हैं। जब महात्मा बुद्ध को लगा कि पत्नी के सामने संन्यासी बनकर गृहत्याग नहीं कर सकेंगे तो वे पत्नी को निद्रितावस्था में छोड़कर आधी रात को घर से चुपचाप निकल गये...। बहुत कम समय के दाम्पत्य जीवन में वे पत्नी के दम्भ और पति की कमजोरी अच्छी तरह समझ गये थे। इसलिए पत्नी के प्रति भले ही अन्याय हो, बिना कुछ बताये रातों-रात चोर की तरह खिसक लिये। तुम्हारी हमारी तरह ऐरे-गैरे नत्थूखैरे ही नहीं, राजा-महाराजाओं की भी यही दशा है। इसलिए शादी के बाद यदि गोपकृष्ण पूरे के पूरे बदल गये तो इसमें आश्चर्य होने जैसी कोई बात नहीं। उन्हें दोष देना भी ठीक नहीं। ओछे घर की लड़की यदि बड़े भाई का महत्त्व समझ गयी होती, तो थोड़े से तुच्छ नारियल के लिए क्या बड़ा भाई रामकृष्ण पितृअर्जित सम्पत्ति को छि: करके छोड़ देता छोटे भाई के लिए, और खुद पूरी उम्र हाट से चावल खरीदकर खाता? एक ही पेट से जनमे हैं- पर घर तोड़ने वाली छोटी बहू ने घर में पाँव रखते ही खून से खून को जुदा कर दिया। जितने भाई उतने घर। कोई नयी बात नहीं है। परंतु संबंध इतने बिगड़ गये कि मरने तक दोनों भाइयों ने एक-दूसरे को नहीं देखा। यहाँ तक कि बड़े भाई का मरा चेहरा देखने भी गोपकृष्ण नहीं गया। भाई के मरने के बाद छह महीने तक भाभी अन्नपूर्णा ने चारपाई पकड़ ली और पति के शोक में आँखें मूंद लेने पर भी बेटे की तरह जिस देवर को पाल-पोसकर बड़ा किया था, वह अपनी भाभी को कन्धा देने तक नहीं गया। भतीजे-भतीजियों का विवाह तक देखने नहीं गये। चाचा- इसके लिए क्षमा है। किन्तु भैया-भाभी के अन्तिम दर्शन करने नहीं आये- इसके लिए क्षमा नहीं है। जबकि अन्नपूर्णा ने गोपकृष्ण को बेटे की तरह पाला था, पहले गोपकृष्ण, पीछे रामकृष्ण। गोपकृष्ण को खिलाये बिना पानी तक नहीं पीती थीं। जीवन भर देवरानी को भले ही दोष देती रही हों, गोपकृष्ण को कभी दोष नहीं दिया अन्नपूर्णा ने। जब भी गोपकृष्ण की चर्चा चलती, लंबी साँस

छोड़ते हुए कहतीं, 'मेरे पास सोया करता था, कान में बातें बताता, भला वह मुझसे झूठ कहेगा?' रामकृष्ण ने भी छोटे भाई के विरुद्ध एक शब्द नहीं कहा। दूसरे लोग उस बारे में सवाल करते तो बात को टालते हुए कहते, 'छोड़ो ये बातें- सम्पति क्या मेरे अकेले की है। गोप इतने सालों तक परदेस में था, मैं सम्पत्ति का उपभोग करता रहा। अब उसके बच्चे गाँव में रहने लगे हैं, बाकी का जीवन वह सम्पत्ति उसके बच्चे खाएँ। हमारा तो गुजारा किसी तरह चल ही जाता है। ऐसा कौन-सा दिन है जिस दिन भात की हाँड़ी चूल्हे पर नहीं चढ़ी गाँव के चावल के अभाव में।' यह बात सच है, किंतु गाँव के चावल और हाट के चावल का फर्क जितना मुँह नहीं जान पाता, उतना जान जाता है मन। हाट के चावल में कंकड़ होते हैं, भात बनाने पर भात से एक तरह की अजीब-सी गन्ध आती है। गाँव के चावल की मिठास और आत्मीयता की सुगन्ध हाट के चावल में कहाँ? गाँव के नारियल का पानी मीठा होता है- बाज़ार के नारियल का पानी नमकीन। गाँव के पोखर की गड़िशा, मागुर, कउ, गुआचिपि, सिंगी मछलियों से हाट-बाजार में मिलने वाली भाकुर-रोह मछलियाँ टक्कर नहीं ले सकतीं। गाँव के पोखर की मछलियों में होता है एक अन्तरंग स्वाद। गाँव की सब्जियों, मूंग-उड़द का स्वाद भी न्यारा है। यह बात रामकृष्ण भी महसूस करते हैं; किन्तु परोसी हुई थाली के पास वे उदास नहीं बैठे कभी। हमेशा बस यही कहते, खाना कभी अच्छा-बुरा नहीं होता, जब जैसा मिल जाए, खुशी से खा लो।'

जिसमें तेरे-मेरे की भावना होती है, उसके मुँह में हाट के चावल-सब्जियों और गाँव के चावल-सब्जियों में फर्क मालूम पड़ जाता है। धान तो खेत में उपजता है- तेरे खेत और मेरे खेत में क्या फर्क है? यही कहा करते वे सबसे। किन्तु अन्नपूर्णा जानती हैं कि परिस्थितिवश रामकृष्ण गाँव से चार मील दूर शिक्षक बनकर रहने पर भी अपने गाँव को सीने से चिपकाये हुए हैं। गाँव से वे मन से, प्राण से, ध्यान से, चैतन्य से अलग नहीं हो पाये हैं। अन्नपूर्णा से माँगेंगे तरह-तरह के साग, उड़द की दाल, जीरा, हल्दी, पनिया मछली, और मूंग-सहजन साग की दाल। गरम मसाले, तली चीजों और पुलाव-माँस की इच्छा उन्हें कभी नहीं रही। इसका मतलब है उन्हें गाँव की याद आती ही रहती है, याद आती रहती है असमय परलोक सिधारी माँ के हाथ के बने खाने की। सबसे अधिक याद आती है गाँव के इष्टदेव गोपालजी के प्रसाद की। प्रसाद, वह भी लाल अरुआ चावल का भात, मूंग की दाल, अरबी-सीताफल की मिलवा सब्जी और चावल ज्यादा दूध कम वाली भगवान जी की खीर। बीच-बीच में गाँव के पुजारी जी पीतल की परात में प्रसाद रख अंगोछे में बाँधकर धूप में दो कोस खेत

ही खेत चले आते हैं, क्योंकि वे रामकृष्ण की प्रसाद के प्रति प्रीति जानते जो हैं। जिस दिन से गाँव से चावल आना बन्द हुआ है, उसी दिन से प्रसाद आना भी बन्द है। गोपकृष्ण ही तो नौकरी की जगह है, अब गाँव में इच्छामणि ठाकुरजी के भोग-प्रसाद का ध्यान रखती है, इसलिए मन्दिर का प्रसाद पहुँचता है उनके घर। चाचा की इच्छा होती होगी बीच-बीच में भाई के पास प्रसाद भिजवाने की, पर चुप रहते होंगे चाची के डर से। चाचा की रेलवे की नौकरी है। परिवार के साथ बाहर रहा करते थे। बच्चों की पढ़ाई में दिक्कत हुई। जब चाचाजी का बार-बार तबादला होने लगा तो चाची बच्चों को लेकर गाँव में रहने लगी। गोपकृष्ण ने कहा, 'भैया के हाथों ढेरों बच्चों का कल्याण हो चुका है। जिसे भी उन्होंने छुआ, वह सोना बन गया। गाँव के स्कूल से माइनर पास करने के बाद भैया के पास रहकर हाईस्कूल में पढ़ेंगे बच्चे। अपनी रेलवे की नौकरी में क्या अब मैं आदमी रह गया हूँ? मैं तो एक रेलगाड़ी बन चुका हूँ। रेलगाड़ी जिधर, मैं उधर। बच्चे अपने ढंग से बढ़ रहे हैं। क्या होगा उनका भविष्य? भैया-भाभी ने मुझे पाल-पोसकर बड़ा किया था, भला मेरे बच्चों को नजरअन्दाज कर देंगे? मैं कितना शरारती था, सँभाल लिया मुझे भाभी ने। उन्हीं की वजह से तो मैट्रिक तक पहुँच गया। वरना माइनर फेल होकर आवारों की तरह इधर-उधर मारा-मारा फिरता गाँव भर में। भाभी में अपने-पराये का भेद नहीं है...।'

यह अपने-पराये का भेद ही मनुष्य को बहुत कष्ट देता है। ईर्ष्या, द्वेष, दूसरे में कमी ढूँढ़ना, दूसरे का बुरा सोचना, अपने ही मन को विषाक्त करता है। विषाक्त मन दूसरे को जितना कष्ट नहीं देता, खुद को उतना कष्ट देता है। कौन जाने अपने पराये के भेद-भाव में आकण्ठ डूबी चाची खुद कष्ट पा रही हैं या नहीं, पर गोपकृष्ण को निश्चित रूप से काफी कष्ट मिला है। क्योंकि गोपकृष्ण का स्वभाव बड़ा स्नेही, सरल व संवेदनशील है। किशोरावस्था में माँ को खोने के बाद की उदासीनता के कारण पढ़ाई जरूर गड़बड़ा गयी, पर खुद बिगड़ गया हो, ऐसा कोई कभी नहीं कह सकता। भाभी अन्नपूर्णा के प्रति उसमें अपार श्रद्धा है, पर डर भी बहुत है। किसी तरह मैट्रिक पास कर जाता तो गाँव के स्कूल में मास्टर बन सकता था। यही इच्छा थी रामकृष्ण की भी। किन्तु गोपकृष्ण मैट्रिक में लुढ़क गया। रामकृष्ण ने डांटा-फटकारा तक नहीं। लेकिन गोपकृष्ण का आत्मविश्वास लौट आया। वह नौकरी में जी-जान से जुट गया-नाम भी खूब कमाया। किसी से बताने वाली बात नहीं है, किन्तु सिर्फ एक ही अवसर पर गोपकृष्ण ने झूठ का सहारा लिया था और बड़े भाई की बात ठुकरा दी थी। दरअसल रेलवे की नौकरी मिली थी ताऊजी के बेटे गतिकृष्ण को। उसी

के नाम नौकरी में हाज़िर होने का पत्र आया था। गतिकृष्ण की इच्छा थी नौकरी करने की। परन्तु ताऊजी ने एक ही बात कहकर उसे मना कर दिया, 'तू इस खानदान का सबसे बड़ा बेटा है। ठाकुरजी की पूजा-अर्चना करना तेरा कर्तव्य है। तू परदेस चला गया तो प्रभु गोपालजी का ध्यान कौन रखेगा? इसके अलावा तेरा स्वास्थ्य भी रेलवे की नौकरी के लिए बिल्कुल अनुकूल नहीं है। नौकरी के लिए आवेदन-पत्र भेजने से पहले मेरी अनुमति लेना तेरे लिए उचित था या नहीं?' गतिकृष्ण ने पिता की बात सुनकर सिर नीचे करके अपनी गलती मान ली। फिर कभी नौकरी का नाम नहीं लिया। लेकिन गाँव के बड़े-बुजुर्गों में इस बात पर विचार-विमर्श हुआ। इस गाँव से रेलवे की नौकरी में अभी तक कोई नहीं है। क्या गतिकृष्ण नौकरी पाकर छोड़ देगा? यह तो परोसी हुई थाली को ठोकर मारने जैसी बात है। किसी और के लिए थूककर चाटना सम्भव हो सकता है, परन्तु ताऊजी के लिए सम्भव नहीं कि अपनी कही हुई बात वापस ले लें। गतिकृष्ण नौकरी करने नहीं जाएगा, यह तय है। किन्तु नौकरी भी हाथ से न जाए, भला यह कैसे सम्भव है? किसी कूटबुद्धि सम्पन्न बुजुर्ग ने सुझाव दिया कि गतिकृष्ण के बदले गोपकृष्ण नौकरी पर चला जाए। गोपकृष्ण की जगह गतिकृष्ण लिखकर दस्तखत करने में कोई परेशानी भी नहीं है। जी.के. दास। यदि सरकार ने इस गाँव को एक नौकरी दी है, तब देखा जाए तो गतिकृष्ण से अधिक योग्य है गोपकृष्ण। गोपकृष्ण का मन भी घर-गृहस्थी में लगने लगेगा। आदमी बन जाएगा।' ऐसा करना अन्याय है या नहीं, उस बारे में काफी वाद-विवाद होने के बाद तय हुआ कि यह अन्याय नहीं है। क्योंकि सरकार ने गतिकृष्ण नाम के युवक को नौकरी नहीं दी है, उस नौकरी के लिए उपयुक्त प्रार्थी को नौकरी दी है। गाोपकृष्ण एक उपयुक्त प्रार्थी है, इसलिए सरकार का काम भी बाधित नहीं होगा, और गाँव के एक आदमी को रेलवे में नौकरी करने का अवसर भी मिल जाएगा। सबसे अच्छी बात तो यह है कि तनख्वाह के पैसे आएँगे उसी परिवार में। सर्वसम्मति से यह बात स्वीकार कर ली गयी। सिर्फ बड़े भैया शिक्षक रामकृष्ण इससे सहमत नहीं हुए। उन्होंने इसका घोर विरोध किया था। तर्क के बल पर अन्याय को दबाया तो जा सकता है, पर उससे अन्याय न्याय नहीं बन जाएगा। झूठ पर पर्दा डाल देने से झूठ सच नहीं बन जाता। उनका भाई नौकरी की लालच में पूरा जीवन एक झूठा जीवन नहीं बिता सकता। विवेक के दंश से बड़ी सजा और क्या होगी? ऐसा करके उनके छोटे भाई को आजीवन सजा दी जा रही है। रामकृष्ण ने सोचा था कि गोपकृष्ण उनका समर्थन करेगा। पर देखा गया कि गोपकृष्ण कपड़े-लत्ते सजाकर तुरन्त नौकरी को निकल पड़ा।

रामकृष्ण को प्रणाम करते हुए बोला, 'जानता हूँ, आप मेरे इस काम का समर्थन नहीं करेंगे। पर मेरे लिए और कोई चारा भी तो नहीं है। नौकरी के दौरान मैं सच्चा और ईमानदार रहूँगा, इतना वादा करता हूँ!' वाकई गोपकृष्ण ने अपना वादा पूरा किया था। उसके जैसा सच्चा और ईमानदार कर्मचारी रेलवे में शायद ही कोई होगा, ऐसी चर्चा लोग किया करते थे। किन्तु शुरू से ही गोपकृष्ण दफ्तर के कागजात, पत्रों और टेलीग्राम में गतिकृष्ण बन चुका था। कभी गलती से भी अपना नाम गोपकृष्ण कहीं नहीं लिखा। सारा जीवन बेधड़क नौकरी की। किसी भी दिन यह शक तक नहीं हुआ कि कहीं कोई सरकार को गुमनाम खत लिख देगा कि गतिकृष्ण की जगह गोपकृष्ण नौकरी कर रहा है। ब्रिटिश सरकार ने ऐसे अपराध के लिए क्या सजा दी होती, आज सोचा नहीं जा सकता। लेकिन गाँव के बुजुर्ग व डाकिया यह बात जानते हुए भी गुमनाम खत लिखने की कल्पना किसी की बुद्धि में नहीं घुसी थी। एक योग्य बालक को हर महीने कुछ तनख्वाह मिल जाती है। इससे किसी को क्या नुकसान है? यह भाई नौकरी में जाता, वह भाई चला गया- किसी को क्या परेशानी है? मज़दूर हलवाहे की तबीयत ठीक न हो तो काम पर न आकर अपनी जगह छोटे भाई, बेटे, भतीजे को भेजने की परम्परा यदि गाँव में है, सरकार में भला क्यों नहीं होगी? सर्वसम्मति से गतिकृष्ण के बदले गोपकृष्ण रेलवे की नौकरी में गया है। महज इतने में ही राम-लक्ष्मण जैसे दो भाइयों में मनमुटाव हो जाएगा, यह सोचना गलत है। दरअसल दोनों भाइयों में शुरू से ही कोई गलतफहमी नहीं रही। जो भी अभिमान जीवनभर रह गया, उसकी वजह घर तोड़ने वाली वह छोटी बहू ही थी।

विवाह के बाद घर लौट आने के दिन नयी नवेली दुल्हन की सूरत सुहागरात वाले कमरे में, ढिबरी की रोशनी में देखते ही गोपकृष्ण किवाड़ खोलकर बाहर भाग आया। घनी अँधेरी रात बीतने तक बाहर सिर्फ इसीलिए बैठा रहा कि भाभी से यह कहकर जाएगा, 'भाभी, अगर मैं तुम्हारा बेटा होता तो क्या तुम इसी तरह की काली-कलूटी, दँतली, भेंगी दुल्हन लातीं? मैं उसे देखकर सकपका गया। उसके साथ गृहस्थी कैसे बसाऊँगा? तुम उसे अच्छी तरह देखकर बहू बनाकर लायी हो ताकि अपनी दासी बनाकर रख सको। रखो अपनी दासी बनाकर, मैं चलता हूँ, अब नहीं लौटूँगा घर।'

गोपकृष्ण ने किसी की बात नहीं मानी। चौठी-अष्टमंगला आदि की रस्में पूरी होने से पहले ही गाँव छोड़कर परदेस चला गया। मण्डप में दूल्हे की जगह लोढ़ा रखकर चौठी, अष्टमंगला की रस्में पूरी की गयी, गाँव में सभी कानाफूसी करने लगे 'बिन माँ के देवर के लिए भाभी ने देख-समझकर भी ऐसा किया?

राजकुमार जैसे लड़के के लिए दासी जैसी दुल्हन? कहीं छोटी बहू बड़ी बहू से अधिक सुन्दर न हो जाए, शायद इसी डर से ऐसा किया होगा...।'

हाँ, यह सच है कि गोपकृष्ण लम्बा, चौड़ा, गोरा और सुदर्शन है। तो फिर उसे राजकुमार क्यों कहते हो? मानो सभी रराजकुमार सुन्दर ही होते हों। हाँ-इच्छामणि साँवली है, दँतली है। पर उसे दासी क्यों कहते हो? क्या दासियाँ सुन्दर नहीं होती? सुन्दर असुन्दर क्या मालकिन और दासी का भेद रखकर भगवान गढ़ता है! यह सच है कि गोपकृष्ण जैसे लड़के के योग्य नहीं है इच्छामणि। अन्नपूर्णा ने देखभाल करके की होती तो ऐसा नहीं होता। पर किससे कहें कि उन्होंने इच्छामणि को पहले देखा ही नहीं था। वे तो इच्छापुर गाँव गयी थीं लड़की देखने और लड़की के हाथों में अपने हाथों से उतारकर सोने के कंगन पहना आयी। उस वक्त सोने के कंगन का रंग लड़की की कलाई के रंग से मिल गया था- चिकने सुगठित हाथ, हल्दी जैसा गाढ़ा सुनहरा रंग। पान पत्ते-सा मुखड़ा-अगस्ती की कली जैसे होठ, सीधी नाक, बड़ी-बड़ी आँखें, बनायी हुई-सी भौंहें, पीठ पर लहराते घने केश। साड़ी खिसकाकर देखा था अन्नपूर्णा ने पैरों में कहीं बड़े-बड़े बाल तो नहीं। यहाँ तक कि छरहरी-सी लड़की को कमर से पकड़कर आलिंगन करते समय परख ली थी उसके बदन और छाती की गठन। पैरों के पंजे भी देखे थे- बीच वाली अँगुलियाँ कहीं बड़ी तो नहीं! पंजों के नीचे फाँक रहती है या पूरे के पूरे जमीन से सट जाते हैं- हथेली और अँगुलियों को सहलाकर, दबाकर देखा है, मुलायम हैं या रूखी, भरी-भरी हैं या हड़ीली उभरी शिराओवाली। सास होतीं तो जिस तरह अपने बेटे के लिए बहू देखतीं सिर से पैर तक देख-परखकर, ठीक उसी तरह लड़की देखी थी अन्नपूर्णा ने अपने पुत्र-समान देवर के लिए। किन्तु उन लोगों ने लेन-देन में तो जो ठगना था ठगा ही, लड़की के मामले में भी बाज नहीं आएँगे, यह कौन जानता था? वे लोग छोटी बेटी दिखाकर बड़ी बेटी से ब्याह कर देंगे, यह बात सपने में भी नहीं सोची थी अन्नपूर्णा ने। ऐसी घटना नयी नहीं है- बहुत-सी जगहों पर एक को दिखाकर दूसरे से ब्याह देने के उदाहरण हैं। किन्तु उन्हीं के देवर के नसीब में ऐसा घटित होगा, यह नहीं सोचा था उन्होंने। अन्नपूर्णा के कंगन जबकि बहू की कलाइयों में हैं, कैसे कह दें अन्नपूर्णा कि वे किसी दूसरी लड़की को कंगन पहनाकर आयी थीं, जिसकी कलाइयों में कंगन खूब फब रहे थे! अन्नपूर्णा के सिवा और किसी ने भी लड़की को नहीं देखा था सिर्फ बिचौलिये के सिवा। बिचौलिये को बुलवाकर जब अन्नपूर्णा ने पूछा तो बिचौलिये ने पलटकर उन्हीं पर हावी होते हुए कहा, 'वे लोग गरीब जरूर हैं- लेन-देन

ठीक से नहीं किया, यह मैं मानता हूँ, किन्तु कन्या के मामले में हेर-फेर की है, आपका ऐसा कहना उचित नहीं है। वे लोग भद्र हैं। आपने जिस कन्या को देखा था, यह वही कन्या है। शादी के बाद से महीने भर तक हाय बाबूजी-हाय मेरी अम्मा-कहकर रोते रहने, दुल्हन कहकर पुकारे जाने की लाज के कारण पेट में भूख रखकर खाने के पास नाम के लिए बैठने की वजह से सूखकर काली हो गयी है- गाल की हड्डियाँ, मसूड़े बाहर निकल आये हैं। छाया में रहने से अच्छा खाने-पीने से रंग लौट आएगा, चेहरा भर जाएगा- देखिएगा, वरना मेरे नाम का कुत्ता पालिएगा।'

'किन्तु उस लड़की की पीठ पर तो लहराते घने केश...'

'लो भला- आप क्या कभी दुल्हन नहीं बनीं? मँगनी के बाद जिसके घर कन्या खाना खाने जाएगी उसके घर अपना जूड़ा खोलेगी, जूड़ा बनाएगी, अलता, सिन्दूर लगाएगी। नयी साड़ी पहनेगी। दिन में तीन-चार घरों में कन्या का जूड़ा बाँधा जाता है, क्या खोलने-बाँधने में बाल नहीं टूटते? देखिएगा, ठंडा तेल लगाकर धृतकुमारी घिसने से बाल फिर वैसे ही घने और सुन्दर लगने लगेंगे...।'

'पर उस लड़की के हाथों में कई काले तिल थे, कंगन पहनाते समय मैंने देखा था।' अन्नपूर्णा ने तैश में आकर कहा।

'हाँड़ी की कालिख जो होगी अँधेरे में आपने काले तिल समझे होंगे। बड़ी कमेरू लड़की है...विलक्षण प्रतिभा सम्पन्न...घर-गृहस्थी के मामले में आपसे बीस साबित होगी...मेरी बात सच है या झूठ आप खुद ही समझ जाएँगी। पर मेरी और कन्यापक्ष की इस तरह बदनामी न करें।' बिचौलिया अपना पावना लेकर चला गया। अन्नपूर्णा खामोश रहीं। दो कारणों से अन्नपूर्णा ने कन्यादान में धोखा होने की बात किसी से नहीं बतायी। बतायी थी सिर्फ पति को। पहला कारण था...जिस कन्या को बड़ी चालाकी से गोपकृष्ण से ब्याह दिया गया, उस बेचारी का क्या कसूर है? उसे अब लौटाया तो जा नहीं सकता...दूसरा, गोपकृष्ण ने तो झट कन्या को अस्वीकार कर दिया और यदि उसे सच्चाई का पता चल गया तो उसका मन पूरी तरह टूट जाएगा। यदि जान गया कि वह किसी षड़यन्त्र का शिकार हुआ है तो फिर कभी मन बदलकर पत्नी की ओर नहीं देखेगा। भले ही अन्नपूर्णा देवर की नजरों में सारा जीवन दोषी बनकर रहें, पर वह किसी निर्दोष कन्या के साथ अन्याय नहीं होने देंगी।

इच्छामणि को बाँहों में भरकर खूब रोयी थीं अन्नपूर्णा। कहा था, 'मेरी देह छूकर बोल, गोप के आगे कभी नहीं कहेगी कि मैंने तेरी छोटी बहन के हाथों में कंगन पहनाये थे। गोप वैसा लड़का नहीं है- कोई ग्रह-दोष था। माथा गरमा

गया, घर से चला गया। लौट आएगा- उसे धर्म का ज्ञान है। रूप तो दो दिनों का है। गुण हमेशा का। अपने मधुर स्वभाव और गुणों से एक दिन तू गोप को वश में कर लेगी- यह मेरा विश्वास है। महीना भी नहीं बीतेगा, गोप लौट आएगा। मैं उसकी नस-नस पहचानती हूँ।'

अन्नपूर्णा ने दुल्हन के सुन्दर गुणों का वर्णन करते हुए देवर को लंबी-लंबी चिट्टियाँ लिखीं। सुन्दर बीवी हमेशा सुख देनेवाली नहीं होती, इस बारे में तरह-तरह के उदाहरण देना नहीं भूलतीं। किस तरह इच्छामणि उसके पादुका-पूजन के बिना जलस्पर्श नहीं करती, किस तरह वह जान गँवाने जा रही थी और बोली- 'मेरी सूरत देखने पर उन्हें दु:ख होता है। क्या मैं उन्हें सारा जीवन दु:खी देख सकती हूँ? मैंने जान दे दी तो वे दुबारा अपनी मनपसन्द की लड़की से विवाह करके सुख से रहेंगे। यही मेरा सुख होगा। मेरा तो यही सौभाग्य है कि मैंने उनका हाथ थामा। मुझे भला और क्या चाहिए?' अन्नपूर्णा ने उसे किस तरह समझाते हुए कहा था, 'तू आत्महत्या करेगी तो इसका पाप सिर्फ तुझे नहीं लगेगा, मेरे देवर गोप पर भी नारी- हत्या का पाप चढ़ेगा। इसलिए कम-से-कम गोप को पाप से बचाने के लिए तुझे आत्महत्या का ख्याल अपने मन से निकाल देना चाहिए। क्या तू चाहती है कि तेरा पति तेरे इस काम की वजह से नरक में जाए?' इतनी बातों से तुम्हारी इच्छामणि सब समझ गयी। बोली, 'दीदी, मेरे पति देवता हैं, उन्हें नरक में डालकर मैं और पाप क्यों अर्जित करूँ? पति के लिए मैं जिन्दा रहूँगी। पर उनके रास्ते का काँटा नहीं बनूँगी। आप फिर से उनका ब्याह किसी सुन्दर कन्या से करवा दें। मुझे कोई शिकायत नहीं होगी। मैं उसकी नौकरानी बनकर जी लूँगी। यदि इससे भी उनके सुख में बाधा पड़ी तो मायके चली जाऊँगी। भतीजे-भतीजियों की सेवा करने पर भाई मुझे खाना-कपड़ा दे ही देंगे। मैं सचमुच उनके योग्य नहीं। मेरी वजह से भला वे क्यों दु:ख पाएँ।'

ऐसी न जाने कितनी-कितनी मनगढ़न्त झूठी बातें लिखकर देवर को भेजा करती थीं अन्नपूर्णा। सोचती थीं, अच्छे उद्देश्य के लिए झूठ बोलना पाप नहीं है। और यदि पाप लगता भी है तो उसे परवाह नहीं, दो-दो जिन्दगी बचा पायीं तो उनका भाभी बनना सार्थक हो जाएगा। अन्नपूर्णा ने इच्छामणि को कान में फुसफुसाकर सिखाया कि चिट्ठी में लिखी बातों के बारे में पति पूछे तो हामी भर देना। उन कुछ दिनों तक इच्छामणि ने अन्नपूर्णा की बातों को वेद वाक्य मान लिया था। अन्नपूर्णा की दवा असर कर गयी। गोपकृष्ण लौट आया। अन्नपूर्णा ने इच्छामणि को यथासाध्य सजाया। कई देवी-देवताओं को स्मरण कर देवर को

सुहागरात वाले कमरे में भेज दिया। कान में फुसफुसायीं, 'लड़की बहुत गुणी है। सोने की खान है। रूप चिकना होने से क्या मिलेगा? महीने भर से रो-रोकर आँखें फोड़ रही है। माँ काली भी तो शिव की पत्नी थीं! शिव से सुन्दर इस दुनिया में और कौन-सा पुरुष है?' इच्छामणि के कान में भी फुसफुसायी, 'पति कमरे में घुसते ही ढिबरी धप से बुझा देना। अँधेरे में पति के चरणों में सिर रख देना। आगे भगवान का भरोसा है।' भाभी की बड़ी-बड़ी चिट्ठियाँ पढ़कर गोपकृष्ण का मन पहले से ही दब चुका था। कमरे में घुसने से पहले मन और भी पसीज गया। आँखों के आगे माँ काली का रूप उभर आया। भक्ति से प्रणाम करके कमरे में डग रखते न रखते अँधेरा हो गया। चरणों में अंजुलि भर फूल चढ़ गया-फूलों पर बारिश की बूंदें। पैर भीग रहे थे उष्ण-उष्ण अश्रु-जल से। कमरे में चम्पा, बेला और पारिजात फूलों की महमह सुगन्ध-गोपकृष्ण का सरल मन पूरा का पूरा महक उठा। आँखें भीग गयीं अपने ही आँसुओं से। अपने आँसुओं से इनसान अपनी ही आँखें गीली करता है- इनसान खुद ही खुद को दुःख देता है। चाण्डाल कहीं के! कितना दुःख दिया इस निष्पाप कन्या को, और खुद को। माँ समान भाभी क्या तेरी दुश्मन है। भला वह तेरा बुरा चाह सकती है? कन्या में सारे सद्गुण न देखती तो क्या अन्नपूर्णा उसे घर में बहू बनाकर लाती? एक बार इतना तक सोचे बिना कितनी जगहँसाई करवायी इस नयी नवेली दुल्हन की? गोपकृष्ण ने खुद ही को धिक्कारते हुए अंजुलि भर फूल उठा लिये पैरों से- रात में फूलों का रंग नहीं, सिर्फ सुगन्ध समाती चली जा रही थी नस-नस में। मन रंग नहीं ढूँढ़ता, ढूँढ़ता है सुगन्ध।

छह महीने के भीतर क्वार्टर लेकर इच्छामणि को साथ लिवा जाने को कहा था अन्नपूर्णा ने। गोपकृष्ण ने बात मान ली थी। तीन बच्चों की माँ बनने तक इच्छामणि को साँस तक नहीं लेने दी गोपकृष्ण ने। हर बात पर ताने कसता था- 'भाभी की तरह बनो। उनकी तरह बच्चों की परवरिश करो- रिश्ते-नातेदारों का ध्यान रखो-दीन-दुखियारों को कुछ दो- भाभी को भैया क्या सिर्फ सुन्दरता के कारण चाहते हैं? रूप तो भगवान का दान है- इनसान का इसमें क्या वश? भाभी जैसा रूप ही तो तुम्हें नहीं मिला, उनके गुण तो तुम सीख ही सकती हो। इच्छामणि भीगी बिल्ली-सी चुपचाप रहती थी। ऊँ-चूँ तक नहीं। लेकिन धीरे-धीरे गोपकृष्ण को न जाने क्या सम्मोहन सुँघा दिया कि गोपकृष्ण चूहा बन गये। इच्छामणि पति पर हावी रहने लगी। गोप तनख्वाह लाकर पत्नी की हथेली में रख देते। अपने लिए पाँच रुपये माँगने पर हिसाब देना पड़ता। भैया-भाभी, भतीजा-भतीजी, बड़े भैया के पास रहने वाले बूढ़े पिता, विधवा बहन,

भानजे-भानजी की शादी, पर्व-त्योहार आदि में लेन-देन का सवाल ही कहाँ उठता है। बूढ़े पिता बीमार पड़े- उस पार चले गये- शुद्धि क्रिया हुई। पचास रुपये भी नहीं दे सका गोप। गोप के मुँह खोलते ही, इच्छामणि चिड़चिड़ा उठी, 'हम लोग तो परदेस में पड़े हर चीज खरीदकर खाते हैं। जो गाँव में धान-चावल, पेड़-मछली का उपभोग कर रहे हैं वे दें पैसे।' भतीजा-भतीजियों की शादी हुई। लेन-देन कोई बड़ी बात नहीं। चाचा होकर ऐसे में आकर खड़े नहीं हुए, इसका बड़ा मलाल है। कैसे इतने बदल गये गोप चाचा? क्या सचमुच बड़े भाई के प्रति भक्ति, भाभी के प्रति श्रद्धा और भतीजे-भतीजियों के प्रति स्नेह-ममता का सोता सूख चुका है? किस वजह से? इच्छामणि के डर से? इच्छामणि भी क्यों जेठ-जेठानी के प्रति इतनी कठोर हो गयी? क्या इसमें अन्नपूर्णा का दोष है। नहीं- अन्नपूर्णा का दोष उनके दुर्गणों के कारण नहीं है, बल्कि अन्नपूर्णा के सद्‌गुणों की वजह से इच्छामणि जिठानी से खफा है। जेठानी से खफा होने की वजह से जेठ और भतीजे-भतीजियों से खफा है। अन्नपूर्णा के रूप-गुण की प्रशंसा पति से लेकर बन्धु-बान्धव, परिजन, पास-पड़ोसी सबके मुँह में है। कौन-सी औरत यह सब सहेगी। और यदि जेठानी हुई तो कलेजे में छूरी चल जाएगी। इच्छामणि चाहे जितना करें, अन्नपूर्णा के सामने निष्प्रभ-जुगनू के समान हैं। मानों इच्छामणि को सचमुच निष्प्रभ रखने के लिए ही अन्नपूर्णा में इतनी सुंदरता और अच्छाइयाँ हैं...मामूली रसोई बनाने में भी अन्नपूर्णा की बराबरी नहीं कर सकी...तरकारी अच्छी बनने से गोपकृष्ण कहेगा- आज कुछ-कुछ भाभी के हाथों से बनी जैसी लग रही है, पर मालूम तो पड़ ही जाता है। इच्छामणि की किसी बात से खुश हो जाने पर गोप चाचा कहते, 'आज इतने दिनों बाद तुमने भाभी जैसी बात कही है...' इच्छामणि भी भाभी की अच्छाइयों को स्वीकारती है। इसका मतलब यह नहीं कि अन्नपूर्णा उसे राहूग्रस्त चाँद की तरह अपनी उपछाया में ही रखे रहे जिन्दगी भर। शायद यही बात देवरानी-जेठानी के बीच कड़ुवाहट का कारण बनी हुई है।

लेकिन उम्र बढ़ने के साथ-साथ गोप चाचा पत्नी के समक्ष इतने कमजोर पड़ गये कि अब उन्होंने बड़े भाई के घर जाना तक बन्द कर दिया। जिस पत्नी का चेहरा देखते ही वे घर से भाग गये थे, उसी के कान भरने के कारण उन्होंने खून का रिश्ता तक तोड़ दिया!

भले ही सभी चाची को दोष दें पर सविता का सारा गुस्सा चाचाजी पर है। गुस्सा नहीं बल्कि प्रचण्ड अभिमान। चाची ने रुपये-पैसों पर ही तो ताला ठोंका है, पर क्या स्नेह में भी ताला लगाया है? सविता छोटी भतीजी होने की

वजह से चाचा की लाड़ली है। हमेशा कुछ न कुछ लेकर आते थे उसके लिए परदेस से।

बस से उतरकर गाँव जाने के रास्ते में पड़ता है बड़े भाई का स्कूल। स्कूल के अहाते में उनका मकान है। वहीं खा-पीकर, भतीजे-भतीजियों के साथ एक पहर बिताकर चाचा गाँव चले जाते हैं, तरह-तरह के वादे करके। फिर आएँगे, बच्चों के साथ पिकनिक करेंगे, सविता की बनायी तसवीरें देखेंगे, उसकी लिखी कविताएँ पढ़ेंगे। लेकिन एक बार चाची के पास पहुँच गये तो कुछ और ही हो जाते हैं चाचा। पिछली बातें मानों मन से मिट जाती हैं। फिर से नौकरी की जगह खामोश लौट जाते हैं, चिट्ठी लिखेंगे, किताबें भिजवाएँगे, रेलवे के पास से भारत भ्रमण करवाएँगे इत्यादि झूठे वादे करके। बच्चे भी धीरे-धीरे समझ चुके हैं कि गोप चाचा अब पहले वाले चाचा नहीं हैं। माँ बाबूजी कहते, गोप का कोई दोष नहीं है। उसका मन खुला है, उदार है, स्नेह-ममता से भरा है, पर क्या करे? बेचारा लाचार है...'

सभी बच्चों का चाचा पर से भरोसा उठ गया।

किन्तु सविता का नहीं टूटा था। क्योंकि चाचाजी का सबसे संबंध और सविता से संबंध एक जैसा नहीं था, न्यारा था। चाचा सविता को एक न एक बार रेलगाड़ी में घुमाने जरूर ले जाएँगे- इसमें सन्देह नहीं। अभी तक सविता ने रेलगाड़ी देखी भर थी, बैठी नहीं थी उसमें कभी, और सविता को लगता था कि रेलगाड़ी ही पृथ्वी पर विस्मयभरी सबसे बड़ी गाड़ी है। इतनी बड़ी गाड़ी, इतना शोर मचाती, इतनी तेजी से कैसे भागती है? एक आदमी इतनी बड़ी गाड़ी कैसे खींच लेता है? तरह-तरह के सवाल किया करती चाचा से। चाचा ने कहा था एक दिन उसे ले जाकर दिखाएँगे रेलगाड़ी कैसे चलती है, क्या खाती है, क्या पीती है, सब दिखा देंगे। सविता धीरे-धीरे बड़ी हुई, रेलगाड़ी के बारे में उसका कुतूहल खत्म हो गया, पर चाचाजी से दिल नहीं टूटा। वह बाट जोहती रहती है वर्ष में एक बार चाचाजी की छुट्टी के समय की। भले ही चाचा कुछ न दें, पर जितना समय साथ रहते थे बहुत अच्छा लगता है। चाचा झूठी दिलासा दे गये थे, यह बात चाचा का चेहरा देखते ही भूल जाती थी। चाचा तो वही पहले वाले चाचा हैं, सविता को यही लगता था। अब सविता को और कोई उम्मीद नहीं है चाचाजी से, सिवा इसके कि साल में एक बार गाँव जाते समय वे उनके घर पर रुकें और उसकी शादी में जरूर आएँ। बस इतनी-सी आशा का दीपक जलाये बैठी थी वह। किन्तु बड़ी बहन की शादी के बाद से अब चाचाजी गाँव जाते समय बड़े भैया के घर नहीं रुकते। रुकने जैसा कोई रिश्ता बनाकर रखा

ही कहाँ उन्होंने?

दीदी की शादी के समय एक आदमी गाँव भेजा था अन्नपूर्णा ने नारियल लाने के लिए। शादी-विवाह में ढेरों नारियल की जरूरत पड़ती है। गाँव में अपना ही घर भरा पड़ा है नारियलों से। परिवार में पहली लड़की के लिए बाजार से नारियल क्यों खरीदें? लेकिन चाची जी ने साफ-साफ कह दिया, 'जाओ, भाई जी और जेठानी जी से कह देना, जितने सालों तक उन्होंने गाँव की सम्पत्ति का उपभोग किया है, हम भी उतने सालों तक कर लें, तब आकर अपना हिस्सा ले जाएँ।' खाली हाथ लौट आया वह आदमी। लेकिन जो सन्देश लेकर वह लौटा था, उससे रामकृष्ण को गहरी ठेस पहुँची। अन्नपूर्णा तो कुछ बोल ही नहीं सकीं। मझधार में डूबती-उतराती नयी-नवेली दुल्हन इच्छामणि की नइया पार लगाकर उसे पति के सुहाने लायक बनाने में अन्नपूर्णा को क्या-क्या पापड़ नहीं बेलने पड़े। पर उसी इच्छामणि में इतनी ईर्ष्या, इतना गुस्सा, इतनी नीचता है! आखिर क्यों? नीच कुल की लड़की इच्छामणि की जन्मजात नीचता के सिवा कोई और कारण नहीं दिख रहा था। रामकृष्ण चुपचाप बैठे रहे काफी देर तक। शायद जीवन का सबसे बड़ा झटका था छोटे भाई की घरवाली का यह सन्देश। शान्त स्वर में बोले, 'जाओ बहू को बोल आओ, मेरे जिन्दा रहने तक गोपकृष्ण ही सारी सम्पत्ति भोगेगा।' गलती से भी साग का एक पत्ता तक लेने न भेजने के लिए उन्होंने आगाह कर दिया अन्नपूर्णा को। दीदी की शादी में शायद चाचा इसी दुःख और ग्लानि की वजह से नहीं आये। किस मुँह से आते? बैलगाड़ी में बैठकर चाची आयी थीं दीदी की शादी में। सबके सामने कान से कनपासे खोलते हुए बोली, इन्होंने रुपये-पैसे तो भेजे नहीं। और करूँ क्या? मेरे पास तो बस यही एक जोड़ी है। मायके की चीज है, इन्होंने क्या मेरे लिए कुछ बनवाया है इतने दिनों की रेलवे की नौकरी में। सारा पैसा बीड़ी-सिगरेट में उड़ा देते हैं। कान भले ही मेरे खाली रहें पर भतीजी को कैसे न दूँ? अन्नपूर्णा ने उसका हाथ पकड़ लिया। बोलीं, 'विवाह वाले घर में सुहागिन औरत क्या नंगे कान रहेगी? माँ-चाची क्या अलग होती हैं? लड़की को जो-जो कुछ दिया जा रहा है, क्या वह तेरा नहीं है? चल रहने दें, तुझे मेरी कसम है, कान से मत उतार।' चाची ने जिठानी की बात मान ली। वादा किया, 'फिर कभी सुविधा देखकर सोने के कनपासे गढ़वा देंगी बिटिया को। मेरी बहुत दिनों से इच्छा है...' सभी जानते थे कि चाचा की तरह यह कोई लाचारीभरा वादा नहीं है। यह छल भरा और झूठा है।

किन्तु सविता की उम्मीद अन्त तक अटूट थी कि चाचा उसकी शादी में जरूर आएँगे। अन्तस के अभिमान से भिगोकर उसने एक चिट्ठी लिखी थी,

'चाचा, तुम नहीं आये तो मैं देहरी लाँघ तो जाऊँगी, पर चौखट पर सिर पटक लूँगी। आना जरूर, तुम्हें मेरी कसम है। तुम्हारा आशीर्वाद लेकर ही जैसे घर से डग बाहर निकालूँ।'

'सबको उम्मीद थी चाचा आएँगे। अब इस बार चाची नहीं रोक पाएँगी चाचा को। सविता को चाचा जितना चाहते हैं, अपनी बेटी मिलि को भी उतना नहीं चाहते। सृष्टि में प्रलय भले ही आ जाए, वे आएँगे। सविता को बचपन से ही चाचा कहते आये हैं, भैया बड़ी बेटी का कन्यादान करेंगे, मैं सविता का कन्यादान करूँगा। वह मेरी बेटी है...' सारी उम्मीदें बेकार गयी। चाचा का तार आया, 'छुट्टी नहीं मिली, नहीं आ सकता।' बस टूट गये सारे रिश्ते। चाचा के ऊपर से भरोसे का अखण्ड दीप बुझ गया सविता के मन से। चाचा कहकर उसका कोई है, अब यह बात मिट चुकी है सविता के मन से।

खबरें मिलती रहती हैं- चाचा रिटायर हो चुके हैं। सिर्फ चाची ही नहीं, बेटे भी चाचा की दुर्गति करते हैं। चाचा के पेंशन के रुपये पर भी चाची का अधिकार नहीं रहता। दवा, पथ्य चाचा को नहीं मिलते। बड़ी फजीहत करके मुट्ठीभर खाना देती हैं चाची। हर वक्त तानें- सिर्फ भैया-भाभी। जिन्दगी भर यही सुनते-सुनते मेरी गृहस्थी खिंचती रही। बच्चों की पढ़ाई पर ध्यान नहीं दिया, जमीन-जायदाद पर गौर नहीं किया। तनख्वाह के पैसे बीड़ी-सिगरेट-गाँजे में उड़ा दिये। बच्चे आवारा हो गये। खेती-बाड़ी उजड़ गयी। सभी बस यही जानते हैं कि मैं छोटे घर की लड़की हूँ- खेती-बाड़ी हथियाये बैठी हूँ। बड़े भाई रामकृष्ण ने सारी सम्पति छोड़ दी छोटे भाई के लिए। वे ही लोग देवी-देवता हैं, मैं घर तोड़ने वाली हूँ। सिर्फ इतना ही मिला है पूरे जीवन में खसम की लापरवाही के कारण...।'

हाँ, चाचा चाहते तो जो कुछ हुआ, वह न हुआ होता। पर चाचा ने क्यों नहीं चाहा? इच्छामणि जैसी औरत उनके गले में बाँध देने के कारण उनमें काफी आक्रोश था। जीवन भर गले में फँसे होने जैसी हालत- न निगला जाता है, न उगला जाता है। समाज के बनाये नियम-बाल-बच्चे-घर की मान-मर्यादा-विवाह की मजबूत बेड़ियाँ...गलती से हो या जान-बूझकर, इच्छामणि को त्यागने का समर्थन कोई नहीं करता- भैया-भाभी कुटुम्ब, समाज सबने नीतिवाणी सुनायी थी। उपाय ही क्या था? न जाने कितने परिवार इसी तरह गुजारा कर रहे हैं- कितने पति-पत्नी कलाई में गाँठ बँधते ही पिंजड़े में बंद जानवरों की तरह हो जाते हैं। चाचा की हालत वैसी ही थी।

जीवन भर रामकृष्ण को यह अफसोस रहा कि गोप के साथ घोर अन्याय

हुआ है। उसकी पसन्द की न होते हुए भी इच्छामणि को उस पर थोप दिया गया। बेचारा पूरी जिन्दगी दु:ख पाता रहा- गलतफहमी का शिकार हुआ। अन्नपूर्णा का सोचना था कि इसमें उसका क्या दोष? उसने तो मनपसन्द लड़की देखी थी, गोप का नसीब ही खराब था। वरना छोटी बेटी दिखाकर बड़ी बेटी...छोटी बेटी की जहाँ शादी हुई है वह घर सोना बन गया है। इच्छामणि पर भी दोष नहीं मढ़ा जा सकता। जीवनभर उसे गोप का प्यार नहीं मिला, दो बोल नहीं सुने कभी प्रशंसा के पति के मुँह से। बैल की तरह मुँह बन्द किये पत्नी के आदेश का पालन करके क्या कोई पत्नी को सुखी कर सकता है? सात बच्चों की माँ बन जाने पर क्या पत्नी का जी भर जाता है? क्या असुन्दर पत्नी के पास मन जैसा कुछ नहीं होता?

माँ-बाबूजी अब नहीं रहे। अब भी चाचा के बेटे गाँव की सम्पत्ति भोग रहे हैं। सविता का भाई हाट से चावल खरीदकर खाता है- गाँव की जायदाद से हिस्सा नहीं लिया। चाचा के बेटों की जो धाक है, कौन करेगा उनसे फौजदारी? रामकृष्ण जो नहीं कर सके, कैसे कर सकता है उनका बेटा?

किंतु चाचाजी के तो विवेक है! अब तो भतीजे को बुलवाकर जमीन का बँटवारा कर देना चाहिए। सविता बहुत रूठी हुई है चाचाजी से। चाचा ने खुद को इतना असहाय क्यों बना लिया, यह सोचकर गुस्सा भी आता है उन पर। कई वर्ष बीत चुके हैं। पर वह गुस्सा और अभिमान अभी कल ही की तरह साल रहा है उसके मन को अन्दर ही अन्दर।

चाचाजी के बेटे का फोन आया- 'दीदी, बाबूजी कटक मेडिकल कॉलेज के हृदय रोग वार्ड में भर्ती हैं। बुखार और खाँसी चार महीने से परेशान किये हुए है। मुझसे कहा है बाबूभाई को खबर करने के लिए। बाबूभाई को देखना चाहते हैं। उनके घर पर तो फोन है नहीं। आप जरा उन्हें खबर भिजवा दीजिएगा...'

खाँसी चाचाजी का पुराना रोग है। काफी अरसे से भोग रहे हैं। इस खबर से कोई खास झटका नहीं लगा। झटका लगा चाचाजी के बाबूभाई को खबर देने के निर्देश से। चाचाजी सविता को नहीं ढूँढ़ रहे, उसके बड़े भाई को ढूँढ़ रहे हैं। सविता लड़की है- दूसरे के घर से बँधी खून की डोर कमजोर जो हो जाती है। बाबूभाई परिवार के बड़े बेटे हैं- पूर्व पुरुषों को पिण्ड-पानी देंगे।

भला लड़कियाँ भी इनसान होती हैं। सविता ने भाई को खबर भिजवा दी। मन हो रहा था- क्या एक बार जाकर देख आये चाचा को? वे ढूँढ़ें न ढूँढ़ें- क्या सविता मन ही मन नहीं ढूँढ़ती चाचा को? चाचाजी का स्नेह जब तक मिला था, क्या उसकी डोर इतनी कमजोर थी! तो फिर सविता में यह पहाड़-सा अभिमान

क्यों है? चाचा का हालचाल भैया से मिल जाया करता था। चाचा के स्वास्थ्य में सुधार हो रहा था। सविता को नहीं ढूँढ़ा? सविता कैसी है, भैया से पूछा तक नहीं? कहाँ, भैया ने तो नहीं बताया ऐसा कुछ। सिर्फ इतना कहा कि बहुत ढूँढ़ रहे थे उसे- अपने बेटों पर भरोसा नहीं रहा उन्हें, उनकी इच्छा है कि दिन-रात मैं ही बैठा रहूँ उनके पास। समझ नहीं रहे कि हमारे भी दायित्व हैं नौकरी के प्रति। उनके पास सुबह से शाम तक कैसे बैठ सकता हूँ? किन्तु बीच-बीच में तो जाना ही पड़ेगा। बहुत कष्ट होता है उनकी हालत देखकर।'

सविता को लगता कि उसके अभिमान का पहाड़ आहिस्ता-आहिस्ता और विशाल होता चला जा रहा है। कहीं छाती तो नहीं फाड़ डालेगा?

न बुलाएँ चाचा। सविता एक बार जाकर देख आएगी चाचा को। पर एक शब्द तक नहीं बोलेगी।

सविता जाने-जाने की सोच ही रही थी; चाचाजी के बेटे ने फोन किया 'दीदी! बाबूजी चल बसे। बाबू भैया को तुरन्त खबर भिजवा दीजिए। वे जहाँ कहीं भी हों, फौरन चले आएँ। ताऊजी पहले ही चले गये थे- बाबूजी चले गये, अब से बाबू भैया ही घर के मुखिया हैं। हमें क्या मालूम है? उनके न आने तक कुछ नहीं होगा...'

ठिठकी रह गयी सविता। भैया को खबर भिजवायी गयी। खुद भी जा पहुँची अस्पताल। बीस साल बाद जिन्हें आँखें मूँदकर बेजान लेटे देखा, क्या वे सचमुच उसके गोप चाचा हैं, जिन पर इतने सालों से अभिमान का पहाड़ लादे बैठी थी सविता।

उम्र, बीमारी या आत्मदहन किससे, हृष्ट-पुष्ट चाचा जी की यह कंकाल जैसी हालत हो गयी थी! सविता चाचाजी की ओर देख तक नहीं पा रही थी। मानों उसकी छाती में कोई हथौड़े से प्रहार कर रहा है- 'इस असहाय, अत्याचारित, पीड़ित इंसान से भला कोई इस क़दर रूठता है?' चाचाजी की खाट के बगल वाले रोगी की रिश्तेदार सविता की ओर एकटक देख रही थी। उन्होंने पूछा, 'क्या तुम इनकी भतीजी सविता हो?' सविता ने सिर हिलाकर हामी भरी। उस महिला ने दर्द भरे स्वर में कहा, 'प्राण अटके हुए थे तुम पर। तुम्हारी बचपन की बातें रोजाना एक बार अवश्य करते। तुम्हारी शादी में नहीं जा सके थे। उसके बाद भी इतने सालों की दूरी। कहते थे, किस मुँह से आज उसे बुलवा भेजूँ? बहुत नाराज है मुझसे। किन्तु मुझे विश्वास है कि जैसे ही उसे पता चलेगा मैं यहाँ भर्ती हूँ, जरूर दौड़ी चली आएगी। समय नहीं मिल रहा होगा। नौकरी करती है। बड़े जंजाल हैं। पर आएगी जरूर। कम-से-कम मेरे मरने की खबर मिलने

पर वह बिना आए रह नहीं सकती। यही बेहतर होगा। वरना जीते-जी उससे मुलाकात होने पर क्या जवाब दूँगा?'

'छि:, तू मर क्यों नहीं गयी चांडालिन...' सविता अपने अभिमान को ठोकर मारते हुए मुँह फेरकर लौट आयी। चाचा की मृत देह से लिपटकर फूट-फूटकर रोने से क्या उसके पाप को क्षमा मिल जाएगी जो वह अन्तिम दृश्य देखने के लिए वहाँ रुकी रहती?

देवकी

जंगली पगडंडियों से होकर झुमिया हाट से लौट रही है। दुःख की सीढ़ियों पर ठुकुर-ठुकुर डग बढ़ाते हुए मानों वह जीवन के पहाड़ी रास्तों पर चढ़ती चली आ रही है। अमूल्य निधि की तरह न जाने कौन-सी चीज खूब सँभालकर छाती से चिपकाए हुए है। ऐसा लग रहा है मानों कोई छौना उसकी छाती से सटा दूध पी रहा हो।

तीन नाले और एक नदी पार करके जंगली रास्तों से होकर पंद्रह मील पैदल चलने के बाद उसका गाँव पड़ेगा। दो दिन पहले अपने गाँव से पैदल चलकर वह खड़ियाल हाट आयी थी। आते समय भी इसी तरह सीने से चिपकाए हुए थी- अमूल्य निधि, अपने पाँच महीने के छौने को। हाट में क्या बेचा, क्या खरीदा-उस बारे में झुमिया नहीं सोच रही थी। वह सोच रही थी किस तरह अपने गाँव पहुँचे, भूख और बीमारी की मार सँभाल न पाने से गाँव छोड़ जाने को तैयार बैठे अपने पति घन्नू के मुँह में खाना डाले, उसे जिलाए रखे... खुद भी कुछ खा-पीकर, साँस लेगी, जीएगी, चोले में जान आएगी।

घन्नू कब से कह रहा है- 'चलो, गाँव छोड़कर कहीं और चलें। इस गाँव में काम नहीं है, खाना नहीं है, इंद्रदेव की कृपा नहीं है, फसल नहीं है। सूखा, अकाल, बीमारी, मौत- ये गाँव का पीछा नहीं छोड़ेंगे- चलो, कहीं और भाग चलें।'

झुमिया राजी नहीं हुई। उसकी गोद में छोटा-सा छौना है। पेट में भी एक और पलने लगा है। गाँव की देहरी छोड़कर कहाँ जाएगी? इस गाँव में कुछ न सही, सिर पर छप्पर तो है, पूर्वजों की टूटी-फूटी मड़ैया तो है। आगे बरसात का मौसम है। किसी तरह बीत जाएगा। उसके बाद फिर काम मिलेगा, हर साल की तरह जिंदगी बीत जाएगी। घन्नू झुमिया की बातें सुन, मन मसोसकर अपनी ही

देहरी पर पड़ा रहा। उसकी तरह और भी कई लोग मन मसोसे अपनी-अपनी देहरी पर पड़े हैं। चाहे जितना भयंकर अकाल पड़े, सभी गाँव छोड़कर नहीं भागते।

इस छोटे-से गाँव में कुम्हार, ग्वालों और आदिवासियों के कई घर प्रतिवर्ष जीवन, मृत्यु, बीमारी, भूख, सूखा, अकाल से संघर्ष करते हैं। गाँव में कुआँ, तालाब नहीं है। स्कूल, अस्पताल, दुकान-बाजार नहीं हैं। दूर नाले से गँदला पानी लाने पर भात बनता है। भूख मिटती है। हर साल सूखे के समय लोग मर-खप जाते हैं- लोगों से भरे इस गाँव में अब सिर्फ दो-ढाई सौ भूखे और बीमार लोग बचे हैं। घन्नू और झुमिया दूसरे के खेतों में काम करके मजूरी के रूप में हाँड़ी-मटका पाते हैं। उन्हीं हाँड़ी-मटकों को बेचकर बहुत मुश्किल से एक जून खाते और दूसरे जून उपासे रहकर आज तक जी रहे हैं। सत्रह साल हो चुके हैं झुमिया को घन्नू के घर आए। आठ बच्चों की माँ भी बन चुकी है, लेकिन कोई भी उसका नहीं हो सका। सभी अपने-अपने तरीके से दगा देकर खिसक गए। बड़ा लड़का उसके पास होता तो उसकी उम्र पंद्रह साल की हुई होती। दो साल पहले सूखा पड़ा। गाँव के बहुत-से लोग मध्यप्रदेश और पंजाब भाग गए, काम की आशा और जीने की अभिलाषा में। उसी समय मोती भी किसी के साथ मध्यप्रदेश भाग गया। फिर नहीं लौटा, न ही उसकी कोई खबर आयी। जिस तरह आँधी आम के बौर गिरा देती है, उसी तरह सूखा गाँव के लोगों का सफाया कर हर साल गाँव को सुनसान कर जाता है। मोती ने अच्छा किया जो नहीं लौटा। वह जिंदा है या नहीं, यह झुमिया नहीं जानती। फिर भी 'मेरा मोती जिंदा है', यह सोचकर इतने दुःखों में भी झुमिया खुश रहती है, माँ होने के नाते उसका दिल गद्गद हो जाता है। 'जहाँ भी रहे, जीता रहे, हाथी जंगल में घूमता रहे तो भी राजा का ही होता है।' झुमिया जैसी असहाय जननी के लिए इससे बड़ा आश्वासन भला और क्या हो सकता?

मोती के बाद जितने भी गोद में आए, सभी आते ही चल बसे। कोई भी साल-भर तक नहीं जी सका। लगातार छह-छह भाई-बहनों की मौत देख मोती सहम गया था, उसे डर लगने लगा था। लेकिन घन्नू इस बारे में कुछ नहीं सोचता था। मृत बच्चे को फटे चीथड़ों में लपेटकर श्मशान में डाल, नाले में एक डुबकी लगाकर आता और भात खाकर, काम पर निकल जाता। बड़े लड़के मोती की पीठ पर हाथ फेरकर साहस बँधाते हुए कहता, 'मौत से इतना भय क्यों? मौत कोई आश्चर्य की बात नहीं? सभी जीते हैं रे! क्या पेड़ के सभी फल पकने तक लगे रहते हैं? मनुष्य का जीवन भी वैसा ही है...' अधिक नहीं, एकाध दिन

झुमिया भी फूट-फूटकर रोती। घन्नू मर्दानगी दिखलाते हुए कहता, 'तिल को ताड़ क्यों बना रही है? इस गाँव में किसके घर पाँच-सात बच्चे नहीं मरते जो तू सारा काम-धाम छोड़कर इस तरह रो रही है जैसे कि सिर्फ तेरे ही बच्चे मरे हैं। चल, जा काम कर, वे तेरे नहीं थे, यह सोचकर मन को समझा ले...'

झुमिया अपने मन को समझा-बुझा लेती। घन्नू की बात गलत नहीं है। किसी देवता ने शाप पाकर झुमिया के पेट से मनुष्य का जन्म लिया था, शाप पूरा हुआ, वे स्वर्ग लौट गए, छोटे-से जंगली गाँव में भूख और बीमारी में तड़पने के लिए भला वे क्यों जीवित रहते? जो चला जाता है, वह देवता है- वह दुःख, भूख नहीं जानता। जो जीवित रहता है, वह मनुष्य है; क्योंकि वह दुःख, भूख, शोक में पड़ा सड़ता रहता है। दुःख के पहाड़ को लाँघकर जीवन के विपरीत प्रवाह को काटते हुए आगे की ओर बढ़ते रहना कितनी सहज, सुंदर, अपनत्व भरी सांत्वना है!

जब झुमिया को लड़का होता तो वह सोचती, भगवान इस पर अपनी कृपा दृष्टि बनाए रखेंगे। उसकी उस काट खाने को दौड़ती मड़ैया में 'माँ-माँ की टेर सुनाई देगी, किंतु बड़े लड़के के बाद माँ कहकर टेरने तक कोई भी उसकी गोद में टिक नहीं पाया। कई वर्षों से सूखा आस-पास के पाँच गाँवों में कंस की तरह मौके की तलाश में बैठा है। माँ की गोद सूनी कर बच्चों को खत्म कर देता है। भूख, उपास से ऐंड़े हुए सुकोमल बच्चों का गला दबाने के लिए घात लगाए बैठा है कंस रूपी सूखा।

इस साल का सूखा सिर्फ बच्चे ही नहीं, बल्कि बड़े बुजुर्गों एवं चौपायों को भी गाँव से खत्म करने पर उतारू है। गाँव मरघट की तरह खाने को दौड़ता है। सौ के लगभग लोग गाँव छोड़कर कुली का काम करने दूर-दूर तक चले गए। कोई बँधुआ मजूरी करने लगा तो कोई दिहाड़ी मजूरी। गाँव में जो दस-पाँच परिवार अच्छे खाते-पीते घर के हैं, वे भी एक जून खाना खाते हैं और दूसरे जून उपासे रहते हैं। जो अनाज बीज के लिए रखा था, भूख में वह भी खा चुके हैं। जड़-जमीन, बर्तन-भाँड़े, गाय-बैल, भेड़-बकरियाँ- सब कुछ बेच-बाचकर लोग दिवालिया हो चुके हैं। खाने-पीने के लिए घर पर एक बर्तन तक नहीं है। जंगली शकरकंद और कोमल जड़ें खाकर कितने दिनों तक जिया जा सकता है? जहरीले कुहलिहा शकरकंद को भी उबालकर पानी निचोड़कर लोग जान बचाने के लिए खा रहे हैं। अब तो जंगल के कंद-मूल तक खत्म हो चुके हैं। अब पेड़ की छाल और कुछ पेड़ों के उबले पत्तों में ही लोगों की अंतिम साँसें टिकी हैं। झुमिया और घन्नू की संपत्ति के रूप में उनके चार कमेरू हाथ हैं। खेत में फसल

नहीं थी, गाँव में काम नहीं था। काम न हो तो भात नहीं। और बिना भात के हाथ भी कमाऊ नहीं रह जाते।

गाँव में जो अस्थि-पंजर युक्त मनुष्य पड़े हुए हैं, उनमें कौन बूढ़ा, कौन जवान है, मालूम नहीं पड़ता था। सभी एक-से दिखते थे, लंबे और ठिगने-से ही छोटे बच्चे या बड़े आदमी के होने का अंदाजा लगाया जा सकता था। सबकी आँखें कोटरों में समा चुकी थीं, शरीर में सिर्फ हड्डियाँ ही रह गयी थीं और गाल अंदर धँस चुके थे। खाद्य पदार्थ की कमी से बच्चों के सिर के बाल बूढ़ों की तरह बदरंग हो गए थे। पशु, मनुष्य, नदी, नाले, खेत, खलिहान-हर जगह बुढ़ापे का एकछत्र राज था।

झुमिया ने भी अपने नन्हें बच्चे के बचने की उम्मीद छोड़ दी। उसके पेट में तो एक दाना तक नहीं है, बच्चे के लिए दूध कहाँ से आएगा? उबले चकबँड़ के पत्तों से उसके और घन्नू के कुछ दिन कट जाएँगे, पर बच्चा कैसे जीएगा? बच्चे को सीने से चिपकाकर जिस दिन झुमिया हाट जाने को निकली, घन्नू ने पूछा, 'क्या बेचेगी हाट में? पिछवाड़े बाड़ी में कुछ है भी तो नहीं- बकरी, मुर्गा, अंडा, तुरई, भिंडी, भंडा-बासन क्या है जो तू हाट जा रही है? तेरी तबीयत भी ठीक नहीं, भूखे पेट नदी-नाले पार करके पंद्रह मील पैदल चलने के बाद जिंदा भी रह सकेगी? मान भी लें कि भाग्य के जोर से तू खड़ियाल पहुँच भी जाएगी, तो क्या तेरा चेहरा देखकर कोई तुझे रुपये या चावल दे देगा?'

झुमिया ने उदास होते हुए कहा, 'मैं मरूँ या जीऊँ, वह बाद की बात है- सोचती हूँ, बच्चे को किस तरह बचाऊँ। इस गाँव में सूखा, कंस की तरह घात लगाए बैठा है। मेरी गोद में बच्चा देखते ही उसे झपट लेने को तैयार है। कई लोग हाट जा रहे हैं। देखूँ, शायद कोई जुगाड़ बन जाए।...' वह कुछ और कहना चाहती थी कि रुआँसी हो उठी।

झुमिया की तार-तार हुई साड़ी को देख घन्नू ने कहा, 'क्या भूख के कारण लाज-शरम भी खो चुकी है? इस तरह खुले बदन हाट जाएगी?'

गुस्सा, दुःख, निराशा से खीझते हुए झुमिया ने कहा, 'लाज-शरम तो मामूली बात है, पेट की आग बुझाने के लिए किसी दिन अपना ही माँस न खा लूँ, बस वही बाकी है। मेरी हाड़-कंकाल की देह को देखने कौन बैठा है हाट में?- देखूँ, एकाध साड़ी भी मिल जाए...'

झुमिया बच्चे को सीने से चिपकाए हाट जाने को हुई। घन्नू ने कहा, 'जाती है तो जा, अब मैं इस गाँव में नहीं रहूँगा, कहे देता हूँ। थोड़ा-सा भी चलने लायक हुआ कि तेरी बात माने बिना रायपुर चला जाऊँगा। रिक्शा चलाने या रोज

मजूरी करने पर मुट्ठी-भर भात तो मिलेगा...'

झुमिया ने बच्चे का बदन छुलाते हुए कहा, 'बच्चे को छूकर कह, फिर कभी गाँव छोड़कर जाने की बात नहीं कहेगा। हाट से मैं कुछ-न-कुछ जरूर लाऊँगी। अब क्या तुझमें रिक्शा चलाने की ताकत है भी?'

घन्नू ने चौंकते हुए अपना हाथ खींच लिया और कहा, 'अरे, बच्चे का बदन क्यों छुला रही है? सबको तो सूखा निगल चुका, यह इकलौता भी कहीं हाट जाने के रास्ते में ही न चल बसे...'

'तुम्हारे इस गंदे मुँह से सिर्फ बुरी बातें ही निकलती हैं। दिन-रात गाँव छोड़कर भाग जाने की धमकी देते हो। लगता है, मेरे और मेरे बच्चे के भूखे मुँह में दाना देते हो...' कहते-कहते झुमिया रो पड़ी।

झुमिया बच्चे को गोद में लिए हुए बड़ी मुश्किल से जंगली रास्तों पर डग बढ़ाती चली जा रही थी। नदी, नाले सब एक ही धुन में पार करती जा रही थी। झुमिया की प्रतिज्ञा क्रमशः दृढ़ होती जा रही थी। वह जीएगी, घन्नू जीएगा, उसका बेटा जीएगा, जीने के लिए ही मनुष्य जन्म लेता है। उस दिन इसी तरह वासुदेव देवकी की गोद सूनी कर कृष्ण को लिए हुए नदी-नाले, जंगल पार करके गोकुल की ओर बढ़ते चले जा रहे थे। वासुदेव ने प्रतिज्ञा की थी, 'उनका बेटा कंस की चंगुल से बचेगा, जरूर बचेगा...' उस दिन देवकी ने अपनी छाती पर पत्थर रख कृष्ण को वासुदेव के हाथों में सौंप दिया था, 'बेटा जहाँ भी रहे, जीता रहे।' देवकी के मन में इतनी ही बात थी। झुमिया के मन की बात देवकी से अलग नहीं है। देवकी माँ है। झुमिया का मातृत्व क्या देवकी से कम है? झुमिया की गोद से भी छह बच्चों को सूखे रूपी कंस ने छीन लिया है। मानों उसकी गोद का बच्चा भी छीन लेने के लिए कंस आँधी-तूफान बनकर उसके पीछे-पीछे दौड़ता चला आ रहा है।

फटे चीथड़े से बेटे को खूब अच्छी तरह ढक कर छाती से चिपकाए हुए थी झुमिया। बच्चा झुमिया के सूखे स्तन में मुँह लगाए निष्क्रिय-सा माँ की छाती से मिल गया। वह जी रहा है या नहीं, इस बारे में झुमिया को कभी-कभी आशंका होने लगती। कमजोरी की वजह से बच्चा दूध खींच नहीं पा रहा था, खींचता भी तो झुमिया की छाती में बेटे के लिए बूँद-भर दूध तक नहीं था। झुमिया काँटे-पत्थर की परवाह किए बगैर चलती चली जा रही थी।

खड़ियाल के हाट में झुमिया ने हाँड़ी-मटका बेचा है। कभी-कभार घर की बाड़ी की साग-सब्जी, अंडे, मुर्गे भी बेचे हैं। लेकिन आज जो कुछ बेचने जा रही है, कभी सात जनमों में न बेचना पड़े। दुनिया को इस बात का पता न

चले। पता चल गया तो दुनिया कहेगी, झुमिया माँ थी या राक्षसी? लेकिन झुमिया का दु:ख भला कौन समझता है?

उनके गाँव के कई लोग हाट-बाजार में बिक गए। जवान पत्नी को पति ने बेच दिया, विवाह योग्य लड़की को बाप ने बेच दिया, लड़की, लड़के, पत्नी को छोड़कर पति कहीं दूर चला गया। उसके गाँव की रमा का पति भूख के कारण घर छोड़कर कहीं दूर चला गया। रमा के घर पर जवान बेटी, गोद में बेटा और उससे बड़ी ठुकुर-ठुकुर चलती बिटिया है। अधिक पैसे मिलने की उम्मीद में रमा ने जवान बेटी को बेच दिया। छोटी बिटिया को बेचती तो ज्यादा पैसे नहीं मिलते। कुछ दिनों तक माँ-बच्चों का गुजारा हो जाएगा। उसके गाँव की फानस-पूँजी ने अपनी विवाह-योग्य ननद को सौ रुपयों में बेच डाला। झुमिया की जवान बेटी होती तो वह भी बेटे को न बेचकर बेटी को ही बेचती। झुमिया जो कुछ करने जा रही है, उसमें कोई पाप नहीं है। वह जीएगी, बेटा जीएगा। इसीलिए वह चली जा रही है। जिस दिन देवकी ने कृष्ण को गोकुल भेज दिया, उस दिन बेटे की जान बचाने के साथ ही अपनी जान बचाने की बात क्या उसके मन में नहीं थी? अधिक बच्चे नहीं पाल सकेंगे, इसीलिए आज कल माँताएँ गर्भ गिरवा देती हैं। कहती हैं, यह पाप नहीं है। बल्कि इससे देश का कल्याण होता है। वह तो जीव-हत्या करने नहीं जा रही है, जान बचाने की और कोई राह न पाकर ही उसने इस राह को चुना है।

पूरे रास्ते झुमिया तरह-तरह से अपने मन को तसल्ली दिला रही थी। जो काम वह करने जा रही थी, उसकी अनिवार्यता के बारे में सोचती जा रही थी। यह सोच-समझकर बार-बार मन को सांत्वना देती थी कि बच्चे के मृत शरीर को केवड़े की झाड़ियों में लुढ़का देने से तो अच्छा है कि माँ यशोदा के हाथों में सौंप दे।

खड़ियाल हाट के पास कोई साहब किसी बच्चे के लिए व्याकुल हो घूमते दिखलाई देते हैं। भगवान ने उन्हें कोई बच्चा नहीं दिया। वे किसी अनाथ बच्चे को गोद लेना चाहते हैं। हाट से लौटने वाले अपने गाँव के लोगों से कई मर्तबा झुमिया ने इस बरे में सुना है। वे साहब खड़ियाल के मिशनरी अस्पताल में पहुँचकर लावारिस बच्चा ढूँढ़ते हैं। अभी तक उनकी इच्छा पूरी नहीं हुई है। साहब को बेटा चाहिए, झुमिया को जिंदगी। यही उम्मीद लेकर झुमिया खड़ियाल हाट आयी है। कुछ ही महीने के बाद वह फिर माँ बनेगी। माँ बनना उसके लिए कोई बड़ी बात नहीं थी। 'माँ' कहकर पुकारे जाने तक बच्चे को जिलाए रखना बड़ी बात थी। झुमिया रह-रहकर अपना हौसला बढ़ा रही थी।

बात आसानी से बन गयी। बच्चे को साहब की पत्नी के हाथों में सौंपते समय झुमिया का पेट अंदर से खिंचने-मथने लगा। शायद दूसरा बच्चा कह रहा था, 'माँ री! मुझे भी इसी तरह बेच देगी ना!'

साहब की पत्नी ने भरी हुई आवाज में कहा, 'मन में दुःख मत करना। तेरा बेटा अच्छी तरह रहेगा। आज से वह मेरा बेटा है।' बच्चे को लड़ियाते हुए वह तुरंत घर में घुस गयी। मानों झुमिया की बुरी नज़र उस पर पड़ जाएगी। साहब ने अस्सी रुपये और एक मोटी साड़ी झुमिया के हाथ में रख दी। एक साथ इतने सारे रुपये झुमिया ने कभी नहीं छुए थे। फिर भी उसने सोचा कि औरत समझकर साहब ने मुझे ठग लिया। गाय, बैल, बकरी, भेड़ तो बहुत से रुपयों में बिकते हैं। मुर्गे का ही दाम चालीस रुपये हो गया है जबकि मनुष्य के बच्चे, वह भी लड़के का दाम सिर्फ अस्सी रुपये और एक साड़ी! बच्चे के लिए साहब के साथ मोल-तोल करना उसे ठीक नहीं लगा। यदि साहब ने बच्चा लौटा दिया, तो लौटते समय उसे केवड़े की झाड़ियों में ही सुलाना पड़ेगा।

साहब ने झुमिया के चेहरे पर उखड़े हुए भाव को देखकर कहा, 'बच्चा बहुत कमजोर और बीमार है। दवा में काफी रुपये खर्च करने होंगे। मेरे पास और पैसे नहीं हैं। बच्चे के इलाज के लिए कुछ रुपये तो हाथ में रखने ही होंगे ना।'

बच्चे के इलाज की बात सुन झुमिया ने व्याकुल होते हुए कहा, 'नहीं साहब, मेरे लिए इतना ही काफी है। जिगर के टुकड़े का इलाज करवाएँगे और उसे भर-पेट खाना देंगे, बस इतना ही भरोसा दिला दें तो मैं निश्चिंत हो लौट जाऊँगी।'

मालकिन ने अंदर से ही कहा, 'मेरे बेटे के लिए अब तुझे परेशान होने की जरूरत नहीं है। तू सोचती है कि मैं लापरवाही करूँगी? जा, जा तुझे अभी आँधी-बारिश में बहुत दूर जाना है। बच्चे की याद अब दिल में मत लाना। इसी में उसकी भलाई है। और सुन, फिर कभी मत आना यहाँ।'

झुमिया लौट आयी। दुबारा बच्चे को देखने की इच्छा होने पर भी कहने का साहस नहीं हुआ। दूसरे के बच्चे पर अब उसका क्या अधिकार है? यह समझने में उसे देर नहीं लगी कि मालकिन उसे विदा करने के लिए हड़बड़ा रही हैं। शायद बेचारी डर रही होंगी कि कहीं झुमिया अपने बेटे को वापस न माँग ले।

मुँह फेरकर लौटते समय अंदर से रोने की धीमी-सी आवाज सुनाई दी। झुमिया का कलेजा काँप उठा। पीछे एक कदम लौटने पर पुनः अपना भ्रम समझ गयी। दूसरे के बच्चे के रोने पर उसके कलेजे में दर्द होना ठीक नहीं है। जो

बच्चे को माँ से अधिक चाहती है, वह डायन होती है। झुमिया अब अपने बच्चे की माँ नहीं है।

रास्ते-भर बच्चे की वही अंतिम रोने की आवाज झुमिया के कानों में पड़ती रही। झुमिया सोचने लगी कि बच्चा जरूर माटी टोहता होगा, हाथ टोहता होगा, मुँह टोहता होगा। नहीं तो रोता क्यों? अब झुमिया अपनी आँखों के आँसू नहीं रोक पा रही थी। वे अनवरत बह रहे थे, और सूख रहे थे। मन-ही-मन सोच रही थी, इससे तो अच्छा था कि भूखे-प्यासे बच्चे को सीने से चिपकाए हुए उन दोनों के प्राण-वायु उड़ जाते, माँ-बेटे एक साथ सो गए होते निश्चिंत नींद में। उसने ऐसा क्यों किया, जिंदगी-भर के लिए चिंता का शूल कलेजे में गाड़ लिया! फिर सोचती, बच्चे को क्यों सुखाकर मारती? अच्छा है किसी के पास रहे, आदमियों में उसकी गिनती हो, श्रीकृष्ण की तरह कंस के चगुंल से बचकर, आदमियों-सा आदमी नहीं बनेगा, यह कौन कह सकता है?

रास्ता खत्म नहीं हो रहा था, न ही झुमिया के पैर आगे बढ़ रहे थे- यह बात झुमिया की समझ में नहीं आ रही थी। एक तरह के दर्द से उसका पेट अंदर-ही-अंदर मथ जाता। मन में एक अबूझ क्रोध था, खुद पर या नियति पर, समझ नहीं पा रही थी। कभी-कभी साहब की पत्नी के प्रति उसका मन ईर्ष्या से भर उठता था। साहब के घर खाने को है, इसलिए साहब की पत्नी गर्भ का दर्द सहे बगैर ही आज बेटे की माँ है, जबकि गरीब होने के कारण सात-सात बच्चों को अपने खून-माँस से गढ़कर, दर्द सहकर, जन्म देकर भी आज उसकी गोद सूनी है!

दूसरे ही क्षण झुमिया के मन में नारीत्व का अभिमान जाग उठा। उसके गर्भ में पल रही है आठवीं संतान। कुछ ही दिनों में वह फिर माँ बनेगी। आठवें गर्भ से जो जन्म लेगा वह निश्चित ही देव अंश से जन्मेगा। सूखा, अकाल, गरीबी के कंस का नाश करेगा। उसके जन्म लेने के बाद फिर कभी अकाल नहीं पड़ेगा, भूख से तड़पकर कोई अपने बीबी-बच्चों को नहीं बेचेगा। जब से बच्चा पेट में आया है, उसका मन कहता है, अब उसके दु:ख दूर हो जाएँगे, उसके गाँव में खाने-पहनने का अभाव नहीं रह जाएगा। आठवीं संतान को किस तरह जिलाए रखेगी, किस तरह पाल-पोसकर बड़ा करेगी- यह सब सोचते हुए झुमिया बच्चा बेचने का दु:ख भूलने लगी थी। वह बार-बार प्रतिज्ञा करती, लाख अकाल पड़े, वह मर जाएगी, पर अपने बच्चे को नहीं बेचेगी। आने वाले सुख की कल्पना से हो या किसी और वजह से, झुमिया के पूरे बदन में झिमझिमाहट फैल गयी। दर्द धीरे-धीरे बढ़ते हुए पूरे शरीर में फैलने लगा। जंगली रास्ते में दोनों

पैर काँपने लगे। मानो वह पल-भर में बेहोश हो जाएगी। निचले पेट और कमर के पास के मेरुदंड की हड्डी में जैसे कोई विद्रोह की घोषणा कर रहा हो। इस विद्रोह का मतलब झुमिया से छिपा नहीं रहा। नारी-जीवन की तीव्रतम वेदना से अस्थिर हो वह जमीन पर चित लटे गयी। उसकी आँखों की ज्योति धूमिल पड़ने लगी। दोनों हाथों से वह अपने कुछ पृथुल पेट को सहलाने लगी। मन-ही-मन बोली, 'नहीं, ऐसा नहीं होना चाहिए, आठवें गर्भ की संतान को विद्युत-कन्या-सी इस तरह शून्य में तो नहीं समाना चाहिए! देवशिशु के अवतरित होने का समय तो अभी नहीं हुआ है। अरे बेटे, तू क्यों नहीं समझता। गाँव में अभी भी कंस रूपी सूखा घात लगाए बैठा है, अभी तेरे आने का समय नहीं हुआ है...'

दर्द से जितना नहीं, उससे ज्यादा आशंका से झुमिया का अंग-अंग काँप उठा। उसकी आँखें फैल गयीं और एक आलोड़न में ही दर्द का बोझ पल-भर में खत्म हो गया। झुमिया की आँखें थकान के बोझ से मुँद गयीं। वह इस आस में थी कि हर बार की तरह एक सुकोमल शिशु के रोने की आवाज किसी भी क्षण गूँज उठेगी और फिर माँ बनने के गर्व से उसका मन झूम उठेगा।

लेकिन वैसा कुछ नहीं हुआ। नवजात शिशु के क्रंदन ने जंगली जमीन को पवित्र नहीं किया, बल्कि दिल से निकल रही करुण क्रंदन की आवाज से झुमिया अपनी थकान भूलकर उठ बैठी। उसके पैरों के नीचे से खून का झरना बह गया था और उसमें एक निर्जीव माँस का लोथड़ा पड़ा था, झुमिया के सारे सपनों को छिन्न-भिन्न कर, उसके व्याकुल मातृत्व का मज़ाक उड़ाता। आठवें गर्भ का वह देवशिशु मातृ-गर्भ के कारागार को तोड़कर मुक्त हो चुका था। उसने निर्जीव माँस के लोथड़े से आकाशवाणी की, 'मानव शिशु का जन्म माँ की गोद में लालन-पालन के लिए होता है, एक साड़ी और अस्सी रुपये की एवज में बिकने को नहीं। साग-सब्जी, भेड़-बकरी, बैल और मुर्गे से भी मनुष्य के बच्चे की कीमत जिस धरती पर इतनी कम, इतनी नगण्य है, वह धरती मुझे नहीं चाहिए...'

देवशिशु की गहन बातें झुमिया नहीं समझ पायी। करुण विह्वल नजरों से माँस के लोथड़े को एक बार देखने के बाद झुमिया ने अपने खून से सने पैरों को खिसका लिया। साड़ी और उसकी छोर में बँधे अस्सी रुपयों को पहले की तरह छाती से चिपकाए धीरे-से उठकर बैठ गयी। उसके बाद एक-एक डग धरते हुए चल पड़ी। शरीर हल्का हो गया था। उसने सोचा, उसके गर्भ की आठवीं संतान की तरह इस संसार में सब कुछ मिथ्या है। सत्य तो केवल भात, कपड़ा और जीवित रहना है।

साड़ी और रुपयों को सुकोमल बच्चे की तरह छाती से चिपकाकर झुमिया जल्दी-जल्दी डग बढ़ाने लगी। संतान खोकर वह टूटी नहीं, क्योंकि वह जानती है, उसके गाँव में साल के बारहों महीने भर-पेट भात जुटाने की अपेक्षा साल में एक बार माँ बनना अधिक आसान है।

❑❑

अव्यक्त

जाड़े में ही यह रोग काफी परेशान करता है, जबकि ठंडी चिकित्सा से ही यह परेशानी कुछ हद तक काबू में आती है। छाती में दर्द शुरू होते ही वसुधा जाड़े की रात में भी अपने शरीर का गरम शॉल उतारकर फेंक देती हैं, सिर पर ठंडा पानी छपछपाती हैं, बर्फ का पानी गटागट पी जाती हैं। यह रोग छाती से शुरू होकर सिर को जकड़ लेता है और उसके बाद पूरे बदन में फैल जाता है। पूरे बदन में गरम शॉल के काँटे चुभने लगते हैं। हाथ-पैर सुन्न होने लगते हैं। कई वर्षों से वसुधा शॉल नहीं ओढ़तीं। कहीं किसी के घर जाती तो जाड़ा हो या न हो, आजकल शॉल ओढ़ना एक तरह से लोकाचार बन चुका है। ऐसे में शॉल ओढ़नी ही पड़ती है। किन्तु शॉल ओढ़े रहने के कुछ ही देर बाद उनकी छाती के किसी अनजान जगह में रुग्-रुग् करके एक अदृश्य दर्द कौंध जाता है। अधिकतर तो वे उस दर्द को दाँत भींचकर पी जाती हैं, किन्तु कभी-कभी वह नियंत्रण से बाहर हो जाता है।

वसुधा का चेहरा देखते ही उनकी छाती के दर्द का अंदाजा उनके पति नीलाद्रि लगा लेते हैं। वे धीरे से वसुधा के शरीर से शॉल उतार लेते हैं। पंखा चलाकर वसुधा का मन बदलने की कोशिश करते हैं। देखने वाले दुविधा में पड़कर सोचने लगते हैं कि बीमारी शारीरिक है या मानसिक। कभी-कभी कोई निश्चित रंग की पोशाक देखने अथवा पहनने से उनका दर्द बढ़ जाता है। भला रंग से उनकी बीमारी का क्या संबंध।

रंग का मन पर एक तरह का प्रभाव पड़ता है, ठीक उसी तरह जैसे कि पाप का। इसीलिए साड़ी से लेकर घर के पर्दों तक के रंग चुनने में वे निपुण हैं। फक्क सफेद पोशाक पहनने से मन निर्मल वर्षारहित बादलों के टुकड़ों की तरह सभी बंधनों से मुक्त हो जाता है। गाढ़ा लाल रंग जमे हुए गाढ़े खून की तरह मन को अहंकार से भर देता है। हरा रंग, वर्षा-ऋतु की तरह मन को

स्नेहसिक्त करता है। फीका और दूसरे आसमानी रंग मन को उदार, उदास और गंभीर बनाते हैं। समुद्र-सा नीला रंग मन को काफी कुछ याद दिलाता है। वसंती रंग चपल चंचल और गीतमय बनाता है। मन पर रंगों के प्रभाव के बारे में हालाँकि यह सार्वजनीन सत्य नहीं कहा जा सकता, पर वसुधा का यह अपना निजी अनुभव था।

इसीलिए उस बार वसुधा ने हरिद्वार को-ऑपरेटिव स्टोर से दूसरे आसमानी रंग का बहुमूल्य शॉल खरीदा था। पुरुषों के शॉल का रंग इससे भिन्न कोई और रंग में होने पर वसुधा की आँखों में चुभता है। हालाँकि नीलाद्रि के पास हल्के नीले एवं क्रीम रंग की दो शॉलें और थीं, पर वे वसुधा की पसंद से नहीं खरीदी गयी थीं। उनमें से एक तो बहुत पहले विवाह के प्रथम वर्ष पौष पूर्णिमा को वसुधा के मायके से भार में आया था और दूसरा खुद नीलाद्रि ने ही कभी खरीदा था।

बड़ी बहन की तबीयत बिगड़ जाने पर उस बार वसुधा अकेली दिल्ली गयी थी। कुछ दिनों तक बहन के साथ रहीं। बहन की तबीयत ठीक होने के बाद बहन और जीजाजी के साथ हरिद्वार, ऋषिकेश घूमने गयी थीं। बच्चों के लिए उनके कहे अनुसार सारी चीजें खरीद चुकी थीं। वसुधा की समझ में नहीं आ रहा था कि नीलाद्रि के लिए क्या ले जाएँ। हठात् हरिद्वार को-ऑपरेटिव स्टोर में टँगी उस शॉल पर उनकी निगाह पड़ी। शॉल का रंग वाकई लाजवाब था। दूसरे नीले रंग की शॉल में कमाल की बारीक कढ़ाई की चौड़ी, कत्थई किनारी थी। वे मन-ही-मन नीलाद्रि के लिए इसी तरह का शॉल ढूँढ़ रही थीं। किन्तु रंग, किनारी और कीमत-तीनों एक साथ उन्हें अब तक पसन्द नहीं आये थे। वसुधा ने आँख मूँदकर वह शॉल खरीद लिया। शॉल ओढ़ने पर कितनी ठंड रुक पाएगी, उस बारे में न सोचकर उसे ओढ़ने पर नीलाद्रि के चेहरे पर पौरुष की उदास गंभीरता किस तरह खिल उठेगी, उस बारे में वे सोचने लगी थीं। दिल्ली से गाँव लौटते वक्त मई की चिलचिलाती धूप में नीलाद्रि को धूसर-नीले रंग का शॉल ओढ़े उदार उदासीनता से चहलकदमी करते हुए वे अपनी काल्पनिक आँखों से बार-बार देख रही थीं और अपनी रुचि का मानदंड निर्धारित करके मन-ही-मन खुश हो रही थीं।

घर पहुँचते ही उनके लौटने की बाट जोहने वाले बच्चों के सामने उन्होंने एक पूरी की पूरी दुकान खोल दी। नीलाद्रि के सामने शॉल खोलते हुए उसे चौंकाना चाहती थीं, किंतु खुद चौंक गयीं। शॉल सबको पसन्द आया था। वसुधा अपने लिए भी एक सुंदर शॉल लायी थीं। जाड़े के दिनों में तरह-तरह की शॉलें

ओढ़ना वसुधा का एक शौक था। नीलाद्रि कहते, 'ठंड से बचने के लिए शॉल ओढ़ा जाता है, किंतु आजकल ठंड से बचें न बचें, तरह-तरह की शॉलें ओढ़ना एक तरह का फैशन बन चुका है। कोई-कोई तो जालीवाला कसीदेदार शॉल भी ओढ़ता है, जिसमें जरा भी ठंड नहीं रुकती। पिताजी तो एक मोटी चादर ही पूरी उम्र ओढ़ते रहे, जबकि आजकल हमारे इस गरम देश में न जाने लोग कितनी ही तरह की गरम पोशाकें बनवाते हैं...'

वसुधा ने मुस्कराते हुए कहा, 'चिलचिलाती धूप में भी तो यहाँ के लोग-टाई पहनकर बाबूगिरी छाँटते हैं।'

बच्चे अपनी-अपनी चीजों की जाँच करने में जुटे थे। माँ उनके लिए जो पोशाकें लायी थीं, उन्हें पहनकर देखते और माँ की रुचि की प्रशंसा करते।

वसुधा ने कहा, 'सोचा था एकाध शॉल और लेती चलूँ। किंतु प्लेन से आना था, इसलिए नहीं खरीदा। कटक में वे ही शॉलें तिगुने दामों में मिलती हैं। पचास रुपये की शॉल लाकर यहाँ डेढ़ सौ रुपये में बेचते हैं।'

नीलाद्रि ने कहा, 'क्या, यहाँ कोई दुकान खोलने का इरादा था? मुझे तो शॉल की जरूरत कतई नहीं थी। दो शालें तो हैं मेरे पास। शॉल तो सिर्फ घर पर ही ओढ़ता हूँ। बाहर तो स्वेटर, कोट, सूट पहनकर जाता हूँ। लेकिन कुछ भी कहो, शॉल है जोरदार। अगले जाड़े में इसे ओढ़कर बाहर जाया करूँगा। वाकई कोई मुकाबला नहीं इस शॉल का।'

इसी दौरान वसुधा की निगाह कलुआ पर पड़ी। चौदह-पन्द्रह वर्ष का निपट देहाती। छः महीने हुए काम करने कटक आया है। शुरू से ही उनके घर में काम करता है। वह जिस तरह गधे-सा दिन-भर खटता है, उसी तरह जो कुछ भी खाने को मिलता है, खा लेता है, और घरवालों की गालियाँ भी मुँह बंद करके चुपचाप सुन लेता है। खा-पीकर चालीस रुपये तनख्वाह पाता है। भला क्या बुरा है?

कलुआ एकटक देख रहा था- उस शॉल की ओर। पलकें नहीं गिर रही थीं। छोटे बच्चे खिलौनों या लड्डू और रसगुल्लों को जिस तरह देखते हैं, ठीक उसी तरह ललचायी नजर थी उसकी।

वसुधा ने बड़े प्यार से कहा, 'तेरे लिए कुछ नहीं ला पायी, कलुआ। बड़े शहरों में कुछ खरीद पाना नये आदमी के लिए बहुत मुश्किल काम है। यहीं से तुझे शर्ट-पैंट ले दूँगी। जाड़ा आ रहा है, पहनना।'

मालकिन की मधुर सहानुभूति देख कलुआ ने साहस बटोरते हुए कहा, 'मेरे लिए न भी हो तो चलेगा मालकिन, किंतु बप्पा के लिए एक ओढ़ने वाला

चादर खरीद दो, तो बड़ी मेहरबानी होगी। जाड़े में मुँह छिपे अँधेरे से उठकर काम करने जाते समय बप्पा ठंड से ठिठुर जाता है।' 'बप्पा ठंड से ठिठुर जाता है', कहते समय कलुआ की कोमल आवाज परम सहानुभूति से भर्रा उठी थी।

वसुधा गंभीर हो उठीं। मन-ही-मन सोचा, इस लड़के की लालच देखो। घर में खाने को दाना नहीं, मन हो रहा है शॉल ओढ़ने का। जल्दी-जल्दी दोनों शॉलें कपड़े की अलमारी में रखते हुए उन्होंने कहा, 'पहले से कहा होता तो दिल्ली से सस्ते में ले आती। चल देखूँगी, अभी तो जाड़े को काफी दिन हैं, न हुआ तो यहाँ से एक सूती चादर ले दूँगी। इसी कीमत में दिल्ली से ऊनी चादर ले आती...'

कलुआ ने कहा, 'गाँव में मालकिन बहुत ठंड पड़ती है...जितने बूढ़े-बुढ़िया भूख से नहीं मरते, उतने हर वर्ष जाड़े में ठंड से उठ जाते हैं...बप्पा की उम्र भी हो चुकी है...'

'अच्छा जा...जाकर काम कर... 'वसुधा ने आदेश दिया और कलुआ वहाँ से तुरंत चला गया।'

वसुधा ने मुँह बनाते हुए कहा, 'ये नौकर जरा-सा मौका मिलते ही सिर पर सवार हो जाते हैं। सिर पर छप्पर है नहीं, शरीर के लिए इन्हें चादर चाहिए। आज तक तो नहीं कहा था उसने कि बप्पा के लिए चादर चाहिए...'

नीलाद्रि ने कहा, 'अचानक ध्यान में आ गयी होगी बात, और क्या? बीमारी और भूख की तरह ठंड भी कम दुश्मन नहीं है गरीबों की। ठंड से हर साल भारतवर्ष में कितने मरते हैं, सोचा जाए तो दुःख होता है...।'

ऐसा नहीं कि इससे वसुधा को दुःख नहीं होता, किंतु इस मस्त-मलंग लड़के का लालच देखकर वे हैरान हैं। मन-ही-मन सोचा, चलो ठीक है, नेपालियों से ऊन और सूत मिला चादर कलुआ के बप्पा के लिए खरीद देंगी। कलुआ ने अभी तक छह महीने की तनख्वाह भी नहीं ली है। उसकी तनख्वाह से थोड़ा-थोड़ा करके काटने पर उसे अखरेगा भी नहीं।

कुछ दिनों के बाद कलुआ ने गाँव जाने की तैयारी कर ली। यह पहले से ही तय था कि दिल्ली से वसुधा के लौटने के बाद आठ दिनों के लिए उसे गाँव जाने की छुट्टी मिल जाएगी। कलुआ ने खुशी-खुशी गाँव जाने की तैयारी कर ली। चलते समय छह महीने की तनख्वाह माँगने पर वसुधा ने कहा, 'इतने रुपये एक साथ कहाँ धरे हैं? सौ रुपये ले जा, फिर जब तू लौटकर आएगा, तब साहब की तनख्वाह मिलते ही बाकी के रुपये डाक से भिजवा देंगे...'

गाँव जाते समय सारा पैसा कलुआ को न देने के पीछे वसुधा के दो

उद्देश्य थे। पहला यह कि रुपये बाकी होंगे तो कलुआ जरूर वापस आएगा। और दूसरा यह कि जाड़े में चादर खरीदने के लिए वे सारा पैसा अपना तो लगाएँगी नहीं, कलुआ की तनख्वाह से भी दस-बीस रुपये उसमें मिलाएँगी।

किंतु कलुआ पूरी तनख्वाह के लिए गिड़गिड़ाने लगा, 'खबर आयी है कि घर की हालत बहुत खराब है, आजकल चूल्हा तक नहीं जलता। बल्कि तनख्वाह के अलावा कुछ रुपये आप और उधार दे देतीं, तो अच्छा होता।'

वसुधा गुस्से से बड़बड़ा उठीं, 'यह कोई नयी बात तो है नहीं। तुम लोगों को उधार पैसों की हमेशा जरूरत रहती है। इधर उधार भी लेना चाहता है, और उधर बाप के लिए गर्म चादर भी खरीदना चाहता है। आखिर तेरी तनख्वाह है ही कितनी?'

कलुआ ने अति अनुनयपूर्वक कहा, 'गर्म चादर न भी हुआ तो कोई बात नहीं, जीने के लिए खाना तो चाहिए ही...'

वसुधा ने खीझते हुए कहा, 'असल बात यह है कि तुम लोगों को सभी चीजों का लालच है...'

कलुआ के अनुनय में जितना यथार्थ था, वसुधा की खीझ भी उतनी ही तर्कसंगत थी। बहुत लोगों को उधार पैसा, धोती, चादर, पैंट-शर्ट इत्यादि देकर वसुधा बार-बार ठगी गयी हैं। सारा कुछ लेंगे- गाँव जाएँगे, फिर नहीं लौटेंगे। बरगद की जड़ की तरह अविश्वास शहर से गाँव तक पहुँच चुका है जो एडवांस ले गया, वह फिर कभी नहीं लौटेगा, न ही लौटाएगा, बार-बार वसुधा ने यह स्वयं झेला है।

फिर भी कलुआ के व्याकुल आग्रह को नकारा नहीं जा सकता। उधार न भी दें, कम-से-कम उसका पूरा हिसाब तो चुकता कर ही देना चाहिए। कलुआ का पूरा पैसा उसे दे दिया गया। वसुधा ने बार-बार जल्दी ही गाँव से लौट आने को कहा। कलुआ ने वादा किया कि वह हफ्ते-भर में लौट आएगा। घर पर खाने को नहीं है, पाँच लोगों के हिस्से में भला वह अपना हिस्सा क्यों बँटाए? बल्कि यहाँ वह खूब आराम से है। गाँव में दिन में तीन मर्तबा भर-पेट खाना उसने होश सँभालने से आज तक नहीं खाया था...

कलुआ जरूर लौट आएगा, ऐसा वसुधा को लग रहा था। गाँव में ऐसा दिव्य भोजन कहाँ धरा है? यह लड़का खाने का इतना लालची है कि भरपेट खाने के बाद बर्तन माँजते-माँजते भी बच्चों की जूठी थालियों में बचे आलू के टुकड़े, सब्जी, मुट्ठी-भर भात इत्यादि इकट्ठा करके खा लेता है। वसुधा पूछती, 'क्यों रे, पेट नहीं भरा था तो मुट्ठी-भर भात और क्यों नहीं माँग लिया?' कलुआ

सहज ही भाव से कहता, मालकिन, ऐसी बात नहीं है। भात-तरकारी फेंकना मझसे सहन नहीं होता- गाँव के लड़के खाने को इतना भी नहीं पाते। एक टुकड़े आलू के साथ मेरी बहन भर-कटोरा भात खा जाती है...'

वसुधा नरम होते हुए कहतीं, 'गाँव जाते समय बड़े बाजार से दो-चार किलो आलू अपनी बहन के लिए लेते जाना...'

कलुआ के लौटने की उम्मीद में हफ्ते, दो हफ्ते, महीना, दो महीने बीत गये, परंतु कलुआ नहीं लौटा। 'क्या हुआ, वह क्यों नहीं लौटा वसुधा चितिंत हो उठीं। कलुआ के लिए नहीं, खुद के लिए। व्यस्तता की सीमा नहीं थी। कलुआ घर का काफी काम निपटा लेता था। अब घर का सारा काम कैसे होगा?

नीलाद्रि बाबू के सहकर्मी सुधीर बाबू ने कलुआ को गाँव से लाकर काम पर रखवाया था। वसुधा ने उनसे कलुआ को पुनः गाँव से पकड़ लाने का अनुरोध किया। सुधीर बाबू ने गाँव से लौटने के बाद कहा, 'वह लड़का भूखे पेट गाँव में इधर-उधर डोलता रहता है, पर कटक आने का नाम तक नहीं लेता। कुछ ही दिनों में चेहरा सूखकर काँटा बन चुका है, फिर भी उसे अपनी फ़िक्र नहीं है। कोई बात नहीं, आप परेशान मत होइए। कोई और लड़का ढूँढ़ लिया जाएगा...'

वसुधा समझ नहीं पा रही थीं कि आखिर कलुआ क्यों नहीं आना चाहता। यहाँ इतने आराम से था- खुशी-खुशी गाँव भी गया। जल्दी ही लौट आने को कह गया था। लेकिन...

एक दूसरा लड़का आया, कलुआ की जगह भर गयी। सभी कलुआ की कमी भूल गये; किन्तु अचानक एक दिन कलुआ को ढूँढ़ा जाने लगा। गाड़ी भाड़ा देकर सुधीर बाबू को कलुआ को पकड़ लाने का निर्देश दिया गया। यह भी बतलाने को कहा गया कि यदि सीधी तरह न आया, तो पुलिस से बँधवाकर लाया जाएगा।

अब भी नीलाद्रि बाबू कह रहे थे, अच्छी तरह ढूँढ़ने के लिए। 'शॉल जरूर यहीं कहीं होगी। इतनी कीमती शॉल लेकर भला कलुआ क्या करेगा?'

वसुधा ढूँढ़ते-ढूँढ़ते थक चुकी थीं। पाँच-पाँच मर्तबा अलमारी, बक्से, तकिये आदि ढूँढ़ चुकी थीं। परन्तु शॉल का कहीं नामोनिशान तक नहीं था। कड़ाके की ठंड पड़ने पर ही नीलाद्रि ने ओढ़ने को शॉल माँगा था। रखी हुई जगह पर शॉल न मिलने पर वसुधा का दिमाग ठनका। यह काम कलुआ के सिवाय और कोई नहीं कर सकता।

कपड़े की अलमारी में प्रायः ताला बंद नहीं किया जाता। बीच-बीच में

कलुआ कपड़े तह करके अलमारी में रखा करता था। इस कमरे में कलुआ के सिवाय कोई बाहरी आदमी आता ही कहाँ था कि शॉल ले जाएगा? शॉल सबसे नीचे की ताक में कागज के पैकेट में थी। अब तक सारा घर तलाश चुकी हूँ, सब कुछ है, सिर्फ वह शॉल ही नहीं है।

कलुआ की वे ललचायी आँखें वसुधा को याद आ रही थीं। बाप के लिए उसने अचानक चादर क्यों माँगी? जाते समय पूरी तनख्वाह क्यों ले गया? उसने यह भी कहा था, 'चादर न भी हुई तो कोई बात नहीं, जीने के लिए खाना तो चाहिए ही।' अंत में, ठीक से कुछ खाये-पीये बगैर गाँव में ही पड़ापड़ा सड़ रहा है, फिर से लौटता क्यों नहीं?

कलुआ के खिलाफ अकाट्य तर्क है, किंतु क्या सबूत है कि शॉल कलुआ ही ले गया है। वसुधा बस एक ही बात कहती हैं, वह शॉल जरूर कलुआ का बाप ओढ़ता होगा। यही तो सबूत है।

सुधीर बाबू निराश होकर लौट आये। कलुआ की बस एक ही ज़िद थी कि उसने शॉल नहीं ली है। उसके बाप ने भी इनकार किया। दोनों ने देवी मैया का चबूतरा छूकर सौगंध खायी। वसुधा ने कहा, 'बेटा तो चोर है ही, बाप और भी बदमाश है। बड़ा साहसी है। चार सौ रुपये का शॉल ओढ़ने का कितना शौक है!' चार सौ रुपये चुरा लिये होते तो वसुधा सह जाती, किंतु पति के लिए इतने प्यार से, इतनी दूर से लाया हुआ शॉल, कलुआ का वह मजदूर, भिखमंगा बाप ओढ़ेगा? 'नहीं, यह कभी बर्दाश्त नहीं किया जा सकता। इन लोगों को उचित सबक सिखलाना आवश्यक है।'

वसुधा खुद अपनी गाड़ी में कलुआ के गाँव की ओर चल पड़ीं। उनके साथ फुफेरा भाई, पुलिस इंस्पेक्टर रणजीत भी था। नीलाद्रि ने कहा, 'चार सौ रुपये की शॉल तो गयी ही, उसके साथ सौ रुपये का तेल भी गाड़ी में जल जाएगा। यदि उसने शॉल ली भी होगी तो अब तक ओढ़ चुका होगा। अब उस शॉल को लेकर क्या करोगी? बल्कि ओढ़ने दो बेचारे गरीब को, तुम्हें पुण्य मिलेगा।'

वसुधा ने कहा, 'मेरा ख्याल है कि इतना सुंदर शॉल ओढ़ने का दुस्साहस उसने नहीं किया होगा। जरूर सहेजकर रखे होगा। सौ-दो सौ का लालच दिखलाकर वह शॉल उससे ले आऊँगी। इतनी सुंदर शॉल, भुलाये नहीं भूलती...'

कलुआ और उसका बाप एक ही बात पर अड़े थे कि कलुआ ने शॉल नहीं चुरायी है। तरह-तरह की लालच दी गयी, परंतु वे मानने को तैयार नहीं थे। अंत में पुलिस की पोशाक में रणजीत बाबू गाड़ी से उतरे। उन्होंने कहा, 'सीधे-

सीधे मान जाओ या फिर दोनों बाप-बेटे बैठो गाड़ी में। थाने में खुद ही कबूल लोगे कि...'

देहात का मजदूर होने पर भी कलुआ के बाप से यह छिपा नहीं था कि शहर के थानों में चोरों से किस तरह बातें उगलवायी जाती हैं। मार खाकर लहूलुहान होकर कबूलने की अपेक्षा सीधे-सीधे मान लेने में ही भलाई है। बात मान लेने से कौन-सी फाँसी हो जाएगी। लड़का मार से तो बच जाएगा..

हाथ जोड़कर बूढ़े ने कहा, 'साहब! बच्चा है, लालच में ले आया था। जो सजा देनी हो मुझे दीजिए, उसका तो साहब अभी बचपना भी नहीं गया है...'

रणजीत अपनी आसान सफलता से उत्साहित होते हुए बोला, 'शॉल लौटा दे, सजा से बच जाएगा, उल्टे मालकिन तुझे पचास रुपये देंगी, तू चादर खरीदकर ओढ़ना।'

रोते-गाते बूढ़े ने कहा, 'साहब, वह शॉल मैं घर पर रखकर क्या करता, उसे बेच आया हूँ...'

'किसे बेचा है बता, मैं उससे वसूल लूँगा।'

गाँव के लोग एक-दूसरे का मुँह ताकने लगे। इस आदमी की वजह से आज पूरा गाँव बदनाम हो गया, लोग मन-ही-मन अपना गुस्सा पी रहे थे।

बूढ़े ने हाथ जोड़कर कहा, 'हमारे गाँव के लोग चोरी का सामान, नहीं खरीदते, साहब! यह एक छोटा गरीब गाँव होने पर भी मेरे नादान लड़के को छोड़कर बाकी के सभी लोग सीधे और ईमानदार हैं। सभी मजदूरी करके गुजारा करते हैं। इसलिए मैंने दूसरे गाँव के हाट के दिन एक अपरिचित शहरीबाबू को वह शॉल डेढ़ सौ रुपये में बेच दिया था। रुपये खर्च हो चुके हैं', बूढ़ा रोने लगा।

रणजीत ने बूढ़े पर दो बेंत जमाते हुए कहा, 'उस शॉल का दाम, हजार रुपये है, कम-से-कम पाँच सौ रुपये निकाल। नहीं तो पाँच साल तक चक्की पीसेगा।'

गंभीर होकर गाड़ी में बैठते हुए वसुधा ने कहा, 'पाँच सौ रुपये अपने पाँच जनमों में भला चुका पाएगा। जिस डेढ़ सौ रुपये में बेचा है, उतना ही लौटा दे तो कम-से-कम गाड़ी के तेल का खर्च वसूल हो जाए। जिसके घर में तीन दिन में एक बार चूल्हा जलता है, मजदूरी मिलने पर भात बनता है, भला वह डेढ़ सौ रुपये कहाँ से लाएगा?'

गाँव के मुखिया ने गाँव की इज्जत का खयाल करके उसकी ओर से डेढ़ सौ रुपये दे दिये। बूढ़ा बार-बार प्रतिज्ञा करता जा रहा था कि मजूरी करके वह मुखिया का पैसा सधा देगा। कलुआ अब भी कह रहा था, 'मैंने चोरी नहीं की है। बप्पा झूठा है...।'

कलुआ का तमतमाया हुआ चेहरा देखकर लोग हैरत में पड़ गये। बड़ा होकर यह जरूर डाकू बनेगा। दुबारा मुँह खोलने पर रणजीत बाबू ने दो बेंत जड़ दिए गाँव वालों ने हाथ जोड़ते हुए कहा, 'आप छछूँदर को क्यों मार रहे हैं साहब, हाथ गंधाने लगेगा। हम लोग देख लेंगे। आप लौट जाइए। चोर लड़के के कारण मालकिन को भी कच्चे रास्ते की परेशानियाँ झेलनी पड़ीं...'

गाँव वालों को धन्यवाद देकर वसुधा लौट आयीं। शॉल भले ही न मिले, बूढ़े ने कबूल लिया, यही उनका आत्मसंतोष था...। चलते समय भी नीलाद्रि ने कहा था, 'कलुआ इतना साहस नहीं करेगा। अब खुद ही देखें, वह कितना शैतान है।'

गर्मी की लंबी छुट्टियाँ थीं। बच्चों के स्कूल बंद थे। इन दिनों काफी समय मिलता है। घड़ी देखकर काम करने की जरूरत नहीं होती। वसुधा अलमारी, ताक आदि अच्छी तरह साफ कर रही थीं। कपड़े की अलमारी की निचली ताक में कवर से ढका टाइपराइटर रखा था। जरूरत पड़ने पर बड़ा लड़का उसे निकाला करता है और काम खत्म हो जाने पर पुनः वहीं रख देता है। ताक बहुत गंदा था। ताक में बिछा अखबार बार-बार टाइपराइटर रखने-उठाने से गुड़ी-मुड़ी हो गया था। ताक साफ करके वहाँ नया अखबार बिछाने की बात सोच उन्होंने टाइपराइटर उठाकर खाट पर रख दिया। उसके बाद वे साँप देखने की तरह चौक उठीं। टाइपराइटर के नीचे कागज के पैकेट में हरिद्वार कोऑपरेटिव स्टोर से खरीदी गयी वही अभूतपूर्व शॉल थी। शॉल टाइपराइटर पर रखी हुई थी। बड़े बेटे ने टाइपराइटर निकालते वक्त उसे वहीं ताक में रख दिया, और काम खत्म होने के बाद टाइपराइटर ले जाकर शॉल के ऊपर ही रख दिया। वसुधा ने उस ताक में दस मर्तबा शॉल ढूँढ़ा था, लेकिन टाइपराइटर उठाकर देखने का कोई तुक ही नहीं था।

शॉल देखते ही वसुधा की खुशी का ठिकाना नहीं रहा। परंतु दूसरे ही क्षण उपराध-बोध से उनका मन भारी हो उठा। निर्दोष गरीब से डेढ़ सौ रुपये वसूल कर उन्होंने पेट्रोल जला दिया, जिसके लिए खून-पसीना एक करके उसने ऋण चुकाया होगा। सिर्फ इतना ही नहीं, पूरे गाँव के आगे बाप-बेटे दोनों को कितनी आसानी से उसने चोर साबित कर दिया था। किससे कहें कि शॉल मिल गया है? बच्चे भी सुनेंगे तो क्या कहेंगे...

रणजीत को बुलाकर वसुधा ने अपना दुःख कह सुनाया। उस आदमी ने चोरी क्यों कबूल ली, इस बात पर भी उन्हें आश्चर्य हो रहा था। रणजीत ने गर्व से सीना तानते हुए कहा, 'यह सब पुलिस के डंडे का कमाल है, समझीं, मार

से तो भूत भी भागते हैं! इसका मतलब, उस आदमी ने अपने लड़के को पुलिस की मार से बचाने के लिए इतना झूठ कहा...'

'किंतु उससे डेढ़ सौ रुपये लाना, कितना अन्याय हुआ, रणजीत!' वसुधा रुआँसी हो उठीं।

रणजीत ने सहज रूप से कहा, 'इसमें घबराने की क्या बात है? सुधीर बाबू के जरिये रुपये लौटा दे, उस आदमी को। हाँ, यह मत बताना कि शॉल हमें अपने घर में मिल गयी है। वरना मुझ पर से लोगों की आस्था टूट जाएगी। क्या सोचेंगे लोग मेरे बारे में। तरस खाकर उस आदमी का पैसा लौटा रही हो, यही कहना। इससे तुम्हारा यश बढ़ेगा, मुझे भी ख्याति मिलेगी, उस आदमी को भी उसका पैसा मिल जाएगा। हाँ, शॉल मुझे दे दे। 'एक शॉल लाया हूँ' कहकर जीजाजी को मैं प्रेजेंट कर दूँगा, बड़ा मजा आएगा–'

कलुआ के पिता के लिए वसुधा ने एक चादर खरीदी। डेढ़ सौ रुपये के साथ पचास रुपये और मिलाकर वसुधा ने सुधीर बाबू को बुलवाया और उन्हें देते हुए बोलीं, 'यह लीजिए, कलुआ के बाप के पैसे लौटा दीजिएगा। लड़के की चोरी की सजा भला बाप क्यों पाये? आजकल के बच्चे तो माँ-बाप को कष्ट देने के लिए ही पैदा हुए हैं। उस समय गुस्से में पैसे ले जरूर आयी थी, लेकिन अच्छा नहीं लगता। हाँ, यह चादर उस बूढ़े को दे दीजिएगा। अगली ठंड में ओढ़ लेगा...'

वसुधा के चेहरे पर ठंडे पानी के छींटे मारने की तरह ठंडे गले से सुधीर बाबू ने कहा, 'आप उदारता दिखलाते हुए चोर को भी दान-दक्षिणा दे रही हैं, किंतु गाँव वालों ने उसे उचित दंड दिया है। जैसे ही उस आदमी ने मजूरी कर करके गाँव के मुखिया का ऋण सधाया, गाँववालों ने बाप-बेटे की जमकर पिटाई की। गाँव का नाम बदनाम करने के कारण उन पर जुर्माना लगाया। जुर्माना न दे सकने के एवज में गाँववालों ने उस आदमी को बारी-बारी से बँधुआ मजदूर की तरह मुफ्त में खटाया। गाँववालों की मार, भूख, उपवास, मेहनत और साथ ही इस वर्ष की कड़ाके की ठंड के प्रकोप से वह बूढ़ा दो महीने पहले ही मरा नहीं, बल्कि तर गया...'

'और कलुआ?' वसुधा ने व्याकुल हो पूछा।

'बाप के मरने के बाद गाँववालों के अत्याचार के डर से वह चोर लड़का रातोंरात फरार हो गया, उसकी छोटी बहन से भला विवाह कौन करता? गाँव के मुखिया के खेतिहर मजदूर ने तरस खाकर तीसरी पत्नी के रूप में उसे अपना लिया। माँ तो थी ही नहीं। इस तरह चोर वंश का सफाया हो गया...'

वसुधा की छाती का रोग तभी से शुरू हुआ है। किसी सच्चे इंसान को चोर साबित करना कितना आसान है; जबकि उसे उसकी सच्चाई लौटाना कितना मुश्किल!

नीलाद्रि को सारी बातें बतला देने पर भी बीमारी कम नहीं हुई, बल्कि साल-दर-साल ठंड के प्रकोप से बीमारी बढ़ती ही जा रही थी। ठीक लाइलाज छाती के रोग की तरह, जीवन-भर इलाज चाहिए; हालाँकि समय की महौषधि बीमारी को दबा जरूर देती है, बाहर निकाल नहीं पाती।

❑❑

तीर्थ रहस्य

चालीस साल तक किसी अज्ञात निर्वाण का लक्ष्य लिए सरस्वती साल में एक बार तीर्थ करने जाती थीं। वे तीर्थ यात्रियों के साथ नहीं जाती थीं, जाती थीं अकेले। युवा उम्र से उनमें यह धर्मपरायणता और तीर्थयात्रा का संकल्प है। सरस्वती किस तीर्थ पर जाती थीं, वह भी था गोपनीय। किस देवता के दर्शन के लिए अधीर हो सरस्वती अपने इकलौते बेटे विनायक को गाँव में किसी के भी पास छोड़कर तीर्थ के लिए चली जातीं, यह भी था रहस्यमय। शुरू-शुरू में गाँव के लोग सरस्वती की इस तीर्थयात्रा को लेकर छोटी-बड़ी अफवाहें उड़ाया करते। सरस्वती किसी ढोंगी बाबा के चक्कर में पड़ गयी हैं, जैसी खबर भी लोगों को मिलती थी। और एक नहीं दो-चार बाबाओं के नाम सरस्वती के नाम के साथ अनायास ही जुड़ गए थे। लेकिन कहाँ से खबर मिलती थी, कोई बता नहीं पाता था। सारी बातें सरस्वती की पीठ पीछे ही सुनाई देती थीं। सामने आकर उससे पूछने का साहस किसी में नहीं था। मुँहफट बहू से यदि सास, ससुर, रिश्तेदार तक साहस करके पूछ नहीं पाते थे, तो फिर किस बाहरी आदमी की जीभ में हड्डी होगी जो उस समय के एम.ए. पास शिक्षक की तालीम लेकर शहर के स्कूल में सरकारी मास्टरनी बनीं सरस्वती से उनकी गोपनीय बात पूछ सके? सरस्वती विधवा हैं या सधवा, यह भी संदेह में डालता था लोगों को। बेटा विनायक पाँच साल का था। सरस्वती उसे सास के पास छोड़कर पति के साथ किसी तीर्थ पर गयी थीं। विनायक पर आनेवाली विपदा टालने के लिए शायद मन्नत माँगी थी पति-पत्नी दोनों ने। तो फिर मन्नत पूरी होने पर विनायक को साथ लेकर क्यों नहीं गये? कहते हैं वह कोई गोपनीय पूजा थी। पूरी निष्ठा के साथ पूजा करनी होती है। पैंटमुतना नाबालिक बच्चे को साथ ले जाना मना है। यह बात सिर्फ सरस्वती ही नहीं, उनकी सास और ननद भी कहा करती थीं।

पूजा के बाद सरस्वती लौट तो आई थीं, पर अकेले। साथ पति नहीं थे।

विनायक के पिता पूजा खत्म करके पवित्र गंगा में डुबकी लगाते समय शायद तेज प्रवाह में बह गये थे, उनका कुछ पता नहीं लग पाया। तीर्थ-स्थान में आठ दिनों तक पड़ी रहीं सरस्वती। पति के मिलने की उम्मीद मुरझा जाने पर घर लौट आई अपनी पथराई आँखें लिए। उनकी आँखों में न तो आँसू थे, ना ही विधवा नारी की असहाय वेदना। सास के पैर छूते हुए बोली, 'मेरे पास कोई चारा नहीं था। नदी के प्रवाह में मैं ही नहीं रोक पाई उन्हें। आप कैसे रोक लेतीं?' सास भी सिर पटक-पटककर रोयी नहीं वे पूरी तरह पत्थर बन गयीं। पर सरस्वती ने विधवा का रूप धारण नहीं किया। क्योंकि पति को जिन्दा बहते देखा था उन्होंने। उनका मरा मुँह नहीं देखा था। ईश्वर ने चाहा तो पति का लौट आना कोई हैरत की बात नहीं होगी। योगीराज ने कहा था, 'हालाँकि धारा धीमी होने पर कभी-कभी जिनकी उम्र बाकी होती है वे लौट आते हैं, लेकिन मोक्षकामी भक्त का लौटना या न लौटना ईश्वर पर निर्भर करता है। पर मेरा विश्वास है कि उनका शरीर कहीं किनारे लग गया होगा!' सरस्वती अपने निश्चय में अटल थीं। सास जबर्दस्ती बहू की चूड़ियाँ और सिंदूर नहीं छीन पाई। पिछले चालीस साल से विनायक के पिता की बुरी खबर गाँव में नहीं पहुंची थीं। इसलिए सरस्वती चिर सधवा बनकर रह रही थीं। पर वे चिरयुवती बनी न रह सकीं। समय तो इनसान से सब कुछ छीन लेता है। सुख, दुख, आयु, रूप सब समय के बहाव में बदल जाते हैं। सरस्वती तो वैसे भी बासठ पार कर चुकी हैं। बाहर से भले ही उन्होंने दृढ़तापूर्वक 'मेरे पति अवश्य लौटेंगे' की जिद से सिंदूर, काजल को जकड़कर पकड़ रखा था, परंतु अंदर ही अंदर पूरी तरह टूट चुकी थीं। वरना पहली बार तीर्थयात्रा से अकेले लौट आने के बाद असमय ही अधेड़-सी क्यों दिखने लगतीं? उस समय तो उनकी उम्र सिर्फ बाईस साल थी।

उस घटना के बाद सरस्वती ने शिक्षक की तालीम ली। सरस्वती को सरकारी स्कूल में नौकरी मिल गयी। वे आत्मनिर्भर आधुनिक नारी थीं। समाज की लाल आँखों से डरती नहीं थीं। कई-कई बातों पर तो समाज से उनके सवाल करने के उदाहरण भी थे। खासकर विनायक के बड़े होने के बाद माँ के चरित्र को लेकर विनायक के आगे मनगढ़ंत कहानी पेश करेनवाले सस्ते कहानीकारों को वे मुँह पर दो टूक जवाब दे देती थीं। पर जब विनायक गंभीरता से अपने पिता के बारे में पूछता, तब सरस्वती सकपका जातीं। बेटे को क्या जवाब दें कुछ समझ नहीं पाती थीं। बिन पिता के पुत्र की माँ महारानी होने पर भी पुत्र यही सोचता है कि उसके सिर पर छत नहीं है। पिता की अकाल मौत हो गयी हो तो पुत्र के मन में पिता नहीं है' का असहाय भाव हर समाज में थोड़ा-बहुत रहता

है। पर पिता के रहस्यमय तरीके से अंतर्धान होने के बाद माँ के सधवा रूप को लेकर समाज में जिस मनगढ़ंत कुत्सित कहानी का प्रचार होता है भला वह किस पुत्र को सहन होगा? विनायक पिछले पैंतीस साल से माँ से पूछता आ रहा है ऐसे ही सवाल, जो इस बात की ओर संकेत करते थे कि विनायक भी माँ के चरित्र पर एक हल्का प्रश्नचिह्न लगा चुका है। विनायक पूछता- 'तुम मुझे छोड़कर पिताजी को लेकर तीर्थ करने गयी थीं। तुम नदी की धारा में नहीं बहीं, पिताजी कैसे बह गये? क्या तुमने डुबकी नहीं लगाई थी? यदि पूजा मेरी मन्नत के लिए थी, तो मुझे साथ लेकर न जाना किस शास्त्र में लिखा है? किस साधुजी महाराज ने वैसी पूजा करने को कहा था? उसके बाद वे महाराज कहाँ गायब हो गये? इस शहर में मेरे अलावा क्या किसी और बच्चे पर किसी बुरे ग्रह का साया नहीं था? पिताजी के चले जाने के बाद भी तुम किस देवता के दर्शन के लिए हर साल तीर्थ करने जाती हो? मेरे बड़ा हो जाने पर भी मुझे साथ क्यों नहीं ले जाती हो? सारी बातें साफ-साफ कहकर लोगों का मुँह बंद क्यों नहीं कर देती?' इतने सारे सवालों के जवाब सरस्वती दृढ़ गंभीर निर्भय स्वर में एक वाक्य में देकर बालक विनायक का मुँह बंद कर देती थीं। वे कहतीं- 'गुरूजी महाराज ने मना किया है। बड़े होकर तू दुनिया का रहस्य अपने आप समझ जाएगा। दूसरों की खुशियों से जलनेवाले लोगों की बातें सुनकर मुझसे फिर कभी कोई सवाल मत करना। जानता है बेटे, मैं मुँह पर ताला लगाए सारी जिल्लतें सहती रही हूँ सिर्फ तेरे लिए। वरना तेरे पिता के बह जाने के बाद मेरे जीवन का क्या मूल्य रह गया था? पर तू भगवान पर भरोसा रख, तेरे पिता कहीं न कहीं किनारे जरूर लगे होंगे। तू अनाथ नहीं है मेरे बेटे...' कोई अव्यक्त बात निगल जातीं सरस्वती। तीखी मिर्च चबाने के बाद आँसू और लार निगलने की तरह सरस्वती जीवन रूपी जहर को आँसू और समय के साथ पीने के बाद उसके ऊपर से जीवन का घूँट गुटक लेती हैं।

समय किसी के सुख, दुख, बुराई, जर्जर जीवन और यश ख्याति की प्रतीक्षा किए बिना निर्विकार रूप से बहता रहता है। जीवन निर्विकार न हो तो भी समय के साथ ताल मिलाकर रहने को बाध्य है। फर्क सिर्फ इतना है कि समय लीन नहीं होता, जबकि जीवन लीन हो जाता है मनुष्य के सुख-दुख को आत्मसात करके। इस बीच विनायक बड़ा हो चुका है, घर-गृहस्थी बसा चुका है, बाल-बच्चों का बाप बन चुका है। सरस्वती के हाथों गढ़े मनुष्य की तरह मनुष्य है विनायक। अब वह माँ से पिताजी के बारे में नहीं पूछता। सरस्वती इस बीच अधेड़ हो चुकी हैं। माँ को बूढ़ी कहने का साहस नहीं है विनायक में। माँ

की उम्र कितनी हो चुकी है, उसका कभी हिसाब नहीं रखा विनायक ने। सरस्वती तो उम्र की परवाह नहीं करतीं। स्कूल से सेवानिवृत्त होने के बाद ढेरों बच्चों को घर पर ट्यूशन पढ़ाती हैं। उनके साथ अपने पोता-पोती को भी पढ़ाती हैं। पहले की ही तरह घर के ढेरों काम करती हैं। पर नियम बनाने की तरह साल में एक बार तीर्थ करने जरूर जाती हैं। बीच-बीच में अपनी कमाई उस तीर्थस्थान को भेज देती हैं। सास के मरने से पहले सिर्फ एक बार सास को साथ लेकर तीर्थ करा लायी थीं। तीर्थ से लौटकर सास ने बिस्तर पकड़ ली थी। नदी में बह गये बेटे अभय के नाम का जाप करते हुए आँखें मूंद लीं। सास को तीर्थ कराकर सरस्वती ने जीवन का श्रेष्ठ पुण्य कार्य किया था, ऐसा शहर के लोग कहते थे। किंतु बेटे-बहू को अपने साथ तीर्थयात्रा पर ले जाने के लिए क्यों झट से मना कर देती हैं सरस्वती, यह बात सिर्फ ईश्वर ही जानते हैं।

कहते हैं विनायक हू-ब-हू अपने पिता की तरह है। रूप, गुण, आचरण सबमें। विनायक की याददाश्त में पिता की धुंधली-सी तसवीर है। सिर्फ याद आती है हट्टे-कट्टे आदमी की परछाई। चेहरे के हाव-भाव भी याद नहीं आते। पिता जी के गुण, व्यक्तित्व और आचरण से वह पूरी तरह अनजान था। काश, होश संभालने के बाद एक बार सही उसने पिताजी को देखा होता। बड़ा अफसोस रह गया मन में। अब भला कहाँ देख पाएगा पिताजी को। पीले पड़ चुके कागज पर एक सफेद-काली तसवीर टंगी थी दीवार पर। उस जमाने के कैमरे से खिंची तसवीर समय का हाथ लग-लगकर और भी धुंधली हो गयी थी। उसके ऊपर से माँ का पल्लू कितना ही धूल क्यों न पोंछती, वे समय की धूल नहीं पोंछ पाती थीं। लेकिन विनायक को आश्चर्य होता कि पिताजी की तसवीर पर माँ न तो चंदन का टीका लगाती और ना ही फूल की माला पहनाती। पिताजी का श्राद्ध नहीं किया जाता उनके घर में। उसकी माँ कहती- 'शायद तुम्हारे पिताजी जीवित हों। उनसे बड़े ककिया ससुर तो अभी जीवित हैं। अपने पिताजी को मरे हुए लोगों की सूची में शामिल करके खुद को अनाथ मत समझ लेना, बेटे। ईश्वर ने चाहा... 'सरस्वती का गला रुंध जाता। पर ऐसी सती-साध्वी माँ पर शहर के लोगों ने कैसे-कैसे लाँछन नहीं लगाए हैं! कोई-कोई कहता है, 'किसी बाबा के सम्मोहन मंत्र से वशीभूत होकर उसकी माँ ने पिता को नदी के भंवर में धकेल दिया था! उसी बाबा के चरणों की सेवा करने के लिए पागलों-सी साल में एक बार तीर्थ के बहाने खिसक लेती हैं- इसी कारण बेटे को साथ नहीं ले जातीं।' कभी-कभी लोगों की बात तर्कसंगत लगती है। किंतु माँ पर शक करने से विनायक का सिर चकराने लगता, सीने में दर्द होता। वह अपने बाल

खींच-खींचकर उन निंदकों की भर्त्सना करता। लोग कहते, विनायक के पिता भी उसकी ही तरह गुस्सैल थे। गुस्से में सरस्वती पर तरह-तरह के लांछन लगाते। और दूसरे ही क्षण बर्फ की तरह ठंडे! विनायक अपने पिता की तरह क्षणिक क्रोधी है, यह जानते हुए भी सरस्वती लोगों के लांछन सह नहीं पाती थीं। विनायक अपने पिता जैसा बिल्कुल नहीं है, वह पूरी तरह अलग स्वभाव का है और सही बात के लिए गुस्सा करता है, ऐसा कहा करती थीं। विनायक को समझातीं- 'तुम बिल्कुल नहीं हो अपने पिता की तरह। तुम तो अपने ही जैसे हो। तुम्हें मैंने गूँथ-माँड़कर गढ़ा है, ताकि तुम अपने पिता की तरह न बनकर मेरे पिता की तरह बनो। विद्वान-विचारशील-दयालु...'

इसका मतलब क्या मेरे पिताजी एक अच्छे इनसान नहीं थे। उनका व्यक्तित्व तुम्हें पसंद नहीं था? विनायक अपने पिताजी के विरुद्ध कोई गलत टिप्पणी सह नहीं पाता था। भले ही वह उसकी माँ की टिप्पणी ही क्यों न हो!

सरस्वती अपने कथन में सुधार कर लेती थीं। कहती- 'तुम्हारे पिता जैसे भले इनसान बहुत कम होते हैं, विनायक। बस, जरा गुस्सैल जरूर थे, पर...'

विनायक कहता- 'मैं अपने पिता की तरह बनना पसंद करता हूँ। मेरे पिता का खून बहता है मेरे शरीर में...'

'अरे नहीं बेटा! नहीं-नहीं अपने पिता जैसा मत बनना। गुस्सैल होना क्या अच्छी बात है? शांत, सुधीर स्वभाव के लोग न तो खुद दुख भोगते हैं, न ही दूसरों को दुख देते हैं। तुम्हारे पिता ने किसे सुख दिया, खुद को, अपने माँ-बाप को या अपने बीबी-बच्चों को? तुम पाँच साल के भी नहीं थे, वे अपनी जिम्मेवारी से मुक्त हो गये। किसी की जिम्मेदारी संभालने जैसे मनोभाव नहीं थे उनमें। यहाँ तक कि अपने जीवन की भी...।'

सरस्वती दुख में अपने मन की बात कह देतीं कभी-कभी। विनायक सोचता, इसमें भला उसके पिताजी का क्या दोष था? वे तो पुण्य कमाने गये थे, नदी में बह गये...। कभी-कभी पिता की तरफदारी करके माँ से तर्क करता विनायक। कहता- 'नदी में बह जाना अपनी जिम्मेवारी से पलायन नहीं है।' सरस्वती के मुँह से निकल जाता- 'इसीलिए उन्हें नदी के प्रवाह में धकेल देने जैसा काम किया। तुम्हारे पिता को असहाय रूप में छोड़कर लौट आने के सिवाय मेरे पास कोई और रास्ता नहीं था।'

'अर्थात, तुमने मेरे पिताजी को नदी के प्रवाह में धकेल दिया? लोग जो कुछ कहते हैं वह सच है- किस ढोंगी बाबा से दीक्षा ली है तुमने...विनायक का सारा क्रोध, क्षोभ, संदेह अनारदाने से निकलती चिनगारियों की तरह माँ पर बरस

जाता। विनायक अपना आपा खो बैठता। सरस्वती स्तब्ध रह जातीं। क्या विनायक को भी एक दिन नदी के प्रवाह में बहाना पड़ेगा?'

विनायक के लिए दुल्हन चुनते समय न जाने कितने प्रस्ताव सरस्वती ने छोड़ दिए। विनायक के लिए जिसे पहली बार पसंद करके अँगूठी पहनाई, वहाँ से रिश्ता टूट गया। लोग बोले- 'जिसके वंश में कोढ़ हो, उसके घर से बहू भले ही ले आओ, पर जिसके घर में पागलपन हो, उसके घर से सात पुश्तों तक रिश्तेदारी मत करो।' चौंक उठी सरस्वती। आज के विज्ञान-युग में भी मानसिक रोग के प्रति ऐसी प्रतिकूल मानसिकता है हमारे समाज में। वे खुद शिक्षित होते हुए भी इससे मुक्त नहीं थीं। कोई उड़ती हुई खबर होने पर भी मन में आशंका होने लगती है। दुनिया में लड़कियों का अभाव है कि...।

किस्मत से एक प्यारी-सी बहू थी उनके नसीब में। विनायक की पत्नी वीणा ने संभाल लिया उस घर को। ईश्वर का आशीर्वाद बस इतना ही है। वीणा ने अपने ससुर के बारे में कभी कोई सवाल नहीं किया सास से। उसके कानों में भी लोगों की बातें पड़ती हैं। किंतु सास को वह उचित सम्मान देती है। कितनी साधना से अकेली माँ ने विनायक को इस लायक बनाया है। यदि अपना विषाद और हताशा दूर करने के लिए उन्होंने किसी बाबा या गुरु महाराज से दीक्षा ली है और साल में एक बार तीर्थ करने जाती हैं तो इससे लोगों के पेट में दर्द क्यों होता है? लोगों के शक की परवाह बहू-वीणा भले ही न करती हो, पर अपने ही शक के घेरे से वह बाहर नहीं निकल पाती- सास के चालीस वर्ष के इस गोपनीय तीर्थयात्रा के शक से वह उबर नहीं पाती। पूजा-उपवास में सास के पैर छूते समय कोई पाखंडी तपस्वी दिख जाता है। दिख जाता है- बचाओ-बचाओ चिल्लाते हुए ससुर का नदी के प्रवाह में बहते चले जाने का दृश्य।' भले ही वीणा को ससुर को देखने का सौभाग्य नहीं मिला था, फिर भी मन में ससुर का एक लाचार, सरल सुपुरुष रूप स्वतः उभर आता था। उसके पति विनायक ससुर के समान सुपुरुष नहीं थे, इसमें कोई संदेह नहीं था उसके मन में। विनायक की सारी अच्छाइयाँ कभी-कभी बुलबुलों की तरह फूट जातीं। हर किसी पर बेवजह संदेह करता है विनायक, सारी दुनिया उसके शत्रु हैं, उसके विरुद्ध षड्यंत्र रचते हैं सभी। सभी उससे ईर्ष्या करते हैं...विनायक एक तरह से मित्रहीन हो चुका है अपने इन्हीं गुणों के कारण, खासकर वह यह सोचता है कि सभी उसकी माँ की ही चर्चा कर रहे हैं। माँ कैसी हैं पूछने पर विनायक को गुस्सा आ जाता, लड़ने-झगड़ने तक की नौबत आ जाती। माँ के बारे में बंधु बांधव कुछ न पूछने पर विनायक सोचता- आखिर क्या पूछें ये माँ के बारे में! माँ के

बारे में किसी का कुछ न पूछना मानो परोक्ष रूप से विनायक के वंश के प्रति अपमान हो! यदि वीणा उसे समझातीं तो विनायक आँखें फाड़कर कटाक्ष करता- 'क्या कटे घाव पर नमक छिड़क रही हो? क्या तुम माँ के चरित्र पर जरा भी शक नहीं करती? इतनी उदार हो तुम? तुम्हारा तिरिया चरित्र मुझे अच्छी तरह मालूम है...।' कभी-कभी वीणा को घुटन होने लगती। सास के प्रति गुस्सा आता। यदि एक बार उस गोपनीय तीर्थ पर बहू-बेटे को साथ ले जाकर घुमा लातीं तो सारे शक दूर हो जाते। और फिर खुद तो फटी साड़ी सिलकर पहनती हैं, पर पेंशन का पैसा भेज देती हैं तीर्थस्थान के दान-पात्र में। ऐसे में भला कौन है जो संदेह नहीं करेगा। क्या सचमुच में सरस्वती की अनंत तीर्थ यात्रा का कोई तीर्थ-स्थान था ही नहीं!

सरस्वती की उम्र काफी हो चुकी थी। फिर भी वे समाज की परवाह किए बिना अकेले तीर्थ करने जाती थीं। उस वक्त कमर का दर्द, घुटनों का दर्द सब उनसे दूर भाग जाते। अब माँ को अकेले तीर्थ पर जाने देने का बहू-बेटे का मन नहीं करता। कौन जाने पिताजी की तरह माँ भी एक दिन वापस न लौटने के लिए तीर्थयात्रा पर निकल जाएँ। किंतु विनायक, वीणा या किसी रिश्तेदार को अपने साथ तीर्थयात्रा पर ले जाने के लिए सरस्वती क्यों अनुमति नहीं देतीं। जिसे ईश्वर पर भरोसा है उसे किसी की क्या चिंता? तीर्थयात्रा में किसी को सहयोगी के रूप में साथ ले जाने का अर्थ है ईश्वर के ऊपर विश्वास पर प्रश्नचिह्न। इसलिए सरस्वती अकेले ही तीर्थ करने जाती हैं। विनायक सोचता, जिस पाखंडी बाबा ने सरस्वती जैसी उसकी शिक्षित माँ को अब तक सम्मोहित करके रखा है, क्या वह अमर हो आज तक जीवित है? जीवित हो भी सकता है, क्योंकि कलियुग में पापी लोग सौ साल तक भी जीते हैं- पर कोई अमर नहीं हुआ। वह ठग, पाखंडी एक न एक दिन तो मरेगा ही। तब जाकर खुद सरस्वती ही की तीर्थयात्रा पर पूर्णविराम लगेगा। किंतु कौन जानता है, खुद सरस्वती ही और कितने दिन टिकेंगी? इस दौरान थकने लगी हैं सरस्वती। अक्सर चिंतित रहती हैं। एक दिन कह रही थीं- 'विनायक बेटे! कितना अभागा है तू, पिता का स्नेह क्या होता है नहीं जान सका। पिता का चेहरा भी याद रहने जैसा नसीब तुझे नहीं मिला। क्या तेरी इच्छा नहीं होती कभी पिताजी को देखने की? तेरे बच्चे भी नहीं जान सके, दादाजी कितना अमूल्य पदार्थ होते हैं।'

'बहुत मन करता है माँ- सिर्फ इतना ही अफसोस रह गया मेरे जीवन में। पर अब पिताजी कहाँ मिलेंगे? तुम भी पिताजी के लौट आने की बात अपने मन से निकाल दो। अब तीर्थ करने मत जाओ। पाखंडी बाबा ने तुम्हें झूठी

दिलासा दी है। अब हम तुम्हें तीर्थयात्रा पर नहीं जाने देंगे- विनायक का स्वर कोमल से कठोर हो उठा।'

सरस्वती के चेहरे से कोमल मातृत्व की आभा छिन में उड़ गयी। सरस्वती ने बेटे के स्वर को दबाते हुए रणहुंकार भरी- 'क्या कहा, तू मुझे तीर्थ करने नहीं जाने देगा? यह अधिकार तुझे किसने दिया? यह बात तूने खुद ही सोची या वीणा के...?'

'देखो माँ, वीणा तो पराये घर की है, उसे दोष मत दो। पिताजी के बारे में या तुम्हारी अज्ञात तीर्थयात्रा के पागलपन के बारे में वीणा मुझसे कभी कोई बात नहीं करती। वीणा तो सिर्फ तुम्हारी उम्र और स्वास्थ्य को लेकर चिंतित है। लेकिन मैंने यह तय किया है कि तुम्हारे इस तीर्थ जाने के पागलपन को अब मैं प्रश्रय नहीं दूँगा। मैं तुम्हारा बेटा हूँ। मैं एक वैज्ञानिक हूँ। तुम्हारा यह पागलपन बहुत झेल चुका हूँ। अब और नहीं।'

क्या वाकई पागल हो गयी हैं सरस्वती? विनायक की बातें सुनकर अपनी लाल-लाल आँखें फैलाकर चीखते हुए बोलीं- 'क्या कहा? यह मेरा पागलपन है? मैं पागल हूँ? कान खोलकर सुन ले, मेरे मायके में कोई भी पागल नहीं हैं, हमने चिंतन, स्थिर चित्त, धीरमति संपन्न पंडित वंश के संस्कार उत्तराधिकार में प्राप्त किए हैं। और तू कहता है कि तीर्थयात्रा पर जाना मेरा पागलपन है? खबरदार, फिर कभी तेरे मुँह से पागल शब्द सुनने को न मिले। यदि मुझमें पागलपन होता तो मेरे पिताजी जैसे सच्चरित्र साधु स्वभाव के सज्जन कभी सच्चाई को छुपाकर तुम्हारे पिताजी के गले मुझे न बाँध देते...हमारे समाज के सच्चरित्र, साधु का मुखौटा पहने पिता यही तो करते हैं। पुत्र-पुत्री दोनों के मामले में इस सच्चाई को छुपाया जाता है हमारे धार्मिक समाज में। जितना धर्म करते हैं साधु-सच्चे लोग, वह सब ईश्वर की सूची में लिपिबद्ध हैं...।'

माँ का वह पागल रूप देख विनायक स्तब्ध हो खड़ा था। किस बात को लेकर शांत स्वभाव की विदुषी माँ का पारा अचानक इतना चढ़ गया? 'पागलपन' के लक्षण तो कई तरह के होते हैं। स्नेह, श्रद्धा में भी होता है। क्या इसका मतलब यह है कि माँ के वेश की बुनियाद में पागलपन का दोषारोपण है? क्या इसका मतलब यह है कि सचमुच माँ का पागलपन छुपाकर उनके विवेकी पिता ने विनायक के निरीह पिता के गले में माँ को बाँध दिया था तो क्या चोर की दाढ़ी में तिनका है! क्या माँ के अंदर वाकई पागलपन सोया रहता है और कभी-कभी जाग उठता है, तांडव मचाते हुए? क्या किसी वैसी ही घड़ी में माँ ने पिताजी को नदी के भँवर में धकेल दिया? उसी अपराधबोध से उबर न पाकर तीर्थ

करती रहती है- गंगा में हर साल रगड़-रगड़कर अपना पाप धोती हैं? फिर भी माँ पापमुक्त नहीं हो पा रही हैं। क्या उसके चेहरे पर स्थायी उदासी झलकना इस बात का प्रमाण नहीं है?

विनायक को लगा मानों वह खुद पागल हो जाएगा। बचपन से न जाने कैसे-कैसे मानसिक दबाव सहे हैं उसने माँ की तीर्थयात्रा को लेकर, पिता के रहस्यमय अंतर्धान होने को लेकर...पिता के न होने के अभाव को लेकर। नहीं, अब और नहीं। माँ का तीर्थ-रहस्य न भेद पाया तो मानों उसका दिमाग खराब हो जाएगा...। विनायक ने निश्चय किया कि माँ का तीर्थ-रहस्य जानने का एकमात्र उपाय है माँ जिस तीर्थ में पैसे भेजती हैं उसका पता मालूम करना। परंतु वह पता मालूम करना संभव नहीं हुआ। शहर के जाने-पहचाने डाकघर में काम करनेवाले पहचान के लोगों से घुमा-फिराकर पता उगलवाना भी संभव नहीं हुआ। उसने झिझकते हुए पूछा था- 'साहब, मेरी माँ, सेवानिवृत्त प्रधान शिक्षिका ने पिछले महीने किसी तीर्थ में पैसा भेजा था, वह पहुँच गया या नहीं? अब तक मनीआर्डर पावती की रसीद ही नहीं आई'- हर जगह वही एक निराशाजनक उत्तर मिलता। 'यहाँ से सरस्वती देवी कभी किसी को मनीआर्डर नहीं भेजतीं।' कोई-कोई कटाक्ष करता- 'क्या कोई बात है? अपना ही पैसा तो उन्होंने भेजा होगा। यदि रसीद नहीं पहुँची तो वे खुद आकर पूछ लेंगी। माँ के पेंशन के पैसों पर आपका कैसा नियंत्रण है?'

उफ्फ! विनायक का मिजाज गरमा जाता। जी करता उस आदमी का गला दबा दे। इस तरह से विनायक कुछ दिनों तक कई डाकघरों में गया, अपमानित हुआ, निराश हुआ और अंत में उसने कोशिश करनी छोड़ दी। उसके बाद शांत मन से सोचा- पिछले चालीस साल से मनीआर्डर की एक भी रसीद डाकिया ने घर पर लाकर नहीं दी। माँ की कई चिट्ठियाँ घर के पते पर आती हैं। माँ कभी भी डाकिया के इंतजार में नहीं बैठती। तो क्या माँ खुद जाकर किसी निर्दिष्ट डाकघर से मनीआर्डर की पावती रसीद ले आती हैं? फिर तो मनीआर्डर की रसीदें घर पर ही होनी चाहिए। जिस फाइल में माँ अनेक सरकारी गैर सरकारी रजिस्ट्री-पत्रों की रसीदें और ए.डी. रखा करती हैं, उसे भी विनायक ने कुछ दिनों तक खंगाला। पर कुछ नहीं मिला। लेकिन माँ के हिसाब-खाते में सिर्फ तीर्थ में दान के नाम पर बारंबार भेजे गए रुपयों का हिसाब मिल गया। माँ ने अपना और विनायक का पेट काट-काटकर इतना पैसा भेजा है किस अज्ञात तीर्थ के पाखंडी तपस्वी के ऐशो-आराम के लिए। पर हिसाबखाते में तीर्थस्थान का पता नहीं लिखा था। छि:. अपनी माँ के लिए इसके सिवा किसी

दूसरे शब्द का प्रयोग नहीं कर सका वह। वही शिक्षित माँ, जिसने उसके व्यक्तित्व को इतने उच्च संस्कारों से गढ़ा है, भर-भर कलाई चूड़ियाँ, एक बुंदा सिंदूर और स्कूल में पहनने लायक दो-चार सूती साड़ियाँ पहनकर, पखाल भात (रात भर पानी में डूबा बासी भात), प्याज खाकर बेटे को वैज्ञानिक बनाया है, सास की सेवा-शुश्रुषा की है, जिस घर में ससुर और पति न हो उस घर में मुखिया बनकर दबंगई के साथ समाज के समस्त कटाक्षों की जो अवहेलना करती रही है, क्या वह भी इतनी कपटी हो सकती है? वह भी अपने बेटे के साथ?

विनायक ने सुना था कि उसके दादाजी कृषि विभाग में एक सच्चे इंस्पेक्टर थे। उनसे जलनेवाले कुछ सहकर्मियों ने उनके खिलाफ हेरा-फेरी का इल्जाम लगा दिया था। वह इतनी-सी बात न सह सके और उन्होंने कीटनाशक दवा पीकर आत्महत्या कर ली थी। उनकी आत्महत्या उनकी सच्चाई की गौरवगाथा बनकर आज भी याद की जाती है। किंतु कुछ नीच लोग कहते हैं- सरस्वती का चरित्र-दोष ससुर की आँखों में पड़ने के कारण वे उसे सह नहीं पाए और उन्होंने आत्महत्या कर ली। उफ्फ, सिर्फ माँ के चरित्र-दोष की वजह से विनायक अपने दादा और पिता को खो बैठा। ऐसी बदचलन माँ को बर्दाश्त करता आ रहा है विनायक, पिछले चालीस सालों से! लेकिन सबूत कहाँ है? सबूत मिलने पर क्या विनायक परशुराम बन जाएगा और अपनी माँ का गला दबाकर ...उफ्फ, विनायक को लगता कि वह इस बारे में सोचते-सोचते कहीं पागल न हो जाए!

वृद्धा सरस्वती के प्रति काफी लापरवाही बरतते थे बेटा-बहू। इस बात का एहसास पास-पड़ोसियों को भी था। लेकिन सरस्वती के साथ यही होना चाहिए, ऐसा वे मानते थे। सरस्वती का बेटा विनायक माँ को उसी अनजान तीर्थस्थान में रहने का दंड नहीं दे रहा, यह उसका बड़प्पन है। सरस्वती अब बुढ़ापे को अपना चुकी थीं। तरह-तरह की छोटी-बड़ी स्वास्थ्य संबंधी समस्याएँ लिए बिस्तर पर पड़ी रहतीं। रोजाना बूढ़ा-बूढ़ी का हालचाल पूछने का समय किस बहू-बेटे के पास होता है। बड़ी उम्र में अनाप-शनाप काम करने होते हैं। बूढ़ा-बूढ़ी हो जाने पर अपने शरीर के लिए, ठाकुर-देवताओं के लिए नाहक समय बर्बाद करते हैं सभी। सरस्वती के दिन भी इसी तरह गुजरते थे। अब ट्यूशन नहीं पढ़ा पाती थीं। घर के कामों में बहू का हाथ नहीं बँटा पाती थीं। पर उनके खाने में कमी नहीं आई थी। आदमी का अजीब दुश्मन होता है यह पेट। बहरहाल, बेटा-बहू खाना तो देते थे। सरस्वती के पेंशन का पैसा किसी

गोपनीय राह से होकर तीर्थस्थान तक पहुँच जाता था, यही राहत थी उसके लिए।

जिस दिन बीमारी से उठकर सरस्वती तीर्थ के लिए तैयार होने लगी, सभी समझ गए कि यह सरस्वती की अंतिम तीर्थयात्रा है। जाने दो- विनायक ने नहीं रोका। बल्कि माँ के हाथ में तीर्थ के खर्च के लिए पहली बार कुछ पैसे भी दिए। माँ अब ज्यादा दिन नहीं टिकेगी, ऐसा उसने सोचा। लेकिन विनायक आसमान से गिर पड़ा जब सरस्वती ने कहा- 'पैसे क्या दे रहा है? इस बार तू भी मेरे साथ चल। तीर्थस्थान देख आना। मेरे बाद तुम्हें ही साल में एक बार जाना पड़ेगा। मेरी आखिरी इच्छा यही है।' विनायक कुछ समझ नहीं पाया। मरने के बाद भी माँ की आत्मा उसी अज्ञात तीर्थस्थान में गिरवी पड़ी रहेगी!

बहू वीणा भी तीर्थस्थान के लिए तैयार हो गयी। भक्ति के कारण नहीं, स्त्रीमन के कुतूहल के कारण। सास के प्राणों के देवता कौन से योगीराज महात्मा हैं, उनका दर्शन करने की इच्छा भला किस बहू में नहीं होगी?

किंतु सरस्वती ने बड़ी-बड़ी आँखें करके बहू को खबरदार किया- 'नहीं, तुम हमारे साथ तीर्थ पर नहीं जा सकती। अभी तुम्हारी उम्र नहीं है तीर्थ पर जाने की। सधवा गृहिणी का बाल-बच्चों को छोड़कर तीर्थ पर जाना सही लक्षण नहीं है। मेरी बात कुछ और थी। मैंने तुम्हारे ससुर को जहाँ खो दिया था उसी स्थान को अपना तीर्थ मानकर जाती रही हूँ। तुम किस दुख से इस उम्र में तीर्थ करने जाओगी?'

विनायक के इशारे से वीणा चुप रही। कम से कम विनायक ही जाकर तीर्थरहस्य भेद आए। बाद में माँ के अनजाने वीणा को ले जाकर दिखा ही लाएगा।

माँ-बेटा तीर्थ करने निकल पड़े। पड़ोसियों को भी ताज्जुब हुआ। इस बार बेटा जरूर माँ को गंगा में धकेल आएगा। सरस्वती कमजोर शरीर के कारण बेटे को अपने सहारे के लिए तीर्थ ले जा रही हैं, यह सर्वसम्मत से ग्रहण योग्य था। वरना कितना ही बूढ़ा हो जाने पर भी आखिर कौन-सी माँ अपने वृद्ध-प्रणय का भेद बेटा-बेटी के सामने खोलेगी।

रास्ते में बेटे का सिर सहलाते हुए माँ ने कहा था- 'बेटे, चालीस साल तक मैंने जिस सत्य को समाज की नजरों से छिपाकर रखा है, मेरे बाद तुम भी उस सत्य को सारा जीवन गोपनीय रखना। नहीं तो हमारा यह अंधा समाज हमारे परिवार का चौदह पुश्तों तक बहिष्कार करेगा। विनायक अब भी नहीं समझ पा रहा था कि माँ किस भयंकर सत्य से पर्दा हटाने जा रही हैं उस अज्ञात तीर्थ-स्थान में। माँ की बातें, क्रमशः रहस्यमय लग रही थीं। उस सत्य से पर्दा

न हटना ही बेहतर है, जो उसकी बाकी की ज़िंदगी में भूचाल ला सकता है, पूरी तरह ध्वस्त भी कर सकता है। लेकिन तब तक वे लोग शेर की माँद में घुस चुके थे। अब वापसी का रास्ता नहीं था।'

विनायक ने चकित हो पूछा, 'यह कहाँ ले आई मुझे? तुम्हारा वह तीर्थस्थान कहाँ है? यह तो कोई मानसिक रोग चिकित्सालय है। यहाँ हमारा क्या काम?'

'यहीं रहते हैं मेरे आराध्य देवता। यही है मेरा परम तीर्थस्थान। देखेगा मेरे आराध्य देवता को? चल आ, उस वार्ड में चलते हैं।'

माँ बेटा दोनों उस 'असाध्य मानसिक रोग वार्ड' के छह नंबर शय्या के पास जाकर खड़े हो गये। शय्या पर लेटे हुए थे एक भारी भरकम वृद्ध। उनकी मुख-मुद्रा और दृष्टि निर्लिप्त थी। सरस्वती के संबोधन से वे उठकर बैठ गये। गुस्से से देखते हुए सवाल किया- 'इस बार देर क्यों लगा दी? यह आदमी कौन है? इसे साथ क्यों लाई? क्या मेरी बीमारी का प्रचार करने के लिये? मैं एक पागल हूँ, यह साबित करने के लिये? मैं पागल नहीं हूँ, मेरे पिता ने भी पागलपन की वजह से आत्महत्या नहीं थी। बल्कि पागलपन तुम्हारे खानदान में है।'

सरस्वती की आँखों में विनायक ने कभी आँसू नहीं देखे थे। उस दिन उनकी उदास आँखों में छलछला आये थे चालीस सालों से दबाकर रखे दर्द भरे आँसू। विनायक का ठंडा हाथ भींचकर पकड़ते हुए उन्होंने कहा- 'बीनू रे! ये हैं तेरे पिता। विवाह के पहले से उन्हें यह रोग था। तुम्हारे दादाजी ने सच्चाई छिपाकर मुझसे विवाह करा दिया। उन्होंने सोचा कि विवाह के बाद सब ठीक हो जाएगा। हमारे स्वार्थी समाज में युगों से यह पापकर्म हो रहा है। अपनी बदनसीबी दूसरे के बेटे या बेटी के गले में बाँधकर माँ-बाप निश्चिंत हो जाते हैं। मेरे नसीब में भी यही था। विवाह की पहली रात से ही तुम्हारे पिताजी तांडव करने लगे थे। मैंने पाँच साल तक संभाला। फिर शहर से दूर इस मानसिक चिकित्सालय में ले आई। डॉक्टर इस मानसिक रोग को असाध्य रोग कहते हैं। जीवनभर इसका इलाज कराना पड़ता है। ऐसे रोगियों का इलाज कराने जैसा मुश्किल काम और कोई नहीं है। क्योंकि ये लोग खुद को मानसिक रोगी मानते ही नहीं। तुम्हारे पिताजी जैसे असाध्य रोगियों को जीवनभर अस्पताल में ही रहना पड़ता है- इसीलिए इन्हें यहाँ छोड़ गयी। यही है मेरा तीर्थस्थान।'

'किंतु इस बात को गोपनीय रखकर तुमने जिल्लतें क्यों उठाई माँ?' करुण कंठ से पूछा विनायक ने।

सरस्वती ने दृढ़ स्वर में कहा- 'तुम्हारे ही लिए बेटे। वरना शायद मुझे

कोई बहू न मिली होती। तुम्हारे वंश में यह रोग कोढ़ से भी भयंकर सामाजिक कलंक बनकर रह गया होता। विकसित देशों में भी यह रोग एक संगीन सामाजिक कलंक है- सिर्फ इसीलिए...' सरस्वती बेटे का हाथ अपनी मुट्ठी में भरकर सांत्वना दे रही थीं।

विनायक ने दबे स्वर में सवाल किया- 'क्या यह खानदानी बीमारी है? अर्थात मुझे भी एक दिन इस वार्ड के बेड पर...'

'चुप-चुप-ऐसा मत बोल। पर ऐसी कुछ मानसिक बीमारियाँ खानदानी भी हो सकती हैं...यह धारणा है लोगों की। मैं डॉक्टर तो हूँ नहीं। इस रोग के बारे में अंतिम सत्य का उद्घाटन किसी ने किया ही कहाँ है कि मैं तुम्हारे सवाल का जवाब दे सकूँ? बहरहाल, तुम यह बात किसी को बताना मत। वरना तुम्हारे बच्चों को जीवनसाथी नहीं मिलेंगे। हाँ, मेरे मरने के बाद याद करके अपने पिता के इलाज के लिए हर महीने यहाँ पैसे भेजते रहना।'

विनायक द्वारा पिता के पैर छूकर विदा माँगते समय उसके पिता ने पैर खिसका लिए। घृणित दृष्टि से विनायक की ओर देखते हुए बोले- 'यह मेरा बेटा है? हँह, मैं तुम पर विश्वास नहीं करता सरस्वती...जा, इसे लेकर मेरी नजरों से दूर हो जा।'

लौटते समय सरस्वती ने कहा- 'संदेह और अविश्वास के कारण ये लोग न केवल स्वयं घुटते हैं, बल्कि पूरे परिवार के लिए घुटनभरा माहौल बना देते हैं। भला इसमें इनका क्या दोष? ये क्या कहते हैं, खुद ही समझ नहीं पाते। लेकिन तुम्हारे पिता बुद्धिमान हैं- यही इस बीमारी का विस्मयकारी तथ्य है।'

विनायक कहीं खोता जा रहा था। सोच रहा था- 'सिर्फ पिताजी के इलाज के लिए ही पैसे भेजना जरूरी नहीं है, बल्कि अपने लिए भी छह नम्बर बेड रिजर्व करके रखना शायद जरूरी है। हाँ, वह कृतसंकल्पित है कि यह बात पत्नी वीणा से नहीं बताएगा-निकट सगे-संबंधियों को भी नहीं।'

❑❑

मान-रक्षा

जहाँ भात की हाँड़ी काली नहीं होती, उस जगह का नाम है कालाहाँडी। वहाँ की मिट्टी में हीरा तो मिलता है, पर धान नहीं उगता। हीरा खाकर इनसान जिंदा नहीं रह सकेगा, मर जाएगा। पर हीरा भी यहाँ सबको कहाँ मिलता है। वह तो बड़े लोगों के नसीब में ही होता है।

सुरेन्द्र को कालाहाँडी जाने का ट्रांसफर ऑर्डर मिलते ही सविता पर मानों आसमान टूट पड़ा। जहाँ हमेशा अकाल पड़ा रहता है, जहाँ भूख से बेचैन माँएँ अपने बच्चे बेच देती हैं, वहाँ कोई किसी पर कैसे विश्वास करेगा!

किंतु सुरेन्द्र सरकारी आदेश की अवमानना नहीं कर सकता। उसने सविता को समझाया, 'बल्कि कालाहाँडी-कोरापुट ही ठीक है। वहाँ कटक, भुवनेश्वर, पुरी, बालेश्वर इत्यादि जगहों की तरह राजनीतिक हस्तक्षेप नहीं है। इन दिनों कालाहाँडी बच्चों की बिक्री और अनाहार मुत्यु के कारण चर्चा में है। ढेरों विदेशी शोधकर्ता कालाहाँडी पर शोध करने के आग्रही हैं। हम उनके संपर्क में आएँगे। कालाहांडी के विकास का सारा सरकारी खर्च मेरे ही मार्फत होगा। मेरा रौब यहाँ से ज्यादा वहाँ रहेगा। इसके अलावा भूखे, गरीब, सरल, गँवार लोग हमें राजा की तरह मानेंगे। यहाँ के गुंडे-बदमाश की तरह हमसे मनचाहा व्यवहार नहीं करेंगे। चंदा इकट्ठा करने के लिए दंगा-फसाद भी नहीं होगा। तुम ठाठ से रहोगी। घर का काम करने के लिए नौकर-चाकर भी मिल जाएँगे। बंधु-बांधवों की आवाजाही भी ज्यादा नहीं रहेगी। कुछ बचत भी जो जाएगी। बेटा अभी छोटा है। तीन-चार साल वहाँ मुँह बंद करके रह गये तो आर्थिक दृष्टि से भी हमें बहुत लाभ होगा। तुम्हारा भी वहाँ के स्कूल में आसानी से तबादला हो जाएगा। इस समय उस इलाके में कुछ सालों तक काम करके जब बच्चे को अंग्रेजी स्कूल में नाम लिखवाना होगा, कटक-भुवनेश्वर तबादला करा लेंगे। तब तक मनपसंद तबादले के लिए बिचौलियों को देने के लिए हमारे पास आर्थिक ताकत भी होगी।'

सविता ने अपने मन को समझा लिया। गठरी-मठरी बाँधकर छह महीने के बेटे निपुन को साथ लेकर पति-पत्नी ने कालाहाँडी पहुँचकर कुछ ही दिनों में खूब जमा लिया। सुरेन्द्र ब्लॉक विकास अधिकारी है। सविता सरकारी स्कूल की शिक्षिका। बेटा निपुन की देखभाल करने के लिए एक बुढ़िया मिल गयी है। बुढ़िया नहीं, बल्कि अधबूढ़ी। भूख-उपवास से बुढ़ा गयी है। चपरासी, अर्दली सभी उसे बुढ़िया कहकर बुलाते हैं। बुढ़िया को इसमें कोई आपत्ति नहीं। बड़ी सरल और निश्छल बुढ़िया है। पहले की अपेक्षा अब सविता निश्चिंत है। छह महीने के बेटे को छोड़कर दस से चार बजे तक स्कूल जाकर गणित और विज्ञान पढ़ाना एक माँ के लिए कितना मुश्किल है, यह बात अनुभव के बगैर कोई समझ नहीं सकता। मन टिका रहता है बच्चे के पास। ठीक समय पर नौकर ने खाना खिलाया होगा या नहीं, बच्चा खाट से गिर तो नहीं गया होगा। बुढ़िया ने बच्चे का दूध पीकर बच्चे को भूखा तो नहीं रखा होगा। हे भगवान, कितनी चिंताएँ रहती हैं नौकरी करनेवाली माताओं को हमारे देश में। न है बेबी सिटिंग की सविधा, न है क्रेच। दूसरी तरफ सास-ननद को साथ रखने से एक तरह की घुटन-सी होती है। वे लोग भले ही कुछ न कहते हों, पर लगता है जैसे तुम्हारी आजादी पर हर पल कोई खामोश हस्तक्षेप कर रहा है। कभी गुस्सा आने पर सासजी के सामने उनके बेटे को ऊँची आवाज में कुछ महकर मन की भड़ास भी नहीं निकाली जा सकती। कुछ ऐसी सास भी होती हैं जो सिर्फ बच्चों को लाड़-प्यार करती रहेंगी, बाकी के काम के लिए हाथ-पैर नहीं हिलाएँगी। बल्कि बैठे-बैठे टोका-टोकी करती रहेंगी, बच्चों को ऐसे नहीं पालते, ऐसा नहीं कहते, वैसे नहीं खिलाते। मैंने अपने बच्चों को ऐसे पाला है, वैसे कपड़ों से पोंछा करती थी। ऐसे ध्यान रखती थी, इसीलिए आज मेरा बेटा पाँच लोगों में अलग ही दिखाई देता है...कितना कष्ट नहीं सहा मैंने अपने बच्चों के लिए...।' बस, बजता रहेगा उनका रिकार्ड।-

नौकरी करनेवाली बहू बार-बार अपनी कलाई घड़ी देखते हुए किस तरह जल्दी-जल्दी घर का काम खत्म करती होगी, उसकी भनक तक नहीं मिलती उन्हें। क्योंकि वैसा अनुभव उन्हें नहीं है। और यदि कभी काम से लौटकर सुरेन्द्र ने सविता की मदद रसोई में कर दी या बच्चे का दूध बना लाया, तो सासजी की भौंहें तन जाएँगी। जब तक सासूजी रहेंगी सुरेन्द्र एक गिलास पानी तक भरकर नहीं पीएँगे। 'आज कल की नौकरी-पेशा जिंदगी में ऐसा नहीं चलता है।' कहकर माँ को समझा नहीं सकते सुरेन्द्र। ननद तो मुँह खोलकर कह देंगी, भैया तो शादी के बाद जोरू के गुलाम हो गये हैं। जबकि वही ननद ननदोई को उठक-बैठक

कराती होगी। करोड़ों में एकाध ऐसी भाग्यवती बहू होगी, जिसकी सास आने पर घर का काम हल्का हो जाता होगा। पर यह सबके लिए संभव नहीं है। मेहमान की तरह आए, महीना-पन्द्रह दिन रहे, हँसी-खुशी सास-बहू ने साथ-साथ समय गुजारा, फिर लौट गयीं। कहते हैं, आज कल बहुओं के साथ रहने में सासुओं की आजादी में भी आँच आती है। आजादी मानों कोई रोग हो। पति-पत्नी, सास-बहू, ननद-भौजाई सबके बीच आजादी बाधित होती है। बहरहाल, आज घर का अर्थ है 'पति-पत्नी और बच्चे।' यह सच है कि इसमें कई तरह की दिक्कतें हैं, किंतु किसी तीसरे के लिए अब आधुनिक घर में जगह नहीं होती। वे माँ-बाप हों या लक्ष्मण जैसा भाई, सभी बोझ होते हैं। सविता भी कटक में अकेले ही बच्चे को संभालते हुए नौकरी करती थी। एक अच्छी नौकरानी ढूँढ़ते-ढूँढ़ते परेशान हो गयी थी। कालाहांडी में उस समस्या का समाधान हो गया था। बुढ़िया किसी और काम की भले ही न हो, पर बच्चे को बड़े प्यार से रखती थी। निपुन ने भी बेहिचक उसे स्वीकर कर लिया था। दफ्तर का चपरासी सुबह-सुबह आकर रसोई बनाकर चला जाता। दस बजे तक खा-पीकर दरवाजे पर ताला ठोंककर सविता स्कूल के लिए निकल जाती। बहरहाल कमरा पूरी तरह खाली और खुला-खुला रखती थी निपुन के लिए। वह घुटनों के बल डोलता रहता पूरे कमरे में। निपुन के खाने की चीजें रसाई से बाहर निकालकर रख जाती सविता। बुढ़िया समझा-बुझाकर, बहला-फुसलाकर खाना खिला देती। सविता के लौटने के बाद बुढ़िया झटपटे अंधेरे में जगली रास्तों से होकर अपने गाँव लौट जाती। घर पर आसन्नप्रसवा बहू है। उसके तीन-चार बच्चे मर चुके हैं। पिछले अकाल में एक बच्चा बेच दिया था हाट में, सौ रुपये में। कुछ भी कहो, बच्चे की जान बच गयी। वरना वह भी पहले तीन की तरह...।

बुढ़िया का बेटा बेकार है। बेकार का मतलब कोई काम नहीं। काम न मिलने के कारण भूखे रह-रहकर इतना रोगीला हो गया है कि काम मिलने पर भी नहीं कर पाता। पेट फूल गया है। दोनों आँखें कोटरों में घुस गयी हैं। बूढ़ों की तरह चमड़ी लटक चुकी है, काले बाल भूरे हो चुके हैं मानों जंगल की मिट्टी चुपड़ी हो उसने। उम्र कम है पर बदन में ताकत नहीं बची। ऐसे में उसे कौन काम पर रखेगा। बहू की बात छोड़ दो। बच्चे पैदा करते-करते केंकड़े का खोल बन चुकी है। बारिश न होने पर माटी में बीज से पौधा नहीं उगता, पर यहाँ की औरतों के पेट में हर साल बच्चे का संचार हो जाता है, पर बाहर मिट्टी पर जन्म लेते ही उनकी उम्र घट जाती है। बुढ़िया को आनेवाले कल की चिंता नहीं है। अब तो आदत-सी पड़ चुकी है। अपनी दुःख-भरी बातें दोहरा-दोहराकर

सविता को बोर नहीं करती। एक जून खाती है। शाम को उसे जो खाना मिलता है, उसे साड़ी के छोर में बांधकर घर ले जाती है। बहू-बेटे में बाँट देती है। खुद थोड़ा-सा पानी पीकर सो जाती है। दिन में एक बार पेट भरकर खाना खा लेना क्या कोई मामूली बात है। बुढ़िया कहा करती, 'इस तरह, एक बखत पेट भरकर दाल-भात खाकर कोई भी सौ साल तक बेधड़क जी जाएगा...।'

बुढ़िया दिन में खाना खाने बैठती तो भूखे कगालों की तरह गपागप निगलती नहीं। भात के कटोरे को देखते हुए मानों एक-एक भात गिनती थी। अन्यमनस्क हो चबा-चबाकर भात खाते समय तरकारी खाना भूल जाती। गले में चिपक जाने पर गटागट पानी पीते समय आँखों से पानी निकलने लगता। बुढ़िया टूटी-टूटी खाँसी के बीच धीरे-धीरे कहती, "बेटा जो याद कर रहा होगा ...गर्भवती बहू का खाली पेट भूख से उमेठ रहा होगा...पेट में बच्चा तड़प रहा होगा भूख से।' फिर खाँसी संभालते हुए...आँखों का पानी पोंछकर बुढ़िया भात खाती। मन-ही-मन कहती, 'साहब बड़े दयालु हैं। काम ही क्या करती हूँ मैं! बिठाकर खाने को देते हैं। महीने में बीस रुपये भी देते हैं। और नहीं तो क्या, तीन-तीन लोगों का पेट भरेंगे। इसके अलावा रात के लिए छह रोटियाँ मिलती हैं। तीन लोगों का खाना। जबकि उसमें से चार बेटे की और दो बहू की होती है।' बुढ़िया कहती है, 'मैं साहब के घर पर खाकर आई हूँ। ये सारी रोटियाँ तुम लोगों की हैं...।' रात को पेट पर गीला कपड़ा रखकर सो जाने से सपने देखते-देखते झट से सुबह हो जाता है। बुढ़िया की आँखों में भी सपने आते हैं। लोग सुनेंगे तो हँसेंगे। पर क्या सपने केवल कुँवारियाँ ही देखती हैं? बुढ़ियों की आँखों में सपने नहीं होते? शरीर बूढ़ा होता है, क्या कभी सपने भी बूढ़े हुए हैं? क्या मनुष्य का केवल एक ही सपना होता है? शरीर का सपना, मन का सपना। क्या पेट का सपना नहीं होता? तो क्या बुढ़िया रात को देखती है भात, दाल, तरकारी, रोटी, लाई, चिउड़ा के सपने। सपने में बुढ़िया गले तक भात, दाल, तरकारी खाने की सोचकर जैसे ही खाने को होती, मालकिन का बबुआ घुटनों के बल आकर बुढ़िया की थुल-थुल चमड़ी लटकी पीठ पर 'चीनी-बोरा' बन जाता है। बच्चे के स्पर्श से बुढ़िया का निवाला भरा हाथ रुक जाता। भात का भरा कटोरा उसी तरह रखा रह जाता। बच्चे को चूमते ही उसका पेट भर जाता। बुढ़िया की हाँड़ी में भात हो-न-हो, उसकी बहू की गोद में यदि बच्चे जी गये होते तो बुढ़िया के पेट में भूख न होती। साहब के बबुआ को सीने से लगाते ही वही एक-सी गर्माहट, वही एक-सा संतोष, एक-सा अपनत्व, अपने पोते को सीने में लगाने-सा लगता है। अपने पोतों को खोने का दुख-शोक भूल जाती है

वह। बच्चों में अपना-पराया कहाँ होता है। बुढ़िया को तोतले शब्दों में 'बुइया' 'बुइया' कहकर भींचकर पकड़ लेता है वह। शाम होने पर बबुआ से छिप-छिपकर बुढ़िया अपने गाँव की ओर चल पड़ती है। वरना रोते-रोते हाल बुरा कर लेता है बबुआ। कैसे सुबह हो, बुढ़िया जाकर बबुआ को तेल-हल्दी लगाए, इन्हीं सपनों में सुबह की नींद खुल जाती। और भी एक आकर्षण रहता है बढ़िया का। सुबह साहब के घर पहुँचते ही आधा गिलास चाय के साथ रात की दो बासी रोटियाँ मिल जाती हैं। माँगना नहीं पड़ता। चाय में दूध भी होता है, चीनी पड़ी होती है...शादी-विवाह और परब-त्यौहार में भी इतने सुआद वाली चाय बुढ़िया ने कभी अपने गाँव के साहूकार के घर भी नहीं चखी। पेट में चाय-रोटी पहुँचते ही बुढ़िया चैतन्य हो जाती। बबुआ के पीछे-पीछे दौड़ने में उसके पैर बढ़-चढ़कर साथ देते। सुबह दस बजे तक सारा काम खत्म करके मालकिन स्कूल चली जाती हैं। बड़ा ताम-झाम होता है। भात, तरकारी, मछली माँस, सब बनता है, पर खाने का समय नहीं मिलता। यह कैसा जीवन है? जल्दी-जल्दी मुँह में कुछ ठूँसते हुए कलाई-घड़ी देखते-देखते अलमारी, बक्सों, सभी कमरों में ताला बंद करेंगी। बबुआ के खाने की चीजें देकर बैठक-घर खुला छोड़कर निकल जाती हैं। सारा काम नियम से होता रहता है, पर कमरों में ताला लगाने में रोजाना परेशानी होती है। हर रोज चाबी का गुच्छा दस बार इधर-उधर रखकर ढूँढ़ती फिरती हैं मालकिन। पहले से नहीं ढूँढ़ेंगी, ढूँढ़ेंगी संकट-बेला में। उधर स्कूल का समय होने लगेगा, इधर चाबियाँ ढूँढ़ी जा रही होंगी। खुद ही चाबियाँ यहाँ-वहाँ न रखने की जगह रख देंगी, फिर सब पर गुस्सा उतारने लगेगी। घर के सभी लोग जुट जाएँगे चाबी का गुच्छा ढूँढ़ने में। उस समय इन्द्र-चन्द्र भी सामने आ जाए तो पार नहीं पा सकते। वे भी मालकिन के मुँह से अनाप-शनाप सुनेंगे और चाबी ढूँढ़ने में जुट जाएँगे। बबुआ यदि माँ-माँ कहकर पैरों से चिपक जाए, तो उसके भी मुलायम गाल पर थप्पड़ पड़ जाता है कभी-कभार। कभी-कभी मालकिन उसे उठाकर जोरों से झकझोर देतीं। बच्चे को संभाल नहीं सकती, कहकर बुढ़िया को भी झिड़क देतीं। वरना और किसी समय बच्चे पर हाथ उठाते समय या बुढ़िया को कुछ कहकर मुँह खराब करते किसी ने नहीं देखा। बुढ़िया विस्मित ही नहीं, भौचक्का रह जाती चाबी-ढुँढ़ाई नाटक में। अरे बाबा, यदि चाबियाँ नहीं मिलीं, कुछ देर रुकने के बाद फिर से ढूँढ़ों। अपने आप मिल जाएँगी। घर से जाएँगी कहाँ? यह कोई खाने या पहनने की चीज तो है नहीं कि पेट या पीठ के कष्ट से परेशान होकर कोई हाथ की सफाई दिखा दे। लोहे की चाबियाँ किसी के क्या काम आएँगी। मालकिन के

स्कूल चले जाने के बाद बुढ़िया धीरे-धीरे ढूँढ़ेगी। हड़बड़ाहट में ढूँढ़ने पर क्या कोई चीज कभी मिली है? कभी-कभी मालकिन को परेशान हो चाबियाँ ढूँढ़ते देख बुढ़िया टोकते हुए कहती, 'रहने दो, क्या कोई ले जाएगा? बाद में मिल जाएँगी। स्कूल से लौटकर ढूँढ़ लेना।' मालकिन गुस्से में तमतमाई हुई बुढ़िया की ओर देखकर कहती, 'चाबियाँ न मिलीं तो कमरों में ताले कैसे बंद होंगे? चाबियाँ भले ही कोई न ले जाए...पर घर तो खाली नहीं है, ढेरों, सामान भरा है...।'

हाँ, सच तो है। पूरा घर है। इतना सामान है। पर क्या जरूरत पड़ती है इन लोगों को इतनी चीजों की, बुढ़िया नहीं जानती। टेबुल पर, ताकों में, पलंग के नीचे, अलमारी के ऊपर ढेरों चीजें रखी होती हैं। सिर्फ आँखें देखती हैं। काम कुछ नहीं। अलमारी, ट्रंक, बक्सों में भी बहुत-सा सामान भरा होगा। रोजाना जरूरत नहीं पड़ती। तो फिर जितना चाहिए, उतना रखो। इतना सामान क्यों रखोगे, ताले क्यों ठोकेंगे, इतना परेशान क्यों होंगे? यहाँ जो भी साहब नौकरी पर आते हैं, सभी पढ़े-लिखे होते हैं। किताब-अखबार पढ़ते हैं। इस तरह उनमें बुद्धि-ज्ञान भी अपार होता है। पर ऐसे भोलेनाथ क्यों बन जाते हैं अपनी घर-गृहस्थी बसाते समय? पेट और पीठ के लिए खूब खाओ, खूब पहनो। बाकी की चीजों पर पैसा क्यों बहाना, चोर तस्कर से डर-डरकर ताला-चाबी के लिए रोज परेशान क्यों रहना? अपने होश संभालने के दिन से उसके अपने गाँव में या वन-पहाड़ से घिरे आस-पास के गाँव में किसी के भी दरवाजे पर ताला लगा नहीं देखा बुढ़िया ने। गाँव के सभी घरों में जंजीर लगी रहती है, ताला नहीं होता। बुढ़िया ने पहली बार ताला-चाबी देखा साहब के घर पर। काम करने के बाद यह बात गाँव में जाकर बताने पर अगले दिन गाँव से दस-पाँच युवक-युवतियाँ चले आए ताला-चाबी कैसा यंत्र है, देखने के लिए। किस कारीगर ने ऐसा यंत्र बनाया जो इत्ता-सा होते हुए इतने बड़े-बड़े किवाड़ों को जकड़े हुए हैं, खुल नहीं सकते। उस दिन घर से लाए आम बेचकर दो धाँगड़ों (आदिवासी युवकों) ने हाट से दो ताला-चाबी खरीद लिए और अपनी-अपनी धाँगड़ी (आदिवासी युवती) के गले में पड़ी माला में ताला ठोंककर चाबियाँ नचाते हुए खूब दूर फेक दीं। धँगड़ियों के गले में ताला ठोंक देने से अब उन्हें कोई उठाकर भाग नहीं सकता। सूआँफूल उड़ाने-सा अब धाँगड़ी किसी दूसरे धाँगड़ की ओर अपना मन उड़ा नहीं सकेगी।

किंतु उसी दिन गाँव में दो बुरी घटनाएँ घट गयीं। उनमें से एक धाँगड़ी को बाघ खा गया और दूसरी को बिच्छू ने डंक मार दिया। एक का सिर लुढ़क पड़ा था बाघ के हमले में और दूसरे ने बिच्छू के विष से प्राण छोड़े। गाँव में

पंचायत बैठी। ताला-चाबी का प्रवेश गाँव में होने के कारण गाँव में अविश्वास घुस आया, उससे गाँव में पाप घुस आया, ऐसा दिसारी (आदिवासी पंडित) ने कहा। उसी पाप से धाँगड़ियों की ऐसी दशा हुई। अब से कोई ताला-चाबी नहीं खरीदेगा, पंचायत ने फरमान सुना दिया। जिन दो धाँगडों ने ताला-चाबी खरीदकर धाँगड़ियों के गले में बंद किया था, उन पर जुर्माना हुआ। दोनों धाँगड़ों ने साहूकार के पास बंधुआ मजदूर बनकर बदले में एक जोड़ी बैल खरीदा, निचली हाट से चावल खरीदा। पूरे गाँव ने भोज खाया। दोनों धाँगड़ों का पाप कट गया, पर बंधुआ मजूरी नहीं छूटी। एक बार बंधुआ बन गये तो फिर छूटना संभव नहीं होता। जीवनभर बँध गये। एक तरह से अच्छा ही है। बंधुआ बनने की वजह से इतने बड़े अकाल में भी वे धाँगडा साहूकार के घर एक जून भात-माँड़ तो खाते हैं। उनके साथ के धाँगड़े गाँव में खाना न पाकर असमय बुढ़ा गये। हड्डियाँ गिन सकने जैस देह-सूखी लकड़ियों जैसे हाथ-पैर-मानों बच्चे ने खिलौने का आदमी बनाने के लिए खोल में चार डंडियाँ खोंस दी हैं। आँखें नहीं, गोबर के गड्ढे हैं। गड्ढों में टिमटिमाती निस्तेज, मरी मछलियों-सी सूनी आँखें, बाल बदरंग धूसर, गर्म हवा में सनई की तरह उड़ रहे हैं। मुँह में चुटकी-भर चावल समाएगा। दाँत मानों कुल्हाड़ी की तरह बाहर निकल आए हों। जैसे कि भूख की यातना से पूरी दुनिया को चाटकर साफ कर देंगे।

बहरहाल दोनों धाँगड़ियों की जान छाती पर ताला लटकाने के पाप से गयी-गाँव में यह एक अलिखित नियम हो गया। फिर किसी ने ताला-चाबी नहीं खरीदा। जरूरत ही क्या है? सबके किवाड़ उढ़ाले हुए होते हैं। गाँव में बूढ़ा-बूढ़ी, छोटे बच्चों , मुर्गों, कुत्तों को छोड़कर औरत, मरद सभी खेत, जंगल, वन, पहाड़, हाट, काठ, मूल-मजूरी करने चले जाते हैं, निश्चिंत मन से। घर के अंदर हाँडी में रखा होता है भात-माँड़ और कुठले में बीज, किसानी के लिए। शिकार के लिए हाथ के हथियार। इसके अलावा और होती ही क्या है धन-सम्पत्ति? सबके घरों में बस एक जैसी चीजें। कोई किसी का भात नहीं खा जाता, बीज नहीं लूट ले जाता, हाथ से बनाए हथियार नहीं उठा ले जाता। पंचायत के फैसले का, धरम देवता का, बीच खंभे में बैठकर देखनेवाले 'डूमा' देवता का किसे डर नहीं है। गाँव के धाँगड़े दूसरे के घरों की धाँगड़ियाँ उठा ले जाएँगे, पर किसी की बाड़ी से एक सूखा पत्ता तक नहीं उठाएँगे। धाँगड़ी भगाने में मर्दानगी है, दूसरी चीजें उठा ले जाने से मर्दानगी तो गयी! यह था बुढ़िया के गाँव और दूसरे पाँच गाँवों का दस्तूर। वह दस्तूर आज तक अटूट है। भूख से तिलमिलाए लोगों ने प्राण छोड़ दिए, गाँव छोड़ दिए, देश छोड़ दिए, पर ईमानदारी नहीं छोड़ी।

कहा गया है कि अभाव में स्वभाव बदल जाता है। हाँ उनके गाँव में लोगों का स्वभाव बदला है। पेट की ज्वाला में अपने ही पेट के बच्चों को माँ-बाप ने बेच दिया है हाट में। उसी के छह महीने के पोते को बहू ने ले जाकर हाट में बेच दिया था। बुढ़िया की आत्मा कहती थी कि वह उसके बुढ़ापे का सहारा बनेगा। मन ने कहा, छोड़ो, जहाँ भी रहे बच्चा है। बस, जीता रहे। वरना मनुष्य के बच्चे को मछली भी नहीं; साग-भाजी, कंद-मूल के दाम में बेचकर क्या माँ-बाप के पेट की भूख मिट गयी! गाँव-भर के न जाने कितने बच्चे बिक चुके हैं। पेड़ के फल बिकते थे, मनुष्य का फल भी बिका। अब तो यह आम बात हो गयी है। अब पीड़ा नहीं होती। उसका पोता किसी और की हाँड़ी में भात खाएगा, तो क्या उसके शरीर में किसी और का खून बहने लगेगा? तो फिर मन में इतना कष्ट क्यों? अखबारों में इतना शोर-शराबा क्यों होता है? और फिर बंधुआ-मज़दूरी पर भी न जाने कितने कायदे-कानून बन चुके हैं। क्या कोई खुशी से बच्चे बेचता है या बच्चों को कल-कारखानों, खदानों में मज़दूर बनाकर भेजता है? जीने के लिए ही तो इतना दुख, इतनी व्यथा, इतनी बाधाएँ होती हैं मन में, कैसे जीना है, यह न बताकर आहार के मुँह में प्रहार होता है। उसका पोता अब दूसरे के घर में जी रहा है। नंद की गोद में गोविंद। आह, एक बार जाकर देख आने को जी करता है। किंतु नंद के घर क्या देवकी मैया गयी थीं, जो वह या उसकी बहू जाने का साहस करेगी। बच्चा जी रहा है, क्या यह कम है? न बेचते तो आनेवाले दूसरे की हालत...। छोड़ो बुरे खयाल मन में न लाना ही बेहतर है। बुढ़िया ने सुना है कि शहर-बाजार में बच्चे चोरी होते हैं। लड़कियों को चुराकर देह व्यापारियों को बेचने से ढेर सारा पैसा मिलता है, लड़कों को ले जाकर बंधुआ मजूरी कराते हैं, चोरी-डकैती सिखाकर उन्हीं से लूट-पाट कराते हैं। इसके अलावा एक और भी दिल दहलानेवाली बात बुढ़िया ने सुनी है साहब के घर के अर्दली से। अखबारों में उसी के लिए हो-हल्ला होता है बीच-बीच में। कहते हैं मनुष्य के बच्चों को चुरा ले जाकर, बच्चों को ही क्यों, हट्टे-कट्टे धाँगड़ा-धाँगड़ियों को चुरा ले जाकर, उन्हें मारकर उनकी अंतड़ियों और जितने भी शरीर के यंत्र हैं, सब निकालकर बेच देते हैं। उसमें डॉक्टरों के हाथ की सफाई होती है। बुढ़िया तो सोचा करती थी कि डॉक्टर ठाकुर देवता होते हैं। मरते हुए आदमी को जिंदा करते हैं। इसीलिए उसके गाँव में कई बच्चों के नाम राम, कृष्ण, गणेश की ही तरह डॉक्टर भी रखे गये हैं। पर डॉक्टर लोग किस तरह जीवित मनुष्य की आँखें, कलेजा, छाती, पेट, कान काट ले जाकर व्यापार करते हैं। शायद यह झूठ होगा। वरना जो ऐसा करता होगा वह सचमुच में डॉक्टर नहीं,

डॉक्टर के वेश में कसाई होगा।

चोरी तो महापाप है। और फिर मनुष्य के बच्चे की चोरी! यह बात तो जंगल-पहाड़ों से घिरे गाँवों में भी नहीं सुना गया है। उसके गाँव में अपने बच्चों को तो बेचा जाता है, पर दूसरों के बच्चों को चुराकर हाट में बेचने के बारे में कभी किसी ने नहीं सुना। यदि ऐसा होता तो जो भूखे, अधमरे बच्चे झुंड-के-झुंड उनके गाँव में घूमते हैं, उन्हें पकड़कर बेच देने से उनके माँ-बाप भी उन्हें ढूँढ़ने की जहमत नहीं उठाएंगे। थाने में इत्तला नहीं करेंगे। सोचेंगे, कहीं भूख-उपास से जंगल में नदी-नाला किनारे गिरकर प्राण त्याग दिए होंगे, बाघ घसीटकर ले गया होगा, शहर जाकर मेहनत-मजदूरी का काम ढूँढ रहा होगा। पर वैसी पाप-भरी चिंता किसी के भेजे में नहीं घुसी होगी। जहाँ घरों में चोरी तक नहीं होती, भला वहाँ कोई बच्चा चुराएगा, किसमें है इतना साहस? क्या धरम का द्वार नहीं है?

रोज़ाना मालकिन के चाबी के गुच्छे की ढुँढ़ाई होती है, मिल जाता है। जिस तरह मुर्गी अपने चूजों को ढूँढ़ती है और पा जाती है। पर अगर चील ले जाए तो चूजा कहाँ से मिलेगा! उस दिन मालकिन की चाबियाँ नहीं मिली। मालकिन ने कहा, 'जरूर कोई ले गया।' पर चाबियाँ लेकर कोई क्या करेगा? क्या सब्जी, अंडा, मर्गा, बकरा, बैल या मनुष्य का बच्चा है कि कोई ले जाकर हाट में बेच देगा। बेचने से भी कोई क्यों लेगा? दूसरे के घर की चाबियों से अपने घर का ताला खुलता है क्या? यदि नहीं, तो दूसरे के घर की चाबियों का क्या लाभ? मालकिन जितनी बार दोहरातीं, 'चाबियाँ कोई ले गया, कोई ले गया', उतनी बार बुढ़िया गुनर-गुनर करके कहती, 'कौन ले जाएगा, क्यों ले जाएगा, लाभ क्या है?' मालकिन की बेचैनी देखकर बुढ़िया ने मुस्कराते हुए कहा, 'कोई क्यों ले जाएगा तुम्हारी चाबियाँ? क्या लाभ उसे? तुम थोड़ा सबर करो, चाबियाँ न मिलें तो मेरा नाम लेकर थू कर देना। मैं कहती हूँ चाबियाँ मिल जाएँगी, जरूर मिल जाएँगी।' मालकिन ने सचमुच शांत होकर बुढ़िया की ओर देखा। उनकी आँखों की दृष्टि और दिनों से अलग थी। मानों कुछ तलाश रही थीं बुढ़िया की पनीली आँखों के कोटरों में। 'चाबियाँ कहा हैं?' उन्होंने पूछा, 'तुझे कैसे मालूम कि चाबियाँ जरूर मिल जाएगी? मैं तो विश्व-बह्मांड खंगाल चुकी हूँ। यह तय है कि मैं जहाँ-जहाँ चाबियाँ रखती हूँ, वहाँ नहीं हैं।'

'जो चीज खोनेवाली होती है, वह वहाँ नहीं मिलती, जहाँ रखी जाती है, माता रानी। कहीं इधर-उधर ही मिलेंगी चाबियाँ। मेरा विश्वास करो।' बुढ़िया ने जोर देकर कहा।

मालकिन ने चकित होते हुए सवाल किया, 'तो तूने देखी हैं चाबियाँ कहाँ रखी हैं?'

बुढ़िया पोपले मुँह से हँसी बिखेरते हुए लोट-पोट हो गयी। हँसी रोकते हुए बोली, 'क्या मैं कोई शरारती बच्ची हूँ। चाबियाँ कहाँ हैं, यह जानते हुए भी तुमसे मजाक कर रही हूँ, तुम्हें परेशान कर रही हूँ। मेरा विश्वास कह रहा है कि चाबियाँ किसी ने नहीं ली हैं। कहीं अटपटी जगह रखी हैं, मिल जाएँगी। तुम स्कूल जाओ। मैं हूँ तो घर पर। मेरे सिवाय सारा दिन कौन रहता है तुम्हारे घर में? मैं डूमा (आत्मा) की तरह पहरा देती हूँ घर में। तुम मुझे खाना देती हो, तनखा देती हो, क्या मैं तुम्हारे घर की रखवाली करने में लापरवाही करूँगी? तुम्हारे न होने पर बबुआ के सो जाने पर भी दोपहर में मैं आँखें मूंदकर घड़ी-भर लेटती तक नहीं। चीते की तरह जागती रहती हूँ। बिल्ली का बच्चा तक नहीं घुस पाता घर में। तो फिर ताला क्यों बंद करती हो? रोज़ाना क्यों परेशान रहती हो? हमारे गाँव में किसी के घर पर ताला नहीं लगता। मजाल है चोरी हो जाए। तुम निश्चिंत होकर जाओ। मैं हूँ घर पर...।'

सविता बुढ़िया की ओर ताकती रही। कोई जवाब नहीं दिया। बुढ़िया को यह विश्वास है कि सविता उस पर शक नहीं करती। बुढ़िया दृढ़ निश्चिंत है कि सविता किसी और पर संदेह करके ताला बंद करती है, उस पर सन्देह नहीं करती। किंतु सविता जानती है कि बुढ़िया के चोरनी न होने पर भी उस पर शक तो होता ही है। उसका संदेही मन बुढ़िया पर पूरी तरह विश्वास कैसे कर ले? अभाव ही स्वभाव बदल देता है। मन में किस वक्त लालच भर जाए, कौन जानता है? इसलिए सविता रोजाना कमरों में ताला बंद करके जाती है, यह बात कविता जानते हुए भी बुढ़िया को कैसे बोल सकती है। क्या कोई बेवजह किसी के मुँह पर कह सकती है कि मैं तुम पर शक करती हूँ। कहीं तू चोरनी होगी उसी संदेह के कमरों में ताले बंद करके जाती हूँ। यदि बुढ़िया खुद यह बात समझ नहीं पायी, तो फिर सविता उँगली उठाकर कैसे कह दे।

यह सही है कि बुढ़िया बहुत सीधी है। बड़ी निरीह। थोड़े में ही संतुष्ट। दूसरे लोगों की तरह लालची नहीं है। इधर-उधर की चीजें माँगने की आदत नहीं है। तनख्वाह बढ़ाने का नाम नहीं लेती, एडवांस नहीं माँगती। घर पर खाने को कुछ नहीं है थोड़े से चावल दे दो- कहकर दूसरे लोगों की तरह 'दो-दो' की रट लगाकर परेशान नहीं करती। जितने में बात तय हुई थी, उतना ही। बुढ़िया के पास तो बस वही एक साड़ी थी। उसका रंग कैसा था, सविता नहीं जानती। अब नहीं दिखती वह पुरानी बदरंग साड़ी। साल भर पहले वही साड़ी लपेटकर

वह आया करती थी। सविता ने उसे दो और पुरानी साड़ियाँ दी हैं। गाँव से आकर बबुआ को गोद में लेने से पहले वह साबुत से नहाकर अपनी साड़ी उतारकर सविता की दी हुई साड़ी पहनती है। शाम को उसे बदलकर अपनी साड़ी पहनकर गाँव लौट जाती है। उन्हीं दो साड़ियों को बारी-बारी से धोकर पहनने की हिदायत सविता ने दी है। बुढ़िया ने सविता की बात अक्षरशः मानी है। किसी भी दिन सविता की दी हुई साड़ी न गाँव ले गयी है, न ही बहू को देकर एक और साड़ी माँगी है। ऐसी चतुराई करती हैं कटक-भुवनेश्वर जैसे शहरों की नौकरानियाँ। उन्हें जितनी भी साड़ियाँ दे दो, बेटी-बहू को दे दिया कहकर फिर से दाँत निपोर देंगी। हाथ फैलाने में उन्हें शर्म नहीं आती। इधर के लोग अलग हैं। अभी उतने चतुर-चालाक नहीं हुए हैं। इसलिए इन्हें सीधा न कहकर अबोध कहना चाहिए। बुढ़िया कहती थी कि उसकी बहू के पास भी एक ही साड़ी है। उनके गाँव की सभी बहू-बेटियों के पास एक-एक साड़ी है। वह फटकर तार-तार हो जाने पर ही कोई बड़ी मुश्किल से हाट से दूसरी साड़ी लेने को बाध्य होती है। भूखे पेट बाहर निकला जा सकता है, हाट-बाजार में जाकर दुख दर्द गाया जा सकता है, पर लड़की हो या बूढ़ी, भगवान ने औरत की देह ऐसी बनाई है कि खुले बदन घर से बाहर नहीं निकला जाता। मर्द-लड़के तो बित्ते-भर की कौपीन बाँधे रहते हैं खुले बदन पर। पीठ को शर्ट-बनियान से कैसे ढंका जाता है, नहीं जानता। घर पर जवान बेटी-बहू को एक साड़ी तक देना मुश्किल होता है। मर्द-बेटे की शर्ट को कौन पूछता है? बुढ़िया कहती थी, यहाँ काम करने से पहले सास-बहू एक ही साड़ी से काम चलाती थीं। कोई एक साड़ी पहनकर लकड़ी या पानी लेने जाती तो दूसरी बिना साड़ी के खिड़की-दरवाजा बंद करके घर में ही रहती थी। उनके गाँव में कई माँ-बेटियों, सास-बहुओं के दिन एक ही साड़ी में दुख-कष्ट से बीत जाते। दुनिया में गरीबी का ऐसा विकराल रूप सविता ने पहले न कभी देखा था, न सुना था। जहाँ पेट में आग लगी हो, वहाँ पीठ को कौन पूछता है? जीने से बड़ा निर्मम सत्य और क्या होगा। जान बची रहे तो लाज-शर्म, सजना-सँवरना होता रहेगा। उसी बुढ़िया ने मुँह खोलकर एक साड़ी तक नहीं माँगी।

इन सबके बावजूद सविता बुढ़िया पर पूरी तरह विश्वास नहीं कर सकती। बुढ़िया का दोष नहीं है, सविता का दोष है- संदेह-भरे शहरी मन का दोष है। यह बात सविता बुढ़िया को समझा नहीं सकती। उस दिन आखिरी समय तक सविता चाबियाँ नहीं ढूँढ़ पाई, इसलिए स्कूल नहीं गयी। छुट्टी की अर्जी भिजवाकर घर ही में रुक गयी। बुढ़िया ने कहा, स्कूल नहीं गयी, अच्छा किया।

बहुत परेशान हो चुकी हो। आराम करो आज। किंतु चाबियों की चिंता मत करो। नहीं मिलती हैं तो न मिलें। घर में तो मैं रहती ही हूँ। घर से पुआल का एक डंठल तक कोई नहीं उठा सकता।'

अगले दिन बुढ़िया के पहुँचने से पहले नए ताले-चाबी खरीदे जा चुके थे। नए ताले कमरों में बंद किए गये। सविता चाबियाँ अपने बैग में रखकर स्कूल के लिए चल पड़ी। बुढ़िया ने कहा, 'अरे-अरे, बेकार ही ताले खरीदे। बहुत खर्च हुआ होगा। चाबियाँ कभी-न-कभी तो मिलेंगी ही। इतनी हड़बड़ी क्यों की?' सविता ने गंभीर होते हुए कहा, 'कब तक छुट्टी पर रहती? तेरी बात मानकर घर में बिना ताले लगाए तो मैं जा नहीं सकती थी। कोई कुछ ले गया तो मैं जान तक नहीं पाऊँगी। इतनी सारी चीजें हैं, इतने कपड़े-लत्ते। क्या कोई गिनकर रखता है जो जानेगा?'

बुढ़िया ठगी-सी ताकती रह गयी सविता की ओर। पूछा, 'मालकिन, आप किसके लिए ताले लगाती हैं कमरों में। कहीं मेरे लिए तो नहीं!'

सविता के स्कूल जाने का समय हो गया था। बात को टालते हुए बोली, 'समय ऐसा आ गया है कि किस पर विश्वास करें। देखा नहीं, देखते-देखते चाबियों का गुच्छा गायब हो गया। हटो मौसी! समय हो गया। लौटने पर बातचीत करेंगे। सविता चली गयी। बुढ़िया दिन-भर बैठी सोचती रही। क्या मालकिन मेरे लिए ताले बंद करती हैं। मुझ पर विश्वास नहीं है उन्हें? बुढ़िया के पेट में भात नहीं गया। मन के साथ भूख भी मर गयी थी। छि:! इतना संदेह।

दोपहर को बबुआ को दवा पिलाने साहब ने दफ्तर से एक अर्दली को भेजा था। बुढ़िया दूध पिला सकती है, चिउड़ा-केला मीसकर खिला सकती है। दवाई नहीं पहचान सकती। बबुआ को थोड़ी खाँसी हो रही थी। दिन में तीन बार दवा पीता है बबुआ। बुढ़िया ने अर्दली से पूछा, 'सच कहना, मालकिन किसके लिए ताले बंद करके जाती है? कहीं मेरे लिए तो नहीं...?'

'तेरे लिए नहीं तो क्या हमारे लिए? तेरे सिवाय दोपहर में और कौन होता है यहाँ, बताना? हम लोग तो आते हैं मालकिन के स्कूल से लौटने के बाद। और फिर हम ठहरे सरकारी आदमी। ऑफीसर के घर से चोरी-चकारी करेंगे क्या? पर इसमें मालकिन का दोष नहीं है। समय ही ऐसा है, धन-संपत्ति के प्रति होशियार रहने की जरूरत है। जाल का मुँह खुला छोड़कर मछली को भाग जाने का दोष देने से क्या फिर मछली वापस मिलती है?' झटपट जवाब देकर अर्दली लौट गया।

भरी दोपहरी में बुढ़िया की आँखों के आगे धरम देवता (सूर्य) मानों

पहाड़ की ओट में छिप गये। दसों दिशाओं में अंधेरा छा गया। जिस पर इतना संदेह है, उसी के हाथों में अपनी सबसे अमूल्य संपत्ति, अपना बेटा, छोड़ जाती हैं। घर में जो सोना-चाँदी, बर्तन-भाँडे, कपड़े-लत्ते हैं, क्या वे सब बेटे से अधिक कीमती हैं! उन्हीं चीजों को ताले में बंद करके जाती हैं। बेटे को सौंप जाती हैं चोरनी बुढ़िया के हाथों में। पढ़े-लिखे शहरी लोगों के लिए धन-संपत्ति बड़ी होती है, बेटा बड़ा नहीं होता। यदि बुढ़िया को चोरनी समझा तो वह बच्चे को हाट में बेच सकती है। आदमी के बच्चे की बिक्री तो इस इलाके के हाट में आम बात है।

बुढ़िया को विश्वास था कि मालकिन द्वारा उसके हाथों में अपना बच्चा सौंपकर जाने का अर्थ है- मालकिन का उस पर अगाध विश्वास। विश्वास का वह पहाड शक की एक ठोकर से चूर-चूर हो गया। यदि मालकिन के मन के शक घुस गया है तो बुढ़िया के मन में पाप घुसना कोई विचित्र बात नहीं। दिसारी (आदिवासियों का पुरोहित) कहता है कि शक पाप के पैर होते हैं। बुढ़िया भूख से भले ही मर जाए, पाप की डग आगे नहीं बढ़ने देगी। संदेह-मुक्त, भूखी, अकाल के चंगुल में पड़कर छटपटाती बुढ़िया का खुला गाँव शहर से कितना निर्मल, कितना चमकदार है! वहाँ इनसान कीड़े-मकोड़े की तरह मरता है, पर विश्वास इतनी आसानी से नहीं मरता। गाँव की सीमा लाँघकर बुढ़िया के मुख-बदन में आज शक की कालिख पुत गयी है। दिन-भर बुढ़िया बबुआ को बिदाई-चुंबन देती रही। बच्चे का मुख-बदन आँसुओं से भिगो दिया। अहा! जिस दिन यह निर्मल बच्चा होश संभालेगा, अपने चारों ओर सिर्फ अविश्वास और शक का मकड़जाल बुनकर छटपटाता रहेगा। इसे बचाने की क्षमता किसी में नहीं होगी। बच्चे को आशीष देती रही। अपनी उम्र उस पर उँड़ेलती रही। मालकिन आने से पहले हाथ-मुँह धोकर बैठ गयी।

उस दिन स्कूल से लौटकर सविता बाथरूम में घुस गयी। थोड़ी देर बाद खुशी से मुस्कराते हुए बाहर आकर पति से बोली, 'सुनते हो। बूढ़ी मौसी की बात सच निकली। चाबी का गुच्छा मिल गया। शायद साबुन निकालते वक्त टॉयलेट की ताक में रख दिया था। सब जगह ढूँढ़ा, बाथरूम में क्यों ढूँढ़ती? मौसी भविष्य जानती है।' सविता ने पर्स खोलकर एक दस का नोट निकाला और बुढ़िया की ओर बढ़ाते हुए उदार मुद्रा में कहा, 'लो, मौसी, बख्शीश। तुम्हारी गणना के अनुसार चाबियाँ मिल गयीं। आज बहू के लिए मिठाई खरीदकर ले जाना।' बुढ़िया ने मालकिन और साहब को प्रणाम किया। बोली, 'तुम्हारी चाबियाँ तो वहीं मिली, जहाँ तुमने रखी थीं। बख्शीश में मेरे पन्द्रह दिनों की तनखा क्यों?

इसमें मेरी तो कोई करामात नहीं। ठीक है मालकिन, अब से चाबियाँ संभालकर रखो। बच्चे को और भी हिफाजत से रखो। भगवान तुम्हारा भला करे। रुपये अपने पास रखो। इतने रुपयों का मैं क्या करूँगी?'

बुढ़िया ने एक बार बबुआ को सीने से लगाकर मालकिन की गोद में दे दिया। साँझ हो चली थी। जंगली रास्ता था। बुढ़िया ने मुँह फेरा और गाँव की ओर चल पड़ी। फिर पीछे मुड़कर नहीं देखा। बच्चा बुढ़िया की ओर हाथ बढ़ाकर बुई-बुई कहकर रोता रहा। अन्य दिनों की तरह बुढ़िया ने पीछे पलटकर स्नेह-ममता से काँपती आवाज में दिलासा नहीं दी, 'कल आऊँगी, राजा भैया, कल आऊँगी...।'

उसके अगले दिन बुढ़िया नहीं आई। उसके बाद भी नहीं। महीने, दो महीने, तीन महीने...बुढ़िया का गाँव किसी ने नहीं देखा था। बुढ़िया अपने आप आई थी काम पर। सविता ने अब बुढ़िया के आने की उम्मीद छोड़ दी। बुढ़िया को दी हुई दोनों साड़ियाँ कोई नई औरत काम पर आएगी, तो पहनेगी, सोचकर सविता ने अर्दली को सहेजकर रखने को कहते हुए पूछा, 'बुढ़िया को क्या हो गया? बिना बताए तो रुकनेवाली नहीं लगती थी वह...।'

अर्दली ने कहा, 'थुल-थुल चमड़ीवाली सूखे पत्ते-सी बुढ़िया थी। शायद मर गयी हो। गाँवों में तो भूख से मरना आम बात है। भूख तो महामारी की तरह लोगों को लीलती जा रही है...बहुत गरीब थी बुढ़िया। यहाँ से जाने के बाद खाने को नहीं मिला होगा। या फिर कमरों में ताला लगाकर जाने के कारण उसे अपना मान घट जाने-सा लगा होगा। भूख से जान बचनी मुश्किल है, जरा बुढ़िया का मान तो देखो।' सविता ने एक लंबी-सी साँस छोड़ते हुए मन-ही-मन कहा, 'बहुत भली बुढ़िया थी। बड़ा मधुर स्वभाव, बड़ी सच्ची! क्या सचमुच बुरा मान गयी होगी मेरी बात का? बीस रुपये तनख्वाह के भी आकर नहीं ले गयी...हमें ही ऋणी बना गयी, ओह।' फिर आवाज ऊँची कर पति से कहा, 'भूख से मरनेवालों की सूची में बुढ़िया का नाम है या नहीं, जरा देखना तो...।'

सविता के पति ने गंभीर स्वर में जवाब दिया, 'तुम नाहक परेशान हो रही हो। बुढ़िया का नाम-गाँव कुछ मालूम नहीं, और फिर भूख से मरनेवालों की सूची में सारे नाम नहीं चढ़ाए जाते। यह सूची तो लोगों की आँखों में धूल झोंकने के लिए बनाई जाती है।'

❑❑

रेमो

'वे लोग आदमी नहीं हैं, खूँखार जंगली जानवरों से भी अधिक खून के प्यासे हैं।' उनके बारे में सबकी सर्वसम्मत राय यही थी।

'जोखिम में ही विजय है।' यही सोचकर मेधा ने यात्रा शुरू की थी। हालाँकि उसके मन में विजय करने की इच्छा नहीं थी, था केवल भय...विस्मय। कौतूहलपूर्ण एक भयंकर भय आहिस्ता-आहिस्ता उसके मन में अजगर की भाँति लिपटकर कुंडली मारे सरक रहा था। वह अद्‌भुत लोगों के इलाके में जा रही थी, जबकि वह इलाका जैसे-जैसे निकट होता जा रहा था, उसे ऐसा लगने लगा था मानों उसके हाथ-पैर बाँधकर उसे किसी भूखे शेर के पिंजड़े में फेंका जा रहा है।

पत्रकारिता और भय आज एक-दूसरे से बुरी तरह जुड़े हुए हैं। यदि आप कोई पत्रकार हैं, तो जिसे चाहें उसे डरा सकते हैं, साथ ही पग-पग पर जीवन से डर-डरकर दिन काट रहे होते हैं और यदि आपने महिला होकर पत्रकारिता का पेशा अपनाया है, तब तो भय की परिधि दूर-दूर तक फैली होती है। मेधा पत्रकार है, वह महिला है, फिर भी भयंकर, हिंसक जानवरों से भरे निषिद्ध इलाके की यात्रा पर निकल पड़ी है; जहाँ मनुष्य जंगली जानवरों से अधिक खूँखार और भयानक होते हैं। जिस इलाके में अभी तक रास्ते नहीं बने हैं, सभ्यता की हवा तक नहीं पहुँची है, जहाँ आदमी की हत्या रोजमर्रा की आम घटनाएँ हैं।

मेधा महज पत्रकार ही नहीं, लेखिका भी है। प्रकृति की गोद में पल रहे लोगों के लिए उसके मन में केवल कुतूहल ही नहीं, एक अदम्य आकर्षण भी जागा है। उसने प्रतिज्ञा की है, वह जाएगी, चार हजार फीट ऊँचे दुर्गम जंगल की ओट में, बंडा लोगों की बस्ती में वह एक रात जरूर बिताएगी, मनुष्य से मनुष्य की मित्रता स्थापित करेगी।

कोरापुट पहुँचने पर मेधा के सारे उत्साह पर आशंका की कालिमा छा

गयी। सभी सिर्फ एक ही हिदायत दे रहे थे, लौट जाइए, यह दुस्साहस आपने किया ही क्यों? क्या है उन खूँखार, अनपढ़, मैले-कुचौले बंडा लोगों के पास शिक्षित लोगों के प्रति उनमें घोर विद्वेष, शंका, संदेह है- कहीं शिक्षित लोग उनके स्वतंत्र बंडा राज्य को हथिया न लें। हर कदम पर खतरा है। पहाड़ पर चढ़ने के लिए रास्ता नहीं है, एक मर्तबा जीप से जाकर लौटने का अर्थ है मौत पर विजय पाकर लौटना। पहाड़ पर पीने के लिए विशुद्ध पानी नहीं है, खाद्य नहीं है, कोई सुविधा-असुविधा पड़ जाए तो पहाड़ के नीचे खइरीपुट ब्लॉक ऑफिस से संपर्क साधने का कोई उपाय भी नहीं है। मलेरिया, अनजान बुखार, चिपचिपा चर्मरोग, आँखें आना इत्यादि बंडा के विशेष उपहार हैं। एक दिन रह जाओ तो संक्रमण निश्चित समझो। सिर्फ इतना ही नहीं, पग-पग पर बाघ, साँप, लकड़बग्घा, जहरीले बिच्छुओं का भय भी बना रहता है। सबसे अधिक भय है 'बंडा मर्द' का। बंडा आदमी नहीं है। वह जंगली, खूँखार जानवर से भी अधिक खतरनाक जीव है। जानवर भूखा हो तो आदमी का खून ढूँढ़ता है। बंडा मर्द के पेट में दारू, माँस अच्छी तरह पड़ जाए तो बहक जाता है और बिला वजह आदमी का खून ढूँढ़ने लगता है। उसके पास चार-चार अस्त्र होते हैं। पाँच साल के बंडा लड़के की नंगी कमर में हँसुआ, चाकू, कंधे पर कुल्हाड़ी और हाथ में तीर-धनुष होता है, वह खुशी से अपना अपराध कबूल लेता है, अपनी मर्जी से जेल चला जाता है।'

बंडा की खुशियों में कौन रोड़े अटकाएगा? मेधा का भय बढ़ता जा रहा था, लेकिन इस यात्रा का परिणाम विजय होगा अथवा पराजय, अभी भी वह इस ऊहापोह में पड़ी थी।

ओड़िशा और आंध्र की सीमा को दो भागों में बाँटती हुई बह रही थी माछकुंड नदी। उसी के उत्तर-पश्चिम में बंडा पहाड़ है। माछकुंड नदी की सतह से साढ़े तीन हजार फीट की ऊँचाई पर इसी पर्वत-शिखर पर अनादि काल से प्रकृति से संघर्ष करते हुए दुनिया के आदिम निवासी 'बंडा' जीवन-यापन कर रहे हैं। जीने के लिए संघर्ष करते-करते वे उग्र, खूँखार और जंगली बन गये हैं।

हर पल ऐसा लग रहा है जैसे कि ऊबड़-खाबड़ रास्ते पर हिचकोले भरते-भरते जीप पलट जाएगी। पहाड़ से नीचे गहरी खाई, सिकुड़े रास्ते में सैकड़ों मोड़ों पर मुड़ते समय लगता है जीप रसातल में चली जाएगी। पहाड़ी रास्ते, हर पल बाधा उत्पन्न करते हुए मानों कह रहे थे 'लौट जा, लौट जा'। उसकी बात माने बिना निपुण ड्राइवर के हाथ की स्टेयरिंग तेजी से इधर-उधर घूम रही थी। पलक झपकते ही रास्ता न काटा गया तो तीन हजार फीट नीचे जीवित समाधि

बन जाएगी। जीप के तेज हिचकोलों से शरीर के अंदर की अंतड़ियाँ हड्डी, मज्जा मानों घुल-मिलकर आँख, कान, नाक, मुंह से निकल आएँगी। मेधा का सिर चकरा रहा था। 'बंडा दीवार' के द्वार तक पहुँचने में दो बार उल्टियाँ भी हो चुकी थीं।

पहाड़ी रास्ते को पत्थरों से बनी विराट दीवार ने पर्वत-शिखर से अलग किया था। यहीं से शुरू होता है बंडा राज्य।

'बंडा दीवार' पत्थरों से बनी लंबी और मजबूत दीवार है, बंडा की सुरक्षा दीवार। दीवार के उस पार स्वाधीन बंडा राज्य है। वहाँ राजा नहीं है, प्रजा नहीं है, धनी-गरीब में कोई फर्क नहीं है। न जाने किस आदिम-युग से यहाँ गणतंत्र का बेरोकटोक प्रवाह और साम्यवाद की अनवरत जय-यात्रा चल रही है।

पहाड़ी रास्ता पार करके बंडा राज्य में पहुँचना एक पूरी-की-पूरी साधना है। पर्वत के ऊपर पर्वत, उसके ऊपर पर्वत, जैसे किसी ने एक पर एक पर्वत सजा-सजाकर रखे हों। ऊँचे-ऊँचे पर्वतों की गोद में कहीं-कहीं थोड़ी-बहुत ढालू मिट्टी की समतल जमीन, जहाँ सिंगी (सूर्य) देवता की किरणें लहरें तोड़ती हैं। धूप से चमकती ढालू मिट्टी के किनारे-किनारे शांत नाला इठलाते हुए बहता है, पूरे साल। नाले के किनारे-किनारे आम, कटहल, केले के पेड़, बाँस के झुरमुट, जाने-अनजाने पेड़-पौधों की भरमार है। उसी की ओट में माछकुंड नदी की सतह से साढ़े तीन हजार फीट ऊँचे पर्वत-शिखर पर छोटी-छोटी इकतीस बंडा बस्तियाँ हैं। बंडा बस्तियों से सटकर बैंगन, रेंडी, सेम और ककडियों के बगीचे हैं। उसके नीचे झरने के किनारे-किनारे सीढ़ियों जैसे बंडा लोगों के खेत फैले हुए हैं। शिकार और पोडू खेती बंडा की जीविका है।

जंगल में इधर-उधर छितरे पड़े पेड़-पौधों की तरह ताड़पत्रों और बाँस से बने बंडा की छोटी-छोटी मड़ैयों का भी कोई नक्शा नहीं होता। गाँव में पैदल चलने के लिए भी बँधा-बँधाया रास्ता नहीं है। बंडा पर्वत-शिखर पर बसे बंडा राज्य तक पहुँचने के लिए जिस तरह कोई रास्ता नहीं है, गाँव के अंदर एक-दूसरे के बीच भी कोई रास्ता नहीं है। निर्मल प्रकृति से पूरी तरह अभिन्न बंडा मनुष्य के जंगली हृदय में आज तक सभ्यता का मार्ग प्रशस्त नहीं हुआ है।

मरने, मारने को बंडा मनुष्य आगे-पीछे नहीं सोचता। पुरुष-नारी नग्न और स्वच्छंद होते हैं, ठीक पर्वत की तरह, नंगे जंगली जानवरों की तरह।

दस वर्षों से बंडा पर्वत पर पुलिस चौकी है, लेकिन वहाँ पुलिस नहीं रहती, बंडा के भय से। किस सुरक्षा के भरोसे मेधा वहाँ जाएगी? एक महिला को ऐसा दुस्साहस दिखाने की क्या जरूरत थी?

मेधा ने ठान रखी है, वह जाएगी, उसके साथ कोई जाए या न जाए। वह अकेली तो नहीं, उसके साथ भय भी तो होगा। वह बंडा पर्वत के दिल को जीतकर ही लौटेगी।

जयपुर-बाली मेला-मार्ग पर घाटी-दर-घाटी पार करने के बाद खइरीपुट गाँव पड़ता है। वहाँ से बायीं ओर मुड़ने पर बंडा राज्य के लिए पहाड़ी रास्ता शुरू हो जाता है। खइरीपुट ब्लॉक की जीप में संवाददाता मेधा, उसकी एक छोटी-सी अटैची और हैण्ड बैग। खइरीपुट के लोगों ने उसे आगाह करते हुए कहा, होशियार रहिएगा। बंडा लोग सामान छीन लेते हैं। आजकल बात-बात पर पैसा माँगते हैं, जिस रोज वे खइरीपुट हाट के लिए- बाजार लूट लेते हैं। निर्दोष लोगों के बाग-बगीचे उजाड़ देते हैं। धोबी-घाट से कपड़े उठाकर फाड़-फूड़कर फेंक देते हैं। गाय, बैल, बकरी, भेड़ जबर्दस्ती खदेड़ लाते हैं। कुछ कहो तो कहते हैं, 'बंडा की आँख में जो भी कुछ पड़ता है, सब उसका है। भगबाँ' पेड़-पौधे बनाया है, 'भगबाँ' बंडा के हाथ में कुल्हाड़ी दिया है, वह पेड़ काटेगा; जो चाहेगा तोड़ेगा; ध्वंस करेगा, इसी में उसकी खुशी है।'

मुदलीपाड़ा बंडा राज्य की राजधानी है। न जाने किस आदिम पाषाण युग में, साढ़े तीन हजार फीट ऊपर पर्वत की ढलान पर मुदलीपाड़ा नामक गाँव में इस आदिम बंडा मनुष्य की उत्पत्ति हुई थी। शुरू में बारह भाइयों ने पहाड़ की तलहटी पर, जंगल की ओट में, नाले के किनारे-किनारे, बारह छोटी-छोटी मड़ैया बनायी थीं, वे 'बारहजंगर देश' के रहने वाले थे। मुदलीपाड़ा गाँव का नायक 'बारहजंगर देश' के बारहों नायक के लिए पूज्य है। मुदलीपाड़ा गाँव के नीचे घनी अमराई से होकर 'किंकू बोड़क' नामक सदाबहार नाला बहता है। त्रेता युग में भगवान राम की डाकुई (पत्नी) मातेश्वरी सीता वनवास के समय, 'किंकू बोड़क' नाले में निर्वस्त्र नहाया करती थीं।

बंडा डाकुई (लड़की) सीताजी का निर्वस्त्र यौवन देख हँसने लगी। यह देख मातेश्वरी ने उसे शाप दिया-बंडा डाकुई (लड़की) कलियुग में निर्वस्त्र ही घूमेंगी। यौवन ढंकना उनके लिए विशाप (पाप) समझा जाएगा। इसीलिए बंडा डाकुई निर्वस्त्र हैं। कमर में एक फुट चौड़ी 'केरग' (गले से कमर तक कई तहों में रंग-बिरंगे हार)-उसी में खुले यौवन का निर्विकार प्रदर्शन। सिर मुड़ा हुआ, मुड़े हुए सिर पर घास से बुनी चौहरी माला, चौड़े ताड़ के पत्ते की पट्टी-रेउर'। उसके कानों में लिंबरी (झालदार रिंग) झूलते हैं। नाक सीधी नुकीली और खुली होती है। वनफूल की मुस्कराहट-जैसी बंडा डाकुई की निर्मल खिलखिलाहट होती है।

खुले शरीर के लिए मन में कोई संकोच नहीं, शर्म नहीं। मानों डाकुई खुली पसरी वीरान प्रकृति हो।

डीलडौल में न अधिक लंबा होता है न ठिगना, इंगेर बोय 'बंडा-पुत्र'। कमर के चारों ओर चूसी लँगोटी), बदन खुला, साथ हर वक्त चार तरह के अस्त्र-चाकू, कुल्हाड़ी, हँसुआ और तीर-धनुष। वह पहाड़ों पर डोलता फिरता है, शिकार करता है, ताड़ी और दारू पीकर झूमता है-जी भरकर पीका (बीड़ी) पीता है। वन-जंगल में डोल-डोलकर आधी रात को घर लौटता है। दारू और माँस के आनंद में कोई भी बात कहकर खलल डाले तो वह खूँखार हो उठता है। बंडा मर्द को गुस्सा आ जाए तो एक ही सजा देता है- 'मौत'। आदमी मारना और खरगोश, हिरन, पक्षी मारना उसके लिए एक ही बात है। बल्कि आदमी मारना उसके लिए ज्यादा आसान है। आदमी उसकी पहुँच में होता है- आदमी का शिकार पलक झपकते ही हो जाता है। 'आदमी क्यों मारा' का जवाब देगा, 'मुझे गुस्सा आया-मारूँगा नहीं' 'क्यों आया गुस्सा?' का जवाब देना बंडा पुरुष की मर्जी पर है। किस तरह के गुस्से से मृत्युदण्ड देता है, उसका जवाब उसके पास नहीं होता। इच्छा हुई तो गुस्सा आ गया- गुस्सा आ गया तो मौत के घाट उतार दिया। उसके पास और चारा ही क्या है।

बंडा पुरुष खूँखार, प्रतिशोधपरायण, दायित्वहीन, स्वतंत्र और भयंकर होता है। उसका अतीत नहीं है, भविष्य नहीं है। वर्तमान ही उसका जीवन है। दुनियादारी की चिंता उसे नहीं होती, उसकी पत्नी को होती है, जो उम्र में उससे दस-बारह साल बड़ी होती है। जिस संतान को वह दुनिया में लाता है, उसके लिए भी कैसी चिंता? उसके लिए तो पूरा बंडा पर्वत इस छोर से उस छोर तक फैला पड़ा है। बंडा पर्वत की जो भी संपदा है, वह सारी बंडा-पुत्र की ही तो है। वह प्रकृति से लड़ेगा-जीएगा-मरेगा।

क्या कोई इस जीवनधारा को बदल सकता है? यदि नहीं, तो चिंता किस बात की? बंडा-पुरुष अपने आप में मस्त रहता है।

गाँव के बीचोंबीच 'सिंदीबोर' है, गाँव-भर के लोगों का मिलन-स्थल। न्याय-अन्याय, पर्व-त्योहार, सब कुछ उसी चौड़े पत्थर की चट्टान 'सिंदीबोर' पर ही होता है। सिन्दीबोर से सटकर ही गाँव के इष्टदेवता 'हुंडी' का थान भी है।

गाँव से बाहर इंगरसन (युवकों का रैन-बसेरा) और सेलनी डिंगो (युवतियों का रैन-बसेरा) हैं। बंडा-युवती जवान होते ही 'सेलनी डिंगो' में रात बिताने लगती हैं। अपने ही गाँव के युवक उसके 'सोरु भाई होते हैं, इसलिए

आपस में विवाह संभव नहीं। पास के गाँव से रात को बंडा-युवक आते हैं। 'इंगरसन' में सोते हैं। चाँदनी में चेहरा ही साफ-साफ नहीं दीखता है, पर मन झिलमिल-झिलमिल दीखता है तारों की तरह। दिलों के लेन-देन में कोई रोक-टोक नहीं है। दस-बारह साल का बंडा युवक उन्नीस-बीस साल की बंडा युवती से प्रेम-निवेदन करता है। हथेली की चोट से डं-डं बजाता है किडिं, डुं-डुं सुनाई देता है, उस पर टेढ़ी डंडी की चोट। ढोलकी की आवाज भी उसमें मिल जाती है। युवकों के पैरों में घुंघरू, सिर पर नाना रंग के पंख। नाच में, प्रेम-निवेदन करते समय भी उनके दोनों हाथों में तीर-धनुष, चाकू, कुल्हाड़ी होते हैं।

युवती राजी हो तो विवाह पक्का। दस साल के बंडा युवक की पत्नी बनकर घर-संसार बसाती है बीस साल की बंडा युवती। सभ्य लोगों को इसमें आश्चर्य होता है, यह कैसा प्यार है! यह प्यार का कैसा खुमार है!

लेकिन बंडा युवक-युवती इसे अच्छी तरह समझते हैं। राधा उम्र में बड़ी थी। कृष्ण छोटे। क्या उनके प्यार को लोग समझते हैं? राधा-कृष्ण का प्यार सभ्य इंसान कितना समझता है, उसी तरह बंडा का प्यार भी उनकी समझ से परे है।

बंडा गृहिणी घर की जिम्मेदारी, किसानी, पेट की चिंता, जीवन-संग्राम में पिस-पिसकर स्थिर, कर्मठ और सहिष्णु हो जाती है। बंडा मर्द शिकार, भ्रमण में मस्त और निश्चिंत तथा दारू के नशे में भयावह, खूँखार और उत्तेजित दिखता है। बंडा नारी प्रकृति है, बंडा पुरुष प्रभंजक। प्रकृति और प्रभंजक के मिलन से बंडा का बना-सँवरा, सुख-दुख का शाश्वत संसार होता है।

दस सालों से इसी बंडा राज्य में रहते आ रहे हैं श्री रघुनाथ। साथ सहधर्मिणी जानकी, सहोदर सौमित्र भी हैं। राजधानी भुवनेश्वर भूल चुके हैं शिक्षित युवा श्री रघुनाथ। बंडा देश की राजधानी मुदलीपाड़ा में बस्ती बनाकर पिछले दस सालों से रह रहे हैं। भारत की आदिवासी उपजातियों के कल्याण और विकास के लिए एक सौ अस्सी समन्वित आदिवासी प्रखंडों में मुदलीपाड़ा स्थित 'बंडा डेवलपमेंट एजेंसी' एक है। रघुनाथ बंडा डेवलपमेंट प्रोजेक्ट के लीडर हैं। बंडा लोगों में वे भगवान् रामचन्द्र की तरह विश्वासी, बंडा लोगों के अति प्रिय 'लीडर बाबू' हैं।

पहाड़ की ऊपरी ढलान पर यह प्रखंड बसा है। कुछ टीन की छतवाले मकान, उनमें बंडा विकास प्रोजेक्ट के कुछ कर्मचारी रहते हैं। रघुनाथ रहते हैं, पत्नी और दो छोटे बच्चों के साथ, टीन की छत वाले तीन कमरों के क्वार्टर में।

उनसे जरा हटकर बंडा विकास प्रखंड का दो कमरों का अतिथि-गृह है।

अतिथि-गृह के आगे की ओर छोटा-सा बरामदा और पिछवाड़े छोटा-सा रसोई घर है। खुली-खुली लकड़ियों से घिरे बरामदे से सटकर सेफ्टी पाखाना है। अतिथि-गृह के पिछवाड़े से एक पगडंडी बंडा गाँव तक पसरी पड़ी है। गर्मियों में पतली धार का नाला बह रहा है, अतिथि-गृह की पगडंडी और बंडा गाँव को दो भागों में बाँटते हुए, किसी गुमनाम पते की ओर। नाले के उस पार किर्सानीपाड़ा, पिंडा जंगर, किचापाड़ा, बरगुड़ा गाँव हैं। अतिथि-गृह के सामने नीले रंग का ऊँचा पहाड़, हरा-हरा जंगल है। जंगल के बीच बंडा पुरुष की तरह सड़प (एक तरह के रसीले फल) के झबरेले पेड़ हैं। कटहल के पेड़ नीचे से लेकर ऊपर तक पीले-पीले कटहलों से लदे हैं। पहाड़ के बीच, ढालू घाटी में आँखों से न दिख रही जगह पर मुदलीपाड़ा गाँव है। उससे आगे दाँतिपाड़ा, बड़ेइगुड़ा, बाँधगुड़ा और इसी तरह की अन्य कई बस्तियाँ हैं।

चिलचिलाती धूप में अतिथि-गृह के सामने वाले पहाड़ के ऊपर गाढ़े नीले रंग के बादल के टुकड़े मानों पहाड़ के बदन पर और अधिक नीला रंग पोत रहे थे। यह दृश्य धूप में आँखों को अंजन की तरह लग रहा था। मानों शीतलता पोती गयी हो आँखों में। हरे-भरे जंगल ने मन से भय का काला पर्दा हटाकर पूरे मन में हरा रंग पोत दिया था। जंगल से मन की मित्रता गाँठना बंडा राज्य की आँगटो (विधि) है।

मेधा के मन ने बंडा के वन और पहाड़ों से अपने एक ही पहर के निवास में मित्रता गाँठ ली। लीडर बाबू से कुछ ही घंटों की दोस्ती थी। बंडा राज्य में वे ही एकमात्र मानव-बंधु हैं, बाकी सब बंडा नंगे, खूँखार, जंगली। लीडर बाबू से बंडा राज्य के मनुष्य, उनकी जीवन-यात्रा, उनके विश्वास, पर्व-त्योहार, एवं विकास के बारे में पूछताछ करके मेधा ने मोटे रूप से एक धारणा बना ली थी। सुबह के समय मेधा लीडर बाबू के साथ आसपास के पाँच गाँवों में घूम आयी थी। दिन-भर बंडा गाँव वीरान पड़ा रहता है। बंडा औरतें पहाड़ के नीचे खेतों पर गयी होती हैं। मर्द शिकार पर गये होते हैं, अथवा खेती करने या दारू बनाने। इसी में उनकी खुशी है। वही खेत में कुछ खा-पी लेते हैं। माँड़ पीने के समय बच्चे घर लौटकर माँड़-भात पीते हैं या फिर दिन-भर वन-वन भटकते रहते हैं, छोटे-छोटे हँसुआ, कुल्हाड़ी, तीर-धनुष लिये। गाँव में दिन-भर लाचार बूढ़े-बूढ़ियाँ, गोद के बच्चे, कुत्ते, मुर्गियाँ, सुअर, बकरी और भेड़ रहते हैं।

दोपहर बाद बिना आराम किये मेधा पुनः बंडा गाँव की ओर चल पड़ी। इस बार किसी दूर के गाँव में जाएगी। शाम तक न लौट सकी तो अँधेरे में खतरे से रू-ब-रू होना पड़ेगा। कंधे पर झूल रहे थैले में थोड़ी बीड़ी, बिस्कुट, छोटी

नोटबक, कलम और पानी की बोतल है। लीडर बाबू ने पूछा, 'आप इतनी दूर चल तो लेंगी, मिस महांति? एक गाँव से दूसरे गाँव में जाने का मतलब है पहाड़ चढ़ना, विश्राम करना, फिर चढ़ना; बड़ी कष्टदायक यात्रा होती है। मुझे तो अभ्यास हो गया है, आप तो यों भी महिला हैं। हम शाम तक न लौट सकें तो खतरा पैदा हो जाएगा।'

मेधा ने दृढ़तापूर्वक कहा, 'आपको पीछे छोड़कर मैं ही आगे-आगे चलूँगी। कॉलेज में पढ़ते समय भूतत्त्व-विज्ञान मेरा विषय था। अनेक पहाड़-पर्वत चढ़ चुकी हैं।'

लेकिन अभी भी लीडर बाबू को उस पर संदेह था। उन्होंने कहा, 'मुझे अपनी चिंता नहीं है, आपकी चिंता है; इतनी रुचि लेकर आप यहाँ आयी हैं, कहीं कोई ऐसी-वैसी दुर्घटना न हो जाए।...खैर, मैं साथ हूँ तो डरने की कोई बात नहीं।'

वाकई लीडर बाबू साथ हों तो डर, भय नहीं रहता, यह बात मेधा अच्छी तरह जान चुकी है। सुबह वह निर्भय होकर अपने गाँव में घूमने की तरह बंडा गाँव में घूम चुकी है।

उनके साथ कालिया नाई भी था। वह लीडर बाबू का दूत है। मेधा को थकान नहीं हो रही थी, स्रष्टा और संवाददाता दोनों की नजरों से वह बंडा मनुष्य को देख रही थी। जहाँ कुतूहल और जिज्ञासा हो, भला वहाँ थकान का अवसर कहाँ?

खेत और जंगल से बंडा स्त्री-पुरुष लौट रहे थे। छोटे-छोटे गाँव में भीड़ जमने लगी थी। लीडर बाबू सबके घर के आदमी हैं। गंदे बंडा बच्चों को बेहिचक गोद में उठा लेते हैं। नंगे बंडा बच्चे दिन-भर इधर-उधर डोलते रहते हैं। आम और कटहल का मौसम है। मुँह से लेकर पेट तक आम के रस के चित्र-विचित्र दाग बने हैं। साँवले बदन पर बादामी काले रंग के आम के चोप का दाग स्थायी होकर एक विचित्र दृश्य बना रहा था। बंडा बच्चे रोज नहीं नहाते।

घास-फूस के झुके हुए छप्परों से बने घरों में झुककर झाँकते हुए लीडर बाबू हँस-हँसकर बंडाओं से बातें कर रहे थे। उनके पीछे-पीछे मेधा थी।

हर घर से किसी-न-किसी ने आदमी मारा है, कोई-न-कोई हत्याकांड में मरा है। बंडा गाँव के हर घर में हत्यारा और जेल से लौटा मुज़रिम होता है। अधिकतर घर के पुरुष अभी भी जेल में हैं। इसके लिए उनके मन में न कोई पछतावा है, न संकोच। बंडा की जाति ही शिकारी है। फिर मनुष्य का शिकार करने में शर्म कैसी? जेल जाने में भला संकोच क्यों? बंडा के जंगली कानून में

मनुष्य मारना अपराध नहीं है। सरकारी कानून में यह अपराध है, जानकर वह खुद-ब-खुद अपराध स्वीकार कर लेता है। जेल से लौटकर पुनः पहले जैसा स्वच्छंद जीवन बिताता है। 'जेल से लौटे मुजरिम' की काली मुहर बंडा के बदन पर नहीं लगती। लीडर बाबू के अनुरोध पर एक-एक करके सभी अपना-अपना जेल का अनुभव बिना संकोच के सुना रहे थे। लीडर बाबू मुस्कराते हुए कहते, 'जरा बता तो मंगल, मामा-घर (जेल) काहे गया था, वहाँ कितने दिन रहा?'

मंगल ने सरलतापूर्वक जवाब दिया, 'आदमी मारा था। मामा- घर गया, सात साल रहकर अभी वापस आया।'

'क्यों, काहे मारा उसको?'

'मैं घर पर नहीं था तो मेरी घरवाली से सोमा (गन्दी) बातें कह रहा था। मुझे गुस्सा आया। पीछे से बींध दिया।'

'तब तुम कितने बड़े थे?'

'दाढ़ी-मूँछ नहीं निकली थी। इसलिए जेल की सजा कम कर दी जेल बाबू ने।'

'अब मामा-घर मत जाना रे मंगल, अब मनुष्य मत मारना।'

'जो गुस्सा दिलाएगा, वह मरेगा। मामा-घर से डरता हूँ क्या?'

इन छोटे-छोटे कारणों से हत्याएँ हो जाती हैं। उनमें हत्या के लिए कोई सोच नहीं, कोई पछतावा नहीं।

जिस तरह बंडा एकाएक गुस्से से तमतमा उठता है, उसी तरह सहसा घनघोर घटा छाने लगी थी। लौटते समय गाँव से सभी जल्दी-जल्दी बाहर निकल रहे थे। गाँव के कुछ लोग झुंड बनाकर लीडर बाबू के पीछे-पीछे चल रहे थे। लक्षमा इसी साल जेल से लौटा है। उसने लीडर बाबू से कहा, 'मैंने दो हजार पौधे लगाये हैं। और पौधे लगाऊँगा। छोटे पौधे दे लीडर बाबू।'

लीडर बाबू ने मुस्कराते हुए कहा, 'पहले तो तूने मना किया था। मामा-घर से लौटने पर बुद्धि आती है? क्यों...'

लक्षमा गर्व से मुस्कराया। उसने कोरापुट शहर देखा है। मामा-घर में दो साल रहा है, पढ़े-लिखे शहरी बाबुओं के साथ। इस दौरान वह बहुत-सी बातें जानने लगा है, जो कि जेल न भोगे बंडा नहीं जानते।

लीडर बाबू ने कहा, 'पौधे यदि रोपेगा तो फिर कौन-सा अभाव रह जाएगा रे, लक्षमा?'

'ओइ सर (जी, सर)!' लक्षमा ने खुश होते हुए कहा।

'फिर मामा-घर नहीं जाएगा न?' लीडर बाबू ने पूछा।

'आदमी मारूँगा तो जाऊँगा। नहीं तो, अब नहीं जाने वाला। भला राइज गाँधी (राजीव गाँधी) का कानून नहीं मानूँगा?' जेल में रहकर लक्षमा सारी बातें समझने लगा है- 'राइज गाँधी भारत देश का राजा है; लेकिन वह बंडादेश का राजा नहीं है। बंडा राइज गाँधी का कानून मानता है, यह बंडा की अपनी मर्जी है।...'

आगे-आगे लीडर बाबू लंबे-लंबे डग भर रहे हैं। पीछे-पीछे कालिया। नाई और कई बंडा मर्द।

जवान लक्षमा माझी से बातें करते हुए मेधा भी पीछे-पीछे चल रही है। लीडर बाबू काफी आगे निकल गये। मेधा ने संवाददाता की तरह सवाल किया, 'लीडर बाबू कैसा काम कर रहे हैं?' मेधा ने लक्षमा की ओर दो बीड़ियाँ बढ़ा दीं। बीड़ी देखकर और भी कई लोग मेधा के पीछे-पीछे चलने लगे। मेधा ने सबको बीड़ियाँ दीं।

वयस्क बंडा पुरुष ने कहा, "लीडर बाबू 'भगबाँ' की तरह अच्छे हैं। सस्ते में चावल देते हैं। बैल देते हैं। बीज देते हैं। लेकिन दारू या बीड़ी नहीं देते। बस इतनी ही खराबी है।"

बूढ़े हंताल ने कहा, 'दो बैल दिये थे किसानी के लिए। एक को मारकर हमने खा लिया। लीडर बाबू नाराज हुए। जंगल में शिकार नहीं मिलेगा तो हम लोग खाएगा क्या, जो वह नाराज हो गए?'

मेधा ने कहा, 'बैल खा डालोगे तो खेती कैसे करोगे?'

'एक बैल लीडर बाबू फिर क्यों नहीं दे देता? उसको क्या कमी है। वह चाहे तो दे दे।' उस आदमी ने मुस्कराकर कहा। वह क्या जाने आईन-कानून? बंडा का मन जिस वक्त जो कुछ चाहता है, वही उसका कानून है। लीडर बाबू ऐसा क्यों नहीं करते, यही उसकी शिकायत है।

बातें करते हुए मेधा को याद आया कि वह पहाड़ के किनारे-किनारे तंग रास्तों पर चल रही है। उसके आगे-पीछे पाँच-सात बंडा मर्द चल रहे हैं। सभी खनी हैं, जेल से लौटे हए। काफी आगे चल रहे लीडर बाबू के सफेद कुर्ते से अँधेरे में उनके होने का आभास-भर हो रहा था। लक्षमा ने मेधा से तेज आवाज में कहा, 'सोरू-सोरू भावे' (जल्दी-जल्दी चलो ना!)। हठात् मेधा के भीतर भय का एक तेज झोंका फैल गया। वह खूनियों के बीच अकेली चल रही है। दारू की गन्ध से उसे एकाएक साँस लेने में दिक्कत महसूस होने लगी। बंडा नशे में अकारण ही किसी को मार सकता है। इन सबों ने दारू पी रखी है। लीडर बाबू निडर होकर आगे-आगे चल रहे हैं। अचानक नाई को कुछ सुनाई दिया, वह दौड़ते हुए चिल्लाकर बोला, 'सोरू-सोरू भावे!' लीडर बाबू और नाई अब

नहीं दिख रहे थे। मुदलीपाड़ा और चार किलोमीटर है। सभी दौड़ने लगे। अँधेरे में सिर्फ वजनी कदमों की धप् धप् की आवाज आ रही थी।

लक्ष्मा ने मेधा के कान में कहा, 'कुकुसा!' दारू और लछमा के गंदे शरीर की गंध से मेधा को चक्कर आने लगा। कौन है? बाघ? खुद लक्ष्मा तो नहीं? लक्ष्मा दौड़ रहा है, उसके पीछे-पीछे अँधेरे में मेधा दौड़ रही है। एकाएक एक मजबूत हाथ मेधा की बाँह पकड़ उसे जंगल के भीतर खींच ले गया।

'कौन?' मेधा ने शोर मचाया।

'मंगल'-मेधा के कान में मंगल ने कहा। मंगल खूनी है, लक्ष्मा खूनी है, किस पर विश्वास करे मेधा?

जंगल के भीतर एक सुनसान खुले स्थान पर मंगल मेधा को खींचते हुए ले गया। लक्षसा की आवाज उसके कानों में अब भी पड़ रही थी 'कुकुसा! सोरू-सोरू भावे। (जल्दी-जल्दी चलो ना!)'

मंगल मेधा के कमजोर शरीर को सहारा देकर अँधेरे में एक जगह चुपचाप खड़ा था। उसने डपटकर कहा, 'चुप खड़ी रहो। कल उस डंगर पर बूढ़े की पत्नी को कुकुसा (बाघ) ले गया है।'

मेधा काँप रही थी। यदि मेधा को बाघ घसीटकर ले जाए तो मौत सुनिश्चित है। यदि बाघ के बदले मंगल या लक्ष्मा उसका सामान छीन लें और उसे तीर से बींध दें या कुल्हाड़ी से दो टुकड़े कर दें, तो भी मौत आनी है। पहाड़ी रास्ते पर दौड़कर भागने पर यदि पैर फिसल जाए तो किस धरातल पर उसकी समाधि बनेगी, कोई नहीं जान पाएगा। अर्थात् संवाददाता मेधा की मौत की खबर किसी अखबार में भी नहीं छपेगी। उसके मरने की खबर किसी के पास नहीं पहुँचेगी।

और भी कई बंडाओं की अपनी भाषा में बातचीत करने की आवाज उसे सुनाई दे रही थी। वे लोग दल बनाकर मेधा को लूटने तो नहीं आ रहे!

अचानक किसी बीभत्स आशंका से मेधा के सारे भय, घृणा आतंकित हो उठे। वे लोग मेधा से बलात्कार करके उसे लूटने के बाद कहीं उसकी हत्या तो नहीं कर देंगे? आजकल प्रतिदिन सभ्य समाज में बलात्कार, पाशविक अत्याचार के बाद हत्या जैसी घटनाएँ आम हो चुकी हैं। हर रोज ऐसी खबरें अखबार में छपती हैं। लोग पढ़ते हैं। लेकिन उस बारे में वे अधिक नहीं सोचते। रोजमर्रा की आम घटनाओं के बारे में भला सोचने की फुर्सत ही किसे है? खुद मेधा ने ऐसी अनेक खबरें भेजी हैं। दिमाग पर अधिक जोर देकर घटनाओं के बारे में सोचने का समय ही नहीं होता। आज जब मेधा खुद को उन बदनसीब

औरतों की जगह रखती है, कुछ सोच नहीं पाती। वह सोचती है, मौत तो सबकी जिंदगी में एक बार आती ही है, पर ऐसी जघन्य मौत...!

उस ओर बाघ है, इस ओर मंगल। मंगल ने मेधा की बाँह जोर से पकड़ रखी है। रह-रहकर उसके मुँह से दारू का भभका निकल रहा है। कितनी उम्र होगी मंगल की? अधिक से अधिक अठारह या उन्नीस साल। मेधा फालतू बातें क्यों सोच रही है? बंडा संस्कृति में पति से पत्नी दस-बारह साल बड़ी होती ही है। वयस्का नारी के प्रति बंडा पुरुष का आकर्षण कोई नयी बात नहीं है। ऐसा सोचते ही मेधा की धड़कन शायद बाहर तक सुनाई देने लगी। मंगल ने मेधा की हथेली दबाकर फुसफुसाते हुए कहा, 'डर रही हो क्या? मैं हूँ तो, चिंता क्यों करती हो? इन हाथों से जानवरों को मारा है, आदमी को मारा है...'

हठात् बिजली की चमक में मेधा ने चार-पाँच बंडा पुरुषों को सामने से अपनी ओर आते देखा। सभी दारू के नशे में धुत्। किसी एक ने पूछा, 'पकड़े हो न मंगल?'

'ओए, ओए (हाँ-हाँ)।'

'अच्छा किया...शाबाश...शाबाश', दूसरे ने कहा। हठात् खुद को बचाने की अंतिम कोशिश की मेधा ने। जिस तरह गोलियों से बचने के लिए अंतिम कोशिश करके जलियाँवाला बाग के कुएँ में मासूम लोग जान बचाने को कूद पड़े थे, ठीक उसी तरह मंगल की पकड़ से खुद को छुड़ाकर अँधेरे में दौड़ने लगी मेधा। अब मौत सुनिश्चित है। लेकिन ऐसी घृणित मौत से तो अच्छा है कि बाघ के मुँह में पड़कर, या पहाड़ से फिसलकर साहसिक, सम्मानजनक मौत मरे। हालांकि मेधा की भावनाओं को कोई समझ नहीं सकेगा, न समझे, लेकिन मरते-मरते मेधा तो जान जाएगी कि सच की तलाश में आकर, मनुष्य से मैत्री के लिए आकर उसने मौत को गले लगाया। इतनी-सी सांत्वना तो वह अपनी मौत को दे ही सकती है। मेधा के पीछे-पीछे गुरिल्ला की तरह धप्-धप् करते हुए बंडा पुरुष दौड़ रहे हैं। अपनी भाषा में चिल्ला रहे हैं। शायद 'रुक जा, रुक जा कह रहे हैं। मंगल अँधेरे में धनुष में तीर चढ़ाये दौड़ रहा है, कुल्हाड़ी उठाये मेधा के पीछे-पीछे दूसरे लोग भी दौड़ रहे हैं। सामने दो स्थिर, जलती हुई आँखें अँधेरे में चमक रही हैं। बाघ है! या बंडा पुरुष!

आगे मौत, पीछे मौत, और पहाड़ की पगडंडी के दोनों तरफ पाताललोक था। मेधा को ठोकर लगी। नीचे लुढ़कने से पहले एक भयंकर गर्जना एवं कई मजबूत हाथों से अपने शरीर को शून्य में उठा ले जाने के अनुभव के दौरान वह भय से बेहोश हो गयी।

मुदलीपाड़ा के अतिथि-गृह में मेधा को होश आया। मंगलक, लक्षमा और अन्य आठ-दस बंडा पुरुष रात-भर अतिथि-गृह के चबूतरे पर बैठे रहे। मेधा को होश में लाने के लिए लीडर बाबू और उनकी पत्नी जानकी देवी को वे लोग जंगली दवा ला-लाकर देते रहे।

मेधा की आँखें खुलते ही जानकी ने ममता भरी आवाज में कहा, आपको कुछ नहीं हुआ है। आपको सुनिश्चित मौत के मुँह से बचाया है, हमारे बंडा भाइयों ने। बाघ की गंध पाकर मंगल ने आपको सुरक्षित स्थान पर रोके रखा था। अन्य लोगों को लीडर बाबू ने आपकी सुरक्षा के लिए भेजा था। बाघ दूर चला जाता तो आप सुरक्षित लौट आतीं। बाघ से बचकर करीब ही लीडर बाबू आपका इंतजार कर रहे थे। आप मंगल से अपना हाथ छुड़ाकर बाघ की ओर क्यों दौड़ने लगीं? सौभाग्य से मंगल के तीर से घायल होकर बाघ विपरीत दिशा, में भाग गया और अन्य लोगों ने आपको पकड़ लिया। वरना पहाड़ से गिरने के बाद न जाने आपकी क्या हालत होती।' जानकी देवी के चेहरे पर भय और करुणा के भाव उभर आये थे। उन्होंने एक लंबी साँस छोड़ते हुए कहा, 'कितने बड़े संकट में डाल दिया था आपने खुद को और हम सबको!'

मेधा ने मुरझायी हुई आवाज में कहा, 'मुझे लगा, नशे में धुत् बंडा लोग जबर्दस्ती मेरी इज्जत...', आगे कुछ नहीं कह सकी मेधा। दूसरों के बारे में घटी दुर्घटना की खबर पाते ही जिस तरह बिना अधिक सोचे-समझे वह अखबारों में लिख देती है, वही बात अपने बारे में महज सोचना तक कितना कष्टदायक होता है, इस पर मेधा ने कभी विचार तक नहीं किया था।

लीडर बाबू ने गंभीर होते हुए कहा, 'अपना शक्की शहरी मन लिये यहाँ आकर आपने इस आदिम बंडा पर्वत की पवित्रता भंग की है। यहाँ आने से पहले आपको यह जान लेना चाहिए था कि बंडा पर्वत के इतिहास में बलात्कार, जोर-जबर्दस्ती एवं पाशविक अत्याचार का कलंकित अध्याय कभी लिपिबद्ध नहीं हुआ है। इसके अलावा बंडा पुरुष ने नारी जाति पर कभी भी अस्त्र नहीं चलाया। है। बंडा पुरुष ने जब कभी भी खून किया है, पुरुष का ही किया है। नारी बंडा पुरुष की आराध्या है, उसके घर की पूरी कर्ता-धर्ता है, उसकी संस्कृति की बहती हुई धारा है। बंडा पुरुष ने जब भी किसी नारी को चाहा है, उसकी अनुमति से ही उसे वधू बनाकर लाया है। बलात्कार करके नारी-शरीर को भोगने का उदाहरण बंडा पर्वत में नहीं है। भगवान करे, ऐसा कभी न हो। कम-से-कम धरती पर यह थोड़ी-सी जगह तो पवित्र धरती के रूप में बनी रहे। काश! संसार के सारे पाप बंडा लोगों के पुण्य से ही कट जाएँ।'

मेधा शर्म और ग्लानि से चुपचाप बैठी रही। सोच रही थी कि वहाँ से लौट कर क्या विवरण देगी अखबार में?

बंडा लोगों ने पूछा, 'क्या माँ बात करने लगी? किससे डर गयी थी? बाघ से या हमसे? हम तो उसके मइतर (दोस्त) हैं, फिर डर क्यों...?'

मेधा बाहर आयी। मंगल का हाथ पकड़कर बोली, 'मुझे बाघ का डर नहीं, तुम्हारा भी डर नहीं, अपने मन का डर है...।'

'अपने मन का डर?' सभी बंडा हँसने लगे। सौभाग्यवश वे मेधा की बात का वास्तविक अर्थ नहीं समझे।

सुबह हो चुकी थी। अब वे लोग उठकर खड़े हो गये। लक्षमा ने कहा, 'एक कुड़की (कुदाल) देना लीडर बाबू, डंगर मारूँगा (बंजर जमीन साफ करूँगा)।'

लीडर बाबू ने कहा, 'चलो। मैं आता हूँ। जिसको जो चाहिए, दूँगा।' बंडा खुले मन से चल पड़े। क्या हुआ, क्या होगा, इस बारे में सोचकर वे अपना समय बर्बाद नहीं करते। मंगल ने पीछे मुड़कर पूछा, 'फिर कभी मुदलीपाड़ा आएँगी कि नहीं, मइतर?'

'जरूर आऊँगी।' मेधा ने कहा। उसकी आँखें भर आयीं। लौटते समय मेधा ने अपनी नोटबुक में एक वाक्य और जोड़ा, 'बंडा खुद को रेमो' कहता है, जिसका अर्थ है- 'मनुष्य'।

❑❑

नारंगी

नारंगी उसका नाम है। पर वह है रंगहीन।

हालाँकि कभी रंग था; जिस ऋतु में पौधों में फूल खिलते हैं।

लेकिन आज नारंगी के जीवन में सिर्फ एक ऋतु है, जिसका नाम है ग्रीष्म। पत्ते रहित निदाघ के अभाव, आवश्यकता, दुख, गरीबी, यातना की तपिश से असमय ही अपने शरीर और मन की हरियाली खोकर वह चुक गयी है। लेकिन कुछ वर्षों पहले शहर की तलहटी वाली गंदी बस्ती में वह मौसमी हवा थी, और थी वसंत के सुरभित मलय का झोंका। किंतु कुछ ही वर्षों के अभावग्रस्त दुखदायी घर-गृहस्थी के कारण वह सूखी झाड़ियों-सी शुष्क हो गयी और अब गर्म आँधी-सा रुख अख्तियार कर चुकी थी।

वाकई नारंगी कभी खूबसूरत थी, इस बात पर आज वह कैसे विश्वास करे। चिकने जूड़े में चंपा-फूल खोंसकर कभी वह इसी रास्ते से काम पर जाया करती थी अपनी माँ के साथ, उसकी आँखों में असंख्य सपनों की नीलिमा भरी होती थी। आज वह फुर्र-फुर्र रूखे बाल, विवर्ण चेहरा लिए मेरे घर काम करने आती है, अपने चार बच्चों के मुँह में कौर डालने, शराबी, लंपट, क्रूर, निठल्ले पति का हाथ थामने का प्रायश्चित करने।

वह मशीन की तरह काम करती है, बातें करती रहती हैं। बातें तो नहीं, बुरी बातें ही कहती अपने क्रूर, पाखंडी पति के लिए। हर रोज नारंगी के विवर्ण शरीर और चेहरे पर पाखंडी पति की निष्ठुर यातना के नये-नये निशान, सुबह के नित्यकर्म की तरह, रात्रि की विश्राम की तरह, नारंगी का पति नियमित रूप से नारंगी की पीठ पर अपने हाथ की खुजली मिटाता, पति होने का नगाड़ा बजाता। उतना जितना कि कोई निकम्मा पुरुष कर सकता है। मेरे घर काम करने आते ही अपनी पीठ और बदन खोलकर वह पति की निर्ममता का पिछली रात का उपहार दिखलाती। मेरी आँखों में करुणा के आँसू छलक उठते, जबकि नारंगी

की आँखों में बिजली की लपलपाती ज्वलंत अग्निशिखा। उसके होठों में अपने पति के लिए दुनिया भर की बद-दुआएँ होती थीं। अकथनीय, असहनीय, बुरी-से-बुरी गालियाँ और बद-दुआएँ। मुझे ऐसा लगता कि नारंगी के पाखंडी पति शंकरा की यातनाएँ कितनी ही बर्बरतापूर्ण क्यों न हों, नांरगी की अकथनीय गालियाँ, असहनीय बद-दुआएँ उससे बढ़कर थी। दुनिया की किसी भी पत्नी के मुँह से किसी भी पति के लिए ऐसी बद-दुआएँ शायद संभव नहीं, सिर्फ नारंगी को छोड़कर। नांरगी अपने बदन के घावों को सहलाते हुए उसे बद-दुआएँ देती, 'हरामी, भरी जवानी में रास्ते में गिरकर मर जाए, उसके सिर पर बिजली गिर पड़े, उसे साँप डस ले। किसी बड़ी बीमारी से हाथ-पैर गल जाएँ। मेरे ही सहारे पड़ा रहे कोढ़िया। उसके मुँह में कीड़े पड़ें। आँखें फूटकर बाहर लटकने लगें, घर भर में छुछुआता फिरे। हरामी खून की उल्टी से मरे। जल्लाद पर ट्रक गाड़ी चढ़ जाए, कलेजा कुचल जाए, अंतड़ियाँ निकल आएँ, अनजान बीमारी पकड़े, बासी लाश-सा पड़ा रहे...'

मैं कानों में हाथ लगा लेती। शंकरा के प्रति अपनी तमाम घृणा और विद्वेष के बावजूद नारंगी के मुँह से निकली बद-दुआएँ मुझे सहन नहीं होती थीं। नारंगी के प्रति मेरे दिल के दर्द के ज्वार में भाटा पड़ने लगता। कभी-कभी मुझे लगता कि मुँहफट पत्नी के असहनीय, अकथनीय गाली-गलौज की वजह से ही शंकरा पत्नी के प्रति इतना निष्ठुर और निर्मम हो गया है। लेकिन मेरी यह धारण गलत थी। शंकरा जैसे अनेक हृदयहीन पुरुषों के लिए पत्नियाँ महज बच्चे पैदा करने वाली, पैसे कमाने वाली, सुख-सुविधा देनेवाली मशीन हैं। मारने से दर्द नहीं होता, भूखे-प्यासे दिन-रात खटकने से उनकी जान नहीं जाएगी, बीमार हों तो उन्हें इलाज की जरूरत नहीं; एक-एक करके बच्चे पैदा करने से वे थकतीं नहीं; ऊबतीं नहीं! शंकरा की बस्ती की अधिकतर नारंगी नींद से उठते ही काम पर जाती हैं। तुरई के फूल की तरह एक ही रात में उनके कुंवारे जीवन का सुखी सपना टूटकर बिखर जाता है।

कभी-कभी नारंगी के बदन पर शंकरा की मार के निशान देखकर मैं सिहर उठती। मुझे लगता कि इसी तरह शंकरा के हाथ की मार खाते हुए एक दिन नारंगी की भी जान चली जाएगी। मैं संवेदना भरे स्वर में कहती, क्या फायदा है ऐसे दुष्ट आदमी के साथ रहने में। उसे छोड़ क्यों नहीं देती? कौन-सा वह तुझे पालता है। बल्कि तेरे पैसों से ही मौज उड़ाता है, बच्चों का हक छीनता है। तू तो कमाती है, खाती है। फिर ऊपर से इतनी मार क्यों खाती है?'

नारंगी काम करते हुए कहती, 'क्या साहब ने कभी गुस्से में आपको

भला-बुरा नहीं कहा होगा मालकिन? आप लोगों का अपशब्द और हमारी मार दोनों एक जैसे हैं। हमारी बस्ती में किस औरत ने मार नहीं खायी होगी? फर्क सिर्फ इतना ही है कि कोई आठ दिन, पन्द्रह दिन में पत्नी की गलती देखकर उसे पीटता है, मेरा मर्द तो रोज अपने हाथ की खुजली मेरी ही पीठ पर मिटाता है। कोई बात हो, ना हो।'

'तो उसे छोड़ दे।' मैं कहती।

'यदि साहब ऐसा करें तो क्या आप उन्हें छोड़ देंगी मालकिन?' नारंगी ने सवाल किया।

मैंने अप्रतिभ हो कहा, 'यह तब देखी जाएगी। हालाँकि यदि मैं साहब को छोड़ दूँ तो मुझे और कोई दूल्हा नहीं मिलेगा। हम पढ़े-लिखे लोगों में यही तो दिक्कत है। पर तुझे दूल्हों की कमी नहीं होगी। तुम लोग तो दस-दस के पास जा सकती हो। किसी अच्छे आदमी को देखकर उसके साथ रहने मे हर्ज़ ही क्या है?'

नारंगी मुँह ऐंठकर कहती, 'सभी जगह एक ही बात है। आज जो आशिक बने दिलोजान छिड़कते हैं, स्वर्ग से चाँद ले आने का वादा करते हैं, कल हाथ पकड़कर अपने घर ले जाने के बाद शंकरा बन जाते हैं। कौन कह सकता है कि वे लोग शंकरा से भी अधिक अमानवीय नहीं होंगे? बार-बार कीचड़ में पैर डालने की क्या जरूरत है मालकिन? इसीलिए जान-बूझकर एक ही आदमी की मार और गाली-गलौज सहती हूँ, अब उससे नाराजगी या अभिमान कैसा, अब तो उससे प्यार और सुख पाने की आस तक दिल में नहीं बची। इसलिए मार खाने से बदन में चोट लगती जरूर है पर अब दिल नहीं दुखता। दूसरे पुरुष से फिर प्यार और सुख की आस लगाने के बाद हताशा हाथ लगे तो दिल दुखेगा, मन रोए-बिलखेगा, जिंदगी बेजान-सी लगेगी, जैसा कि शुरू-शुरू में शंकरा से मार-गाली खाने पर लगा करता था। घर बदल देने से, पति बदल देने से औरत का नसीब तो नहीं न बदल जाता मालकिन...'

मैं कुछ न कह सकी। शायद नारंगी का कहना सही है। चार-चार बच्चों को साथ लेकर नया घर बसाने पर उसे सुख नहीं मिलेगा। बल्कि फिर दुख मिलेगा।

कभी-कभी नारंगी काम पर नहीं आती। मेरा काम ठप्प पड़ जाता। दूसरे दिन आते ही मैं उस पर बरस पड़ती। नारंगी नरम गले से कहती, 'क्या करूँ मालकिन! वह हरामखोर कल रात घर नहीं लौटा। माँ-बच्चे रातभर जागते रहे। सुबह-सुबह बड़े लड़के को साथ लेकर जगह-जगह ढूँढ़ती फिरी, शराब के ठेके

के पास एक पेड़ के नीचे बेहोश पड़ा था। ट्रॉली रिक्शा में डालकर घर तक लायी। उसे होश में लायी। जिस रोज भी काम पर जाएगा उधर होटल में खाना खाकर, शराब पीकर रास्ते में ही कहीं लुढ़क जाएगा। एक बार भी नहीं सोचेगा कि घर पर चारों बच्चों ने खाया या नहीं। मेरी बात तो छोड़िए।'

मैं खीझकर कहती, 'घर नहीं लौटा तो न सही। तू क्यों गयी थी ढूँढ़ने। क्या तेरी पीठ खुजला रही थी? चाहे रोज भात खाने को न मिले, लेकिन रोज मार खाना शायद तेरे लिए जरूरी हो गया है।'

उदासी भरी मुस्कान छोड़ते हुए उसने कहा, 'उसे धर्म-कर्म की परवाह नहीं, मुझे तो है। धर्म को साक्षी रखकर मैंने उसका हाथ थामा था। उसके मरे-मुँह में बूंद भर गंगाजल डालूँगी तो नरक नहीं जाना पड़ेगा। मुझे तो बस इसी बात की चिंता है कि किसी दिन पिये हुए किसी कुलक्षणी 'छम्मक छल्लो' के चबूतरे के नीचे कहीं मरा न पड़ा हो। चार-चार बच्चों का बाप है। पर मरते समय मुँह में एक बूंद पानी डालने वाला कोई वहाँ नहीं होगा। बासी मुरदा बनेगा। मुनसीपालटी की मुरदा वाली गाड़ी में उठाकर ले जाएँगे। मुझे पता भी नहीं चलेगा। सूखी मछली और भात खाती रहूँगी, काँच की चूड़ियाँ पहनती रहूँगी...' नारंगी के रोज रूखे चेहरे पर करुणा उभर आती। उसकी रोज की जलती हुई आँखों में बारिश के गुप्त छींटे पड़ जाते।

मुझसे नजरें चुराकर काम के बहाने वह चली जाती।

कभी-कभी मुझे लगता कि परिस्थितियों ने ही नारंगी को मुँहफट, रुक्ष और नीरस बनाया है वरना वह कोमलहृदया, स्नेहमयी नारी ही तो है।

नारंगी एक जून हमारे घर खाना खाती, काम खत्म करके दोपहर बारह-एक बजे अपने घर लौटते समय। यही उसके दिन भर की खुराक समझ लो। सुबह हमारे ही घर चाय पीती है। शाम का काम खत्म करके जब वह वापस आती है तब घर पर जो कुछ होता है पति और बच्चों को परोसने के बाद वह खुद गिलास भर पानी या थोड़ी-सी लाल चाय पीकर सो जाती है। उसकी रात की खुराक शराब के नशे में धुत होकर लौटे पति की मार और यातनाएँ होती हैं। अक्सर नारंगी अपने हिस्से के भात में से बचाकर अपने पल्लू में बाँधकर घर ले जाया करती, जिन दिनों घर पर खाने को कुछ नहीं होता। पूछने पर कहती, 'पेट मरोड़ रहा है। बदहजमी हो गयी है।' व्रत-उपवास में उसके बच्चों के हिस्से का पकवान अलग से देने पर भी वह अपना हिस्सा पूरा नहीं खाती। मेरे बाध्य करने पर एक-आध टुकड़ा मुँह में डालते ही उसकी आँखें छलछला आतीं। मुँह सिकोड़ते हुए कहती, पेट सूख चुका है मालकिन! आज कल तेल-घी की तली

चीजें, इस शरीर में सधती नहीं हैं। उबकाई आने लगती है। छोड़िए, कंगाल बच्चे छीना-झपटी करके खा लेंगे। आप जितना भी देंगी, उनके कुएँ-नुमे पेट में सारा का सारा समा जाएगा...ब्रह्म राक्षस है उनके पेटों में। जिस तरह बाप पूरा ब्रह्मांड निगलने के लिए मुँह बाए घूम रहा है, बच्चे उससे भी आगे हैं, मौत भी तो नहीं आती इन राक्षसों को, मेरा तो खून-माँस तक नोच-नोचकर खाने में जुटे हैं...'

नारंगी की मातृ-मूर्ति को अपलक देखती रही। माँ के मन की व्यथा मैं अच्छी तरह समझ सकती हूँ। मेरी नस-नस में उसके हृदय की करुण हाहाकर फैल जाती है। लेकिन उसके बच्चों के भरपेट खाने के लिए मैं पकवान नहीं दे पाती। जितना देती थी उससे भूख मिटने की बनिस्बत और अधिक भड़क उठती थी, पेट कुछ नहीं जानता, मुँह कुछ नहीं जानता। अपने बच्चों के लिए दो-तीन बार खाने भर का पकवान अलग से निकालकर मैं सारा उसे दे दिया करती थी।

नारंगी को रोजाना जो तरकारी, साग-भाजी आदि खाने को देती वह उन्हें एक में मिलाकर रसगुल्ले की खाली हाँडी में डालकर अपने पति और बच्चों के लिए घर ले जाया करती और खुद नमक के साथ भात खा लेती। उससे उसको आत्म-संतोष मिलता। उसकी जीभ को कभी तरकारी का स्वाद तक नहीं मिल पाता।

एक बार थोड़े से चावल में कुछ महक-सी आने लगी थी। मैंने नारंगी को दे दिए। कम-से-कम रोज रात को एक-आध मुट्ठी भात तो खा लिया करेगी, थोड़ी-बहुत महक से क्या फर्क पड़ता है। उसके बाद दो दिनों तक नारंगी काम पर नहीं आई। पता चला कि उसकी तबीयत ठीक नहीं है। मैं घबरा गयी। नारंगी बीमार पड़ गयी तो मुझे काफी परेशानी होगी। मुँहफट भले ही हो, इतनी मेहनती औरत मिलना बहुत मुश्किल है। शहर के बाहर हमारा नया मकान था। नारंगी का घर करीब ही था। उस दिन पति के दफ्तर चले जाने के बाद मैं रिक्शा लेकर नारंगी के घर गयी। उसकी तबीयत के बारे में पूछकर उसे दवा-दारू न देने से उसकी बीमारी बढ़ने के साथ ही साथ मुझ जैसी गृहिणी भी घर का सारा काम करते-करते बीमार पड़ जाएगी।

नारंगी के घर के आगे ठिठक गयी। झुके हुए फूस के घर में बैठी नारंगी भात खा रही थी। मेरे घर से लाए खराब चावल का भात। भात के साथ और कुछ नहीं। लेकिन भात का कौर मुँह में डालने के बाद हाथ पुनः नीचे जमीन में छुलाकर मुँह तक ले जाती है। उँगली का पोर जीभ से चाट लेती है। मैंने सोचा खटाई, भुनी हुई सखी मछली या फिर नमक-मिर्च होगा। नीचे जमीन में डालकर

वे लोग खाया करते हैं। लेकिन मुझे यह देखकर हैरत हुई कि नारंगी जमीन पर ही उँगली छुला रही है। नीचे चुटकी भर भी नमक नहीं था। मुझे देखते ही जल्दी-जल्दी कौर मुँह में डालकर उसी तरह जमीन पर उँगली छुलाकर चाटते हुए वह मेरे पास आई।

मैंने पूछा, 'नारंगी, किस चीज के साथ भात खा रही थी?'

'कुछ नहीं, नमक लाने के लिए आज दस पैसे भी नहीं हैं। चुटकी भर नमक कुठलियों में पड़ा है। एक आलू पड़ा है, वह आएगा तो खाएगा। बिना नमक के साहबजादे का कौर गले से नीचे नहीं फँसेगा। मानों वाकई राजा महाराजा हो।' नारंगी ने हँसते हुए कहा, 'सब उसी के पेट में जाए, जल्दी ही भस्म हो जाए।'

लेकिन मेरा मुँह नमकीन होने लगा था। मैंने पूछा, 'जमीन से क्या लेकर चाट रही थी?'

'कुछ नहीं, मालकिन! सिर्फ बच्चों की तरह अपने मन को बहलाने की बात है। खाली भात खाने की सोचने पर भात गले से नीचे नहीं उतरेगा। इस तरह झूठ-मूठ उँगली चाटने पर भात नीचे उतर जाता है। उसमें कुछ स्वाद हो या न हो। सब अपने मन पर निर्भर करता है। जिस दिन भात के साथ कुछ नहीं होता, मैं इसी तरह खाती हूँ। अपनी उँगली की पोर का भी तो कुछ स्वाद होता है। ना मेरा कौर नीचे धंस जाता है। हालाँकि नारंगी खुद को ठगकर फीकी जिंदगी से रोजाना स्वाद निकालने की बात कहकर मुस्करा उठी, लेकिन मेरी आँखें नम हो आई थीं। रोज सब्जी काटते समय हमारी थालियों के इर्द-गिर्द जितनी सब्जी बिखर जाती है, उतने में तो नारंगी पिकनिक मना सकती है।

कभी-कभार नारंगी दाँत निपोरकर विनती करती, 'मालकिन! साहब की कोई पुरानी कमीज हो तो दे दीजिए न। वह करमजला तो जो भी कुछ कमाता है, सब का सब पेट में डाल लेता है। पेट के अलावा पीठ की उसे चिंता ही नहीं। जाड़े में आधी रात को काँपते हुए लौटता है।'

मैं उसे एकटक देखती रहती। उसके बाद गंभीर होकर कहती, 'साहब का कोई गरम कोट ले जा। इससे उसे जाड़े में आधी रात को शराब पीकर घर लौटने में और आसानी होगी।'

नारंगी मुँह बिदकाते हुए कहती, 'लो सुनो, मैं भला अपनी मर्जी से कमीज माँग रही हूँ? मुँहझौंसे ने कल रात मुझे यह कह कहकर खूब पीटा है कि मैं आपसे पुरानी कमीज माँगकर क्यों नहीं लाती। उसने मेरे सारे कपड़े चूल्हे में झोंक दिए, जितना पहनी हूँ, बस यही बचा है। नाशपीटा कहता है, 'मालकिन

से एक-एक करके इतनी साड़ियाँ पहनकर मटकने को माँग लाती है और मेरे लिए एक कमीज तक नहीं ला पाती?' ऐसे निर्लज्ज आदमी को क्या कहूँ? जब से उसका हाथ पकड़ा है, एक साड़ी तक नहीं खरीद सका मेरे लिए। बल्कि मेरी चार-चार साड़ियों को चूल्हे में झोंक दिया। उस आग में खुद भी जलकर क्यों नहीं मर गया!' उसके बाद शुरू हो जातीं उसकी अश्रवणीय-अकथनीय बद-दुआएँ हमेशा की तरह, जब तक कि शंकरा नहीं बल्कि नारंगी पर ही मुझे गुस्सा और खीझ न आ जाती।

उस रोज नारंगी मेरे घर आकर बेतहाशा रोने लगी। शंकरा का नाम ले-लेकर आँसू बहाते हुए, सिर ठोंक-ठोंककर वह रोए जा रही थी। मैंने सोचा शायद आज उसकी पिटाई अंतिम सीमा लाँघ चुकी है। लेकिन नहीं, नारंगी के बदन और चेहरे पर मार का कोई निशान नहीं था। मन में यह बात भी आई कि शायद नारंगी की कोई बद-दुआ असर कर गयी है शंकरा पर। तब तो नारंगी को मुक्ति मिल गयी है। मुझे तो लगता था कि शंकरा की मौत देखने के लिए ही नारंगी जी रही है। शायद वही इसके सुख का एकमात्र दिन होगा। इसके अलावा तो उसकी जिंदगी में सुख नाम की और कोई चीज है ही नहीं, लेकिन नारंगी की यह हृदय-विदारक करुणा तो लोक-दिखावा नहीं है, यह रुलाई तो उसके अंतर से निकल रही है। ये आँसू उसकी आँखों से नहीं, बल्कि कलेजा फाड़कर बह रहे हैं। कहीं नारंगी के किसी बच्चे को तो कुछ नहीं हो गया? नहीं...उसके चारों बच्चे तो माँ के साथ आये हैं। नारंगी ने विनयपूर्वक कहा, 'मालकिन, आपके पैर पकड़ती हूँ, आप जरा मेरे घर चलिए। आपके सिवा मेरा और कौन है जिस पर भरोसा करूं।'

मैंने सोचा शायद आज शंकरा ने घर में आग लगा दी है। मैं उसके साथ चल पड़ी। रास्ते भर वह दुखभरी सिसकियाँ भरती रही। मैं उसके घर पहुँची। वहाँ सब ठीक-ठाक था। शंकरा चबूतरे पर बैठा बीड़ी पी रहा था। उसमें कोई हलचल नहीं थी।

मैंने खीझभरी आवाज में पूछा, 'क्या हुआ?'

नारंगी ने रुक-रुककर कहा, 'आपको कुछ नहीं लग रहा मालकिन?'

'क्या?' मैंने ऊँचे स्वर में कहा। आस-पड़ोस के सारे लोग नारंगी का रोना-गाना सुनकर वहाँ इकट्‌ठे हो चुके थे।

नारंगी जमीन पर सिर पटक-पटककर पुनः रोने लगी। अपनी रुलाई में सुर डालते हुए वह कह रही थी, 'किसी डायन, चुडैल ने इसकी मति फेर दी है। किसी ने इस पर जादू-टोना कर दिया है। यह आदमी कल से गुमसुम बैठा

है। मेरे बाप-दादा का नाम लेकर इसने गाली नहीं दी, मुझ पर एक बार भी हाथ नहीं उठाया। जहाँ बैठ जाता है, वहीं बैठा रहता है। जो कुछ परोस देती हूँ, सुधरे हुए बच्चे की तरह चुपचाप खा लेता है। 'और दे' कहकर बर्तन-भाँड़े नहीं पटकता। यहाँ तक कि कल से बूंद भर दारू भी नहीं पी इसने...हे भगवान! यह क्या हो गया। जिस रोज से इसके घर आई हूँ ऐसा कभी नहीं हुआ। इस पर जादू-टोना न हुआ होता तो भला यह मुझ पर हाथ उठाए बगैर रह सकता था? किसी चुडैल से हमारा सुख देखा नहीं गया, मेरे भले-चंगे आदमी को इस तरह बेढंगा और निठल्ला बना दिया। उसका वंश बूड़ जाए...वह मुझे मारता-पीटता था, काटता था, जो चाहे करता था। इसमें किसी के बाप का क्या जाता था... पुनः ढू-ढू सिर पटककर नारंगी रोने लगी। सभी अवाक थे। मैं भी। लगता है इस औरत का दिमाग खराब हो गया है। इसे इलाज की जरूरत है।

अब शंकरा बीडी फेंककर उठ खड़ा हुआ। मेरे करीब आकर बोला, 'कहिए तो मालकिन! क्या खून हमेशा गरम रहता है जो इसको मारता-पीटता रहूँ। अब उम्र बढ़ चली है। और कितना पीटू इस औरत को? पीटते-पीटते मेरे हाथों में दर्द होने लगा है। इसलिए मैंने सोचा कि नहीं, अब अच्छे रास्ते पर चलना चाहिए, इस औरत को भी कुछ फुर्सत देना चाहिए। लेकिन यह भला ऐसा होने दे तब न? देखिए न, किस तरह बिलख-बिलखकर रो रही है, मानों इसके बच्चे और घरवाला मरे पड़े हों...'

बड़ी-बड़ी आँखें फाड़कर शंकरा नारंगी पर गुर्राया। अपनी मुट्ठी बाँधते हुए कहा, 'अब तू मार के बिना रह नहीं सकती। तेरे बाप-दादा स्साले सबके सब मार खा-खाकर जीते हैं। स्साले ढीठ हो चुके हैं। हरामजादी चुप होती है या नहीं?' शंकरा ने तड़ाक से एक थप्पड़ जड़ दिया उसके गाल पर। होंठ फटकर उससे खून की धार बह चली। नारंगी ने रोना बंद करके शंकरा की ओर देखा। उसकी आँसुओं में डुबती-उतराती आँखें मुस्करा उठी थीं।

उसने कहा, 'मुँहझौंसे को कुछ भी नहीं हुआ है रे! मुझे डराने के लिए कल से ढोंग रचाये बैठा है। सोचता है कि मर जाएगा तो मेरा घर और बच्चे बर्बाद हो जाएँगे। मैं डर जाऊँगी इसे कुछ होने से। भला इस पर कौन जादू-टोना करेगा? इसे भला मौत कहाँ रखी है। मुझे खाए बगैर यह कहाँ मरेगा?'

मैं मूर्ति बनी नारंगी को देख रही थी। उसका पति-प्रेम हृदयंगम कर रही थी। नारंगी ने अपने होंठ से खून पोंछते हुए कहा, 'घबराकर आपको बुला लायी थी मालकिन...इसे तो कुछ भी नहीं हुआ; इस अच्छे-खासे आदमी के बारे में कितनी अनर्गल बातें सोच चुकी थी...आप घर जाइए।'

शंकरा ने नारंगी को धकियाते हुए कहा, 'तेरी इतनी हिम्मत हो गयी कि मालकिन को इस नरकपुरी में खींच लायी...लगता है तेरा दिमाग फिर गया है...'

नारंगी ने शंकरा का धक्का संभालकर उसे चुप करते हुए कहा, 'छिः, तेरे लिए ही तो में मालकिन को यहाँ बुला लायी थी। फिर कभी यदि ऐसा ढोंग रचाया तो मुँह में एक बूंद पानी भी नहीं डालूँगी। प्यासा छटपटाता रहेगा, समझ ले...'

लौटते समय रास्ते में मैं सोच रही थी, दोहरी जिंदगी के ऐसे असहनीय उतार-चढ़ाव को इतनी सहजता से स्वीकार कर लेने वाली नारी सिर्फ नारंगी ही हो सकती है। यदि मैं नारंगी से इतना ही सीख लूं, पर, यह कतई संभव नहीं। क्योंकि मैं नारंगी नहीं, 'मैं मैं' हूँ। नारंगी के अन्दर का 'मैं' शंकरा के अंदर गहरे से गहरे डूबकर मर चुका है...अब नारंगी अपने अन्दर 'मैं' को नहीं ढूँढ़ पाएगी! इसलिए वह सिर्फ शंकरा की पत्नी नारंगी है, इसके अलावा और कुछ नहीं।

❑❑

मैं

एक ग्रुप फोटो। अपने प्रिय लोगों के बीच आप अपनी तसवीर देख रहे हैं। बार-बार देख रहे हैं। किसे देख रही हैं आपकी दो आँखें? आपके प्रियजनों की प्रतिछवियों को? नहीं-आप खुद अपनी तसवीर को विभिन्न कोणों से देख रहे हैं, खुश हो रहे हैं, पुलकित हो रहे हैं। ठीक उसी तरह जैसे आईने में देखते हैं खुद को- और जिस तरह खुद को तलाशते हैं प्रेमी या प्रेमिका की आँखों के आईने में। अपनी संतान में मानों अपनी अपूर्ण आशाओं को चरितार्थ करने की कामना करते हैं। इन सबका क्या मतलब है? यह सारा संसार 'मैं' मय है- कोई जो कुछ कर रहा है, सबका केंद्र बिंदु 'मैं' है। यह घटना घटी थी अंबिका देवी के जीवन में। समझ लीजिए यह बात सच है। आप इस कहानी के नायक या नायिका भी हो सकते हैं। बात इस तरह से है-

अंत में शहर के अनुभवी साइकाइट्रिस्ट से ही सलाह लेनी पड़ी। सलाह लेते-लेते अंबिका देवी पूरी तरह से उनकी पेशेंट बन गयीं। हालाँकि यह बात बिलकुल गोपनीय रखने का अनुरोध अंबिका देवी ने डॉ. महांति से किया था। वरना यह बात कि शहर की एक प्रतिष्ठित नारी, समाज सेविका, खासकर एक वयस्का, अनुभवी अध्यापिका, अंबिका देवी मानसिक रोग से पीड़ित हैं, अर्थात् पागल हो गयी हैं, बिजली की रफ्तार से पूरे शहर के गली-गलियारे में फैल चुकी होती। जबकि वास्तव में वे पागल नहीं हुई हैं, मन का सन्तुलन नहीं खोया है, अतीत को भुलाया नहीं है, या कोई अस्वाभाविक व्यवहार या लक्षण उनमें दिखाई नहीं दिया, फिर भी उन्होंने एक प्रख्यात साइकाइट्रिस्ट की सलाह ली है, बस इतना ही काफी है उन्हें पागल करार देने के लिए। जबकि हमारे देश में तब तक कोई साइकाइट्रिस्ट के दरवाजे पर नहीं जाता, जब तक कि वह पूर्णतः पागल नहीं होता। जब कोई अपने-अपने समस्त सचेतन विकारों को भूल जाता है- बिना वजह हँसता है, रोता है, नंगा होकर रास्ते में घूम सकता है,

सामाजिक बंधनों की निश्चित सीमाएँ लाँघकर बंधु-परिजन, परिचित-अपरिचित को दाँत निपोरकर चिढ़ाता है, काटने को दौड़ता है, पत्थर फेंकता है, अश्लील भाषा में गाली-गलौज करता है, ठीक वही हालत साइकाइट्रिस्ट के पास जाने की सही हालत है, हम लोगों की ऐसी धारणा बन चुकी है। लेकिन अंबिका देवी ने इस छोटी-सी बात के लिए बिना विलंब किये डॉक्टर की सलाह ली थी। बात कोई खास नहीं है। एक सपना है। सपना भला कौन नहीं देखता। किंतु अंबिका देवी ने स्नातकोत्तर श्रेणी के मनोविज्ञान की छात्रा की तरह फ्रायड के अवचेतन मन के विज्ञान को बारीकी से पढ़ा है। फ्रायड के अनुसार अपने सपने का उन्होंने विश्लेषण किया है- लगता है फ्रायड़ का ड्रीम एनालिसिस भ्रामक है, अतिरंजित रूप से सेक्स ओरिएंटेडयौन केंद्रित है। उनके सपने के साथ फ्रायड की व्याख्या का कोई मेल नहीं। उसके बाद डॉ. महांति की मदद ली थी।

डॉ. महांति के सामने उन्हें सारी बातें सच-सच बतानी पड़ी थीं। मानों डॉ. महांति अध्यापिका अंबिका देवी की कक्षा में एक ध्यानमग्न छात्रा की तरह केस हिस्ट्री नोट करते जा रहे थे। अंबिका देवी की केस हिस्ट्री की हू-ब-हू नकल इस तरह है-

ठीक उसी मनहूस रात से इस सपने की शुरुआत हुई है। उस दिन अंबिका देवी अपनी अंतरंग सहेली श्रीमती सरोजिनी के आकस्मिक वियोग पर आयोजित शोकसभा का सभापतित्व करके टूटे हृदय से घर लौटी थीं। सचमुच कोई यह सोच तक नहीं सकता था कि सरोजिनी इस तरह अचानक चली जाएगी। यह सच है कि इस दुर्घटना पूर्ण विचित्र दुनिया में प्रतिदिन इस तरह की सैकड़ों घटनाएँ घटती हैं- फिर भी मनुष्य अपने प्रिय व्यक्ति की मौत से सहसा दार्शनिक बन जाता है, आँसू बहाता है। पर सबसे विचित्र बात यह है कि समय समस्त व्यथाओं की अमोघ महौषधि बन जाता है। सहसा थम गयी विश्रृंखल विडंबित जीवन की धारा सहज स्वाभाविक हो उठती है। जीवन बीतता जाता है। लेकिन सरोजिनी के असामयिक वियोग से अम्बिका देवी इस तरह टूट गयी कि समय की महौषधि से भी कोई लाभ नहीं हुआ। सरोजिनी अंबिका की सिर्फ सहेली ही नहीं-पड़ोसन भी थी। दो बाल्य सहेलियों ने बुढ़ापे की एकाकी घड़ियों को अतीत की सब्ज स्मृतियों से सहज स्वाभाविक करने के लिए अगल-बगल में जमीन खरीदकर एक ही तरह के नक्शे से दो मकान बनवाये थे। मानों दो सुंदर प्रासाद न होकर- दो सुन्दर जुड़वाँ बहनें हों। दोनों मकानों की आंतरिक और बाहरी सज्जा एक जैसी थी। कभी-कभी अंबिका देवी के पति के ऑफिस से लौटकर सरोजिनी के मकान के सामने उतरते समय, सरोजिनी के पति मुस्कराते

हुए अंबिका देवी के मकान से निकल रहे होते हैं। दोनों मित्र ठहाका भरी हँसी लगाकर चुहल करते हुए कहते-गनीमत है दोनों सहेलियों का चेहरा एक जैसा नहीं। वरना न जाने क्या गजब होता...।

कुल मिलाकर दो परिवारों और दोनों सहेलियों में अटूट प्यार था। उस दिन अंबिका देवी पति के साथ पुरी गयी थी एक दिन के लिए घूमने। सुबह-सुबह घर पहुँचते ही अंबिका देवी ने देखा कि सरोजिनी का घर लोगों से भरा है। बाहर भी भीड़ थी। परंतु माहौल अस्वाभाविक रूप से गंभीर था, इतने लोगों की भीड़ में स्वाभाविक मृदुगुंजन की एक तरंग तक नहीं थी। सभी खामोश थे। बचपन में सुनी कहानी की तरह जादू के स्पर्श से राजा-रानी, हाथी-घोड़ा, पात्र-मंत्री सभी पत्थर बन गये हैं। और उनके बीच शाप-ग्रस्ता राजकुमारी की तरह सरोजिनी का स्पंदनहीन जड़ शरीर चुपचाप पड़ा है अंतिम यात्रा की प्रतीक्षा में। गहन गंभीर निद्रा में मानों पाषाणी हो गयी सरोजिनी। कल रात सहसा हृदय गति रुकने से उनकी मृत्यु हो गयी। उम्र थी ही कितनी। सबका स्वर-यन्त्र मानो अचानक स्तब्ध हो गया है। लेकिन सबकी आँखों से आँसुओं की धारा बह रही थी। जैसे यह सुंदर दुनिया छोड़कर सरोजिनी ही चली गयी हो, बाकी सभी हमेशा के लिए दुनिया में जीवित रहेंगे। ऐसे असंभावित माहौल में अंबिका देवी बिलकुल खामोश- बधिर-पंगु बन गई है।

कल जाते वक्त ठीक इसी समय सुबह के ताजे पुष्पगुच्छ की तरह सरोजिनी ने बालकनी में अपूर्व मुद्रा में खड़े होकर हाथ हिलाते हुए उसे विदा किया था तथा पुरी से महाप्रसाद लाने के लिए फिर एक बार याद कराया था। महाप्रसाद के प्रति सरोजिनी के मन में खूब आसक्ति थी। अम्बिका की गाड़ी में महाप्रसाद रखा है। किन्तु महाप्रसाद की प्रतीक्षा किये बिना उनका महाप्रयाण हो गया। महाप्रयाण किसी की प्रतीक्षा नहीं करता। उसकी कोई निश्चित आयु सीमा नहीं है।

सरोजिनी की शव-यात्रा का जुलूस आगे बढ़ गया था सारे पार्थिव बंधन, आँसू, हाहाकार की अवहेलना करता हुआ। उसके बाद सारा परिवेश खामोश था। सभी देखने वाले स्तब्ध थे। सबके सीने में एक अस्पष्ट यंत्रणा थी- एक अनजाने भय का अस्थिर कंपन था- असंख्य भारी उसाँसों से वायुमण्डल बोझिल हो उठा था। किसके लिए था यह दर्द, हाहाकार- ऊसाँसें और आँसू। सरोजिनी के लिए? सहेली के लिए? पड़ोसन के लिए? परिचिता के लिए? हृदय का यह अस्थिर कंपन, अव्यक्त यह अचानक की दार्शनिकता क्या किसी और की अंतिम विदाई के लिए है, प्रश्न करने पर शायद सभी एक साथ कहेंगे- हाँ सरोजिनी के लिए

है यह व्यथा- उनींदी रातें, हाहाकार, यंत्रणा। पर हाय, सारे ही जवाब झूठे हैं। छलावा है। मनुष्य का मन पानी में उतराते एक-एक तुषार खंड की तरह है जिसका बहुत ही कम हिस्सा बाहर दिखाई देता है बाकी का पूरा हिस्सा डूबा रहता है अवचेतनता के छलावे की प्रवंचना की गहराई में। अतः यह व्यथा, यह हाहाकार सरोजिनी के लिए नहीं है- इस सवाल का बिलकुल सही जवाब 'अपने लिए अपने लिए' है। यह सारी दुनिया 'मैं' मय है। मनुष्य दूसरे के प्रत्येक दुःख दुर्घटना-भाग्य की किसी भयंकर विडंबना में दूसरों को दिखाकर हाहाकार करते हुए जिस उदारता, दयाशीलता, हमदर्द मित्र होने का ढिंढोरा पीटता है, वह महज अपने लिए उद्वेग, आशंका, उत्कंठा के सिवा और कुछ नहीं।

किसी के बच्चे की अकाल मौत का समाचार सुनकर कोई दूसरी औरत छलछलायी आँखों से अपने बच्चे को छाती से चिपकाकर भगवान से उसकी सुरक्षा की प्रार्थना करती है। किसी और के अकाल वियोग पर मनुष्य की पहली प्रतिक्रिया-और कितने दिन? कौन जाने किस घड़ी बुलावा आ पहुँचे। अखबार में किसी दुर्घटनाग्रस्त व्यक्ति का नाम पढ़ते समय मन सहसा कमजोर हो उठता है प्रवासी आत्मीय जनों के लिए। अंबिका देवी के भीतर उसी तरह की प्रतिक्रिया हो रही है।

शाम को सरोजिनी देवी की शोक सभा में अति मर्मस्पर्शी भाषण हुए। जिस सरोजिनी की अत्यधिक स्पष्टवादिता, निर्भीकता, कल तक असह्य हुआ करती थी, आज वह सहसा सर्वसम्मति से उदारता, निष्कपटता, सरलता तथा सबको अपना समझने जैसे महान गुणों में बदल गयी थी। सरोजिनी रातों-रात एक असाधारण महान- स्वार्थहीन महिला बन गयी। वाकई, एक दिन के लिए सही सरोजिनी अपने इस अपूर्व स्वर्गीय गुणों का बखान अपने कानों से सुनती तो मन ही मन खुश होती। उस दिन सभा में अंबिका देवी ने भरे गले से कहा था- अंतिम समय मैं उसके पास नहीं थी, बहुत-सी बातें अनकही रह गयीं। मैं उसके दिल के सबसे करीब थी। यहाँ तक कि जो कुछ वह अपने पति के आगे नहीं कह पाती, मेरे आगे कह देती थी। बहुत अफसोस रह गया। मैं उम्र में उससे दो साल बड़ी हूँ। पर मेरे जीते-जी वह चली गयी। यदि उसके बदले भगवान मुझे उठा लेते तो कितना अच्छा होता? काश, यदि एक बार उसकी अशरीरी आत्मा से मुलाकात हो जाती तो मैं उसकी अंतिम इच्छा उससे सुन लेती- महाप्रसाद परोस देती उसके आगे- और एक बार, सिर्फ एक बार मैं उसे अपनी बाँहों में भर लेती...। अपनी अनेक आशाएँ अपूर्ण छोड़कर वह चली गयी- असमय, सारे काम अधूरे छोड़। आगे कुछ अधिक नहीं कह पायीं अम्बिका देवी- पल्लू से

सिर ढँककर छोटे बच्चे की तरह रोयी थीं। और सुबकते-सुबकते कहा था- सरोजिनी के बगैर मैं नहीं जी सकती।

घटना की शुरुआत इतनी ही है। उसके बाद से रोज रात में वही दारुण स्वप्न। स्वप्न तो नहीं, मानों एक चलचित्र हो, जिसका एक-एक दृश्य और संवाद अंबिका देवी भूल नहीं पातीं। ठीक आधी रात को सपना आता है सरोजिनी का वही खिलखिलाहट भरी हँसी- उत्साह भरे संवाद। हँसते-हँसते कहती है- 'मेरे बिना बहुत दु:ख है तुम्हें? मुझे महाप्रसाद तो नहीं खिलाया तुमने? मेरे बिना नहीं जी सकती? क्या सचमुच उस सुंदर माया भरी दुनिया को ठुकराकर तू मेरे पास आएगी? क्या यह तेरे मन की बात है? मैं भी तुझे याद करती रहती हूँ अंबिका। मेरे बच्चों की तरुण आयु। मन के दु:ख को कम करने के अनेक रास्ते हैं। उनके आगे पढ़ाई, नाच-गाना, दोस्त-यार और इस सुंदर पृथ्वी की सुंदर आयु के वर्णविभव हैं। और मेरे पति। वे हमेशा से संसार के प्रति उदासीन रहे हैं। कर्तव्य ही उनके जीवन का आदर्श है। मेरे होने न होने से कोई खास फर्क नहीं पड़ता उन्हें। वास्तविकता के उत्थान-पतन को वे सहज ही निर्विकार रूप से स्वीकार लेते हैं एक महायोगी की तरह। लेकिन तू? हमारी मित्रता की यादगार? उस याद के पीछे भटक रही है मेरी आत्मा! जो कुछ तूने शोक सभा में कहा, क्या वह तेरे मन को बात थी? एकदम सच।'- उसके बाद सरोजिनी का वीभत्स व्यंग्योक्ति पर्ण अट्टहास और अंबिका की नींद टूट जाना। उसके बाद पसीने से उनका पूरा बदन भीग जाना। धड़कनें तेज, कंठनली शुष्क। धीरे-धीरे अंबिका रात से डरने लगी, नींद को शत्रु समझने लगीं। क्योंकि नींद में ही आती है सरोजिनी- यही है अंबिका देवी की केस हिस्ट्री।

डॉ. महांति के अनुभवी चिंतन में अंबिका के मन की तसवीर साफ होने लगी। उन्होंने गंभीर स्वर में कहा- सपना हमारे अवचेतन मन की आशा, आकांक्षा, चिंताओं का छद्म रूप है। विवेक प्रहरी का शासन नींद में शिथिल पड़ जाने पर हमारे मन के अनेक असामाजिक, अशुभ, अनावश्यक, बेसिर-पैर की चिंताएँ बाहर निकलने लगती हैं विभिन्न रूपों में। आप सरोजिनी से मिलने की निरंतर कामना करती हैं। लेकिन इस सुंदर पृथ्वी के मोह में फँसकर कुछ कर नहीं पा रही हैं। इसलिए आपका सोचते रहना ही सपने में बदल जाता है। दरअसल, सरोजिनी का प्रेत नहीं आता। मनुष्य की असंभव आशाएँ सपनों के जरिये पूरी होने के कारण मनुष्य के मन का संतुलन बना रहता है। इसमें घबराने की कोई बात नहीं।

अंबिका देवी के चेहरे का रंग उड़ चुका था। उन्हें मालूम है कि

मनोवैज्ञानिक के आगे मन खोलकर नहीं रखने से बीमारी ठीक नहीं होती। उन्होंने कहा, डॉ. महांति, आप मनुष्य की गहरी मन:स्थिति से परिचित हैं। क्या आप नहीं जानते कि सभा-समितियों में जो कुछ जोश भरी भाषा में कहा जाता है, वह मन से निकली बातें नहीं होतीं? आप यह भी जानते हैं कि मनुष्य जो कुछ कहता है वह अक्सर उसके मन के भीतर की भाषा को वहन नहीं करता? मैं सरोजिनी को खूब चाहती थी, उससे मेरी गहरी मित्रता थी। लेकिन उसकी मृत्यु से मैं उसके लिए नहीं खुद अपने लिए परेशान हुई हूँ। उसकी मृत्यु मानों मेरे लिए एक चेतावनी है। उसकी अर्थी में मैं खुद को देख रही थी। उसकी शोक-सभा में मैं खुद के लिए आँसू बहा रही थी। अपने लिए आशंका से काँप रही थी। हमारे बीच से वह चली गयी। कौन जाने मेरी बारी कब आ जाए? इसी चिंता से मैं परेशान हूँ। विश्वास कीजिए, सरोजिनी की जगह खुद मरने की कामना करना क्षणभर की भावुकता है। उसकी अशरीरी आत्मा से मैं बातें करना नहीं चाहती। यदि किसी अलौकिक ताकत के बल पर अब सरोजिनी जीवन्यास पाकर मेरे सामने आकर सशरीर खड़ी हो जाए तो मैं एक बार भी मुड़कर देखे बिना दौड़ने लगूँगी। उसे सपने में देखने से भी घबराती हूँ। फिर भी रोज रात को वही अशुभ सपना देखती हूँ। मैंने जो झूठ कहा है क्या उसी के कारण सरोजिनी का प्रेत मुझसे मिलकर बदला लेना चाहता है?'

थकी हुई-सी सोफा में टिकते हुए अंबिका देवी ने आँखें मूंद लीं। डॉक्टर महांति ने आत्मविश्वास भरे स्वर में कहा- 'उस सभा में केवल आप ही नहीं, सभी अपने लिए रोये थे, सबने उद्‌गार प्रकट किया था। झूठ कहकर सामाजिकता के नियम का निर्वाह किया था। स्वस्थ जीवन यात्रा के लिए यह जरूरी है। मनुष्य सब कुछ सच-सच कह दे, तो इस सृष्टि में प्रलय हो जाए। यह आपका भ्रम है कि झूठ कहने के कारण सरोजिनी आपको प्रेत के रूप में दिखाई देती है। क्योंकि झूठ केवल आप ही ने नहीं कहा, दूसरी औरत के प्रति आसक्त पुरुष अपनी पत्नी को चाहने का डंका पीटता है। शराबी शराब की बुराई के बारे में सारगर्भित भाषण देता है। असाधु साधु की कंठी डालकर घूमता है। सामाजिकता का यह मुखौटा तो साभी लगाते हैं।'

अंबिका ने सवाल किया- 'किंतु यदि मैं उसे देखना नहीं चाहती, मेरे अवचेतन मन में यदि उससे मिलने की कामना नहीं है, तो फिर ऐसे सपने का क्या मतलब?'

डॉक्टर ने गंभीर होते हुए कहा- 'इसका मतलब आप सपना देखती ही नहीं।'

अंबिका देवी बिलकुल फक्क पड़ गयीं। चेहरे का रंग पूरी तरह उड़ गया। उन्होंने काँपती हुई आवाज में कहा- 'यदि यह सपना नहीं है तो क्या सचमुच में सरोजिनी का प्रेत ही हर रात मुझे दिखाई देता है? मेरा पीछा करता है?'

'नहीं, ऐसा भी नहीं है।' डॉक्टर की गंभीर आवाज।

'आप कहना क्या चाहते हैं? मेरा सपना झूठा है? सरोजिनी का प्रेत झूठा है? जबकि मैं हर रात उसे देखती हूँ? लगता है, सरोजिनी मुझे ले जाकर ही मानेगी। तो क्या मैं पागल हो गयी हूँ? क्या यह सब मेरे पागलपन की अनर्गल कहानी है' अंबिका देवी की आवाज में उतेजना थी।

'नहीं, आप पूरी तरह सामान्य, स्वस्थ, सामाजिक हैं। आपके व्यक्तित्व में कोई विलक्षणता नहीं।' सलाह देने की मुद्रा में डॉक्टर ने कहा।

अंबिका असहाय-सी मुद्रा में बैठी रहीं चुपचाप।

डॉक्टर महांति ने दो कप गरम कॉफी का ऑर्डर देते हए मित्रताभरी आवाज में कहा- 'अंबिका देवी, आप रात को बिलकुल नहीं सोतीं। सरोजिनी की मृत्यु के बाद से अपने लिए एक अहेतुक उद्वेग के कारण आपको नींद नहीं आती। आप केवल आँखें मूंदकर लेटे हुए तरह-तरह की कल्पनाएँ करके परेशान होती हैं। वे कल्पनाएँ ही आपको सपने की तरह लगती हैं। कुछ दिनों तक आप खूब सैर-सपाटा कीजिए। कम-से-कम कुछ दिनों तक जीवन की सुनहरी यादों को याद करें और रात को सोने से पहले एक गिलास गर्म दूध के साथ नींद की गोली खाकर सो जाइए। देखिएगा कुछ दिनों के बाद आपकी स्वाभाविकता लौट आएगी। नींद ही इसकी एकमात्र महौषधि है।'

कुछ दिनों तक डॉक्टर की सलाह मानने के बाद अंबिका देवी को लगा कि डॉ. महांति उनकी बीमारी को सही-सही पकड़ नहीं पा रहे हैं। डॉ. महांति पर से उनका भरोसा हट गया। क्योंकि सरोजिनी के प्रेत ने उन्हें नहीं छोड़ा। सपने देखने के साथ-साथ बीच-बीच में अंबिका देवी को यह भी लगने लगता कि उनका अंतिम समय निकट आता जा रहा है।

अंबिका देवी की लंबी अनुपस्थिति देखकर एक दिन डॉक्टर महांति ने पता किया तो मालूम हुआ कि अंबिका देवी इलाज के लिए कहीं और चली गयी हैं।

कुछ दिनों के बाद अंबिका देवी लौट आयीं, स्वस्थ होकर नये उत्साह, और उमंग के साथ। मानो गर्मी में वसंत का चौंकाने वाला आगमन हुआ हो।

खबर पाते ही उस दिन डॉक्टर महांति अंबिका देवी के घर पहुँचे। वे पूरी तरह स्वस्थ हो गयी हैं, यह सुनकर खुशी का इजहार करने के साथ ही उनका

इलाज करनेवाले उस अनुभवी डॉक्टर के बारे में भी जानना चाहा। अम्बिका देवी ने मुस्कराते हुए कहा– 'डॉक्टर इस बीमारी को ठीक नहीं करते डॉ. महांति। यदि आप इस बात को गोपनीय रखें तो मैं सब कुछ बता दूंगी। देखिए, सिर्फ इसी एक दवा ने मुझे स्वस्थ किया है।' हाथ में काले फीते में बँधी चाँदी की ताबीज उन्होंने दिखायी। और दिखाया कि उनके बाहर वाले दरवाजे में एक लोहे की बड़ी कील गड़ी है। किसी मामूली से गाँव के एक तांत्रिक ने अंबिका देवी का हाथ देखकर भविष्यवाणी की है कि उनकी आयु-रेखा बहुत लंबी है। सरोजिनी के प्रेत को भगाने के लिए उसने यह ताबीज दी है और घर के चारों ओर ठोंकी गयी हैं लोहे की चार कीलें। बस, इतने में ही वे स्वस्थ हो गयीं।

डॉ. महांति ने कहा, 'मैं आपका मजाक नहीं उड़ाऊँगा अंबिका देवी! आपकी औषधि है आपका आत्मविश्वास। आप अवश्य दीर्घजीवी होंगी और सरोजिनी के प्रेत को निर्वासन दंड मिला है, यही वह विश्वास है जिसकी वजह से आप स्वस्थ हुई हैं। विश्वास का ही दूसरा नाम जीवन है। शक और अविश्वास का दूसरा नाम मौत।'

डॉक्टर महांति को विदा करने से पहले अंबिका देवी ने खूब आहिस्ता अनुरोध भरे स्वर में कहा– 'यह बात किसी और को मालूम न पड़े। सरोजिनी मेरी अंतरंग सहेली थी। उसके लिए जान दे देने की बात शोक-सभा में कह चुकी हूँ। उसे एक बार देखने के लिए कितनी व्याकुल हो तब आँसू बहाये थे मैंने। किंतु उसी सहेली को सपने में भी न देखने के लिए मैंने तांत्रिक की ताबीज पहन रखी है, यदि यह बात सभी जान गये तो मैं किसे मुँह दिखाऊँगी, कहिए तो?'

डॉ. महांति ने मुस्कराते हुए कहा– 'आप तो स्वयं एक मनोवैज्ञानिक बन गयी हैं। समाज में ससम्मान जीने का तरीका आप जानती हैं। इसलिए यह घटना मेरे लिए एक नसीहत है।' अंबिका देवी मन ही मन खुश होकर मुस्कराते हुए कोहनी तक खिसक आयी बाँह की ताबीज ठीक करने लगीं।

❑❑

क्रूर

माला सहसा टूट गयी।

संस्कार और परंपरा की डोर में गुँथी इतने दिनों की गृहस्थी पल भर में बिखर गयी।

कल इतने समय तक सब ठीक-ठाक था, आज इतने समय सब उलट-पलट हो गया।

कल की दुनिया जैसी थी, वैसी ही है। ठीक समय पर रात बीती है, सूर्य बादलों को धकियाते हुए झाँक रहा है, बिंबाधर के बगीचे में उसके हाथों से लगे पौधों में रोज की तरह आज भी फूल खिले हैं, तितलियों ने फूल दर फूल उड़कर सुबह की मिठास इकट्ठा करने के साथ ही प्रीत का सौदा भी शुरू कर दिया है। नारियल के पेड़ की बहँगी पर दो मैना रोज की तरह किचिर-मिचिर कर रही हैं। पहली बार फूलों से लदकर गुलमोहर का पेड़ ऊपर से नीचे तक खुश दिखाई दे रहा है। रोज के कुछ बेनाम पंछी प्रतिदिन की तरह पेड़ की डालों पर, पत्तों की छाया में बैठकर मौज-मस्ती कर रहे हैं।

इस वक्त बिंबाधर सुबह की चाय पीते हुए बाहर चबूतरे पर दीवार से टिककर बैठा ध्यानमग्न हो अखबार पढ़ रहा होता है। उसके बाद चौराहे वाले बाजार से रोज की तरह थैला भर सब्जी लाता है। हाँ, आज रविवार होने के कारण डेढ़ किलो की एक ताजी रोही या भाकुड़ मछली पत्ते में लपेटकर दूसरे हाथ में पकड़े होता है। उसके बाद ठीक साढ़े नौ बजे पुरानी शर्ट पहनकर पुरानी साइकिल के गंदे पैडल मारते हुए दफ्तर के लिए निकल गया होता है। लौटता शाम को, कभी-कभी कुछ देर से, ओवर टाइम करके।

सब कुछ जैसा चल रहा था, उसी तरह चल रहा है। सिर्फ बिंबाधर नहीं रहा। हालाँकि उसका शरीर अभी-अभी अस्पताल से लाकर चबूतरे पर पड़ी लकड़ी की खाट पर रखा गया है। पर अब उसमें जान नहीं है। कल रात सीने का दर्द बढ़ जाने पर अस्पताल गया। सुबह-सुबह मुर्दा बनकर गाड़ी में लदकर

आया है। घर के अंदर न ले जाकर चबूतरे पर रखा गया। हालाँकि बिंबाधर के बदले 'मुर्दा' कहने में दूसरे लोगों को कष्ट पहुँचने की वजह से बात पलटकर मुर्दा की जगह डेडबॉडी कहा जा रहा है। पीड़ादायक, शर्मनाक और अश्लील शब्द मातृभाषा में कहने पर सुनने में कटु होने के कारण ये अंग्रेजी शब्द बड़े सहायक होते हैं। अंग्रेजों के भारत आने से पहले ऐसी विषम परिस्थिति में किस भाषा का आश्रय लिया जाता होगा, इस वक्त कहना मुश्किल है। लेकिन यह बात सच है कि जब मनुष्य स्वयं पर से आस्था खो बैठता है तब वह दूसरों का सहारा लेता है।

इस समय बिंबाधर का शव दूसरों के सहारे पड़ा है। जब तक लोग उसकी अंतिम क्रिया नहीं करेंगे वह उसी तरह पड़े रहने को बाध्य है। कहाँ ले जाएँगे? बिंबाधर के गाँव? पुरी के स्वर्गद्वार श्मशान? या कटक के क्रिमेटोरियम? इस बारे में बिंबाधर के कोई अंतिम इच्छा प्रकट न करने के कारण सारा कुछ निर्भर करता है आत्मीय जनों की इच्छा और सुविधा पर।

बिंबाधर की शोक-विह्वल पत्नी सुमति सुबह से ही सिर पटक-पटककर अनवरत रोते हुए गाती चली जा रही है तीस वर्षों की लंबी अनसुनी दाम्पत्य गाथा। शंका नहीं, संकोच नहीं, कोई क्या सोचेगा उसकी परवाह नहीं। परलोक सिधारे पति की आत्मा से रोते-रोते ही सीधा संपर्क स्थापित कर चुकी है। हृदय में तीस वर्षों का दबा प्रेम, क्षोभ, क्रोध, अभिमान और आरोप पिघलकर बह चला है सबके सामने। आज सारी बातें उड़ेलकर न कही गयी तो जीवन में फिर ऐसी एक महार्घ घड़ी नहीं आएगी। सारी दुनिया, पेड़-पौधे, पशु-पक्षी, पास-पड़ोस, बाज़ार-घाट आज सभी जड़ समान खामोश हो उसका सारा आलाप, विलाप, पागलपन सुन रहे हैं, सच मान रहे हैं, सहानुभूति प्रकट कर रहे हैं। महीने भर बाद सुमति के ऐसे विलाप को सारी दुनिया वाचालता, अतिरंजना, दिखावापन, ओछापन कहेगी। हालाँकि यह सब सोचकर ही सुमति दिल खोलकर रोते हुए सारी बातें नहीं बता रही है। कुछ सोच नहीं पा रही है, तभी मन का सारा आवरण हटाकर, छाती पर से दुःख का बोझ हटाने के स्वाभाविक उच्छ्वास से अस्वाभाविक हो उठी है वह।

दुनिया स्तब्ध चकित हो सोच रही है- क्या वाकई सुमति के दिल में बिंबाधर के लिए इतना प्यार समाया हुआ था। इतनी निष्ठा, इतनी आज्ञाकारिता, इतना समर्पण भाव और उत्सर्गित प्रेम। काश! तीस वर्षों में एक भी बार इस चंडालिन ने यह प्रकट किया होता पति के आगे। बेचारे बिंबाधर का जन्म सार्थक हो गया होता। पत्नी के प्रेम भरे हृदय का जरा-सा भी संकेत जीवन भर की

एकनिष्ठ साधना के दौरान नहीं पा सका बेचारा। कितना अभागा था। मार-पीट, फौजदारी, गुस्सा, आपत्ति, आरोप, दोषारोपण के बीच तीस साल बीत गये दोनों के। पति-पत्नी का प्रेम, अनुराग, एक-दूसरे के प्रति विश्वास, एक के मुँह से दूसरे की प्रशंसा, एक की दुनियादारी के लिए दूसरे की सहानुभूति, किसी भी दिन पास-पड़ोस, बच्चे, कुटुंब, आने-जाने वाले किसी ने नहीं देखा। मानो चिर साथी नहीं चिर शत्रु हैं दोनों। दोनों विवाह रूपी पिंजड़े में फंसकर मजबूरन एक साथ रह रहे हैं, जी रहे हैं, गृहस्थी फैला रखी है, अपना स्वार्थ साधते चले जा रहे हैं।

पड़ोसी गवाह हैं। रात बीतते ही, साँझ होते ही, पति-पत्नी के बीच जोर-जोर से बातें, झगड़ा, हाथ उठा-उठी। जब भी एक साथ उठते-बैठते हैं, कोई न कोई तकरार बीच में आकर खड़ी हो जाती है, दोनों को दो भागों में बाँटते हुए। जबकि आज दुनिया की श्रेष्ठ प्रेमिका की तरह सुमति ने विलाप भरी रुलाई से सबको शोकाभिभूत कर दिया है। बिंबाधर और सुमति का दाम्पत्य जीवन देख कोई-कोई अपने दाम्पत्य को धिक्कार रहा है।

मध्वर्गीय दाम्पत्य-उसमें न आडंबर होता है, ना ही प्राचुर्य। प्रेम होता है या नहीं, जानने को वक्त कहाँ, मानसिकता कहाँ, पर्याप्त समय-विलास ही कहाँ।

बिंबाधर और सुमति का दाम्पत्य पड़ोसी की खिड़की से दोपहर के आकाश की तरह साफ दिखाई देता था।

नीचे से ऊपर उठता हुआ कोई मध्यवर्ग-संपन्नता से फिसलता हुआ कोई मध्यवर्ग। इन दो तरह के मध्यवर्गों में भी आँखों को दिखाई देनेवाला एक फर्क है। संपन्नता से फिसलता हुआ मध्यवर्ग एक खोखले अहंकार के सहारे दिखावा, बड़प्पन और बड़बोलेपन में खोखला जीवन बिताता है। अपनी राजसी पोशाक के नीचे फटी बनियान की गंदगी वह खुद पीता है। देखने वाले देखते हैं छिलके की ऊपरी चमक। खुद से छल करने का एक हाहाकार भरा घमण्ड। नीचे से चढ़ने वाले मध्यवर्ग का स्वाभिमान बहुत ठोस, बहुत वजनी, बहुत सच्चा, अपने सींग से मिट्टी उखाड़ने की क्षमता और आत्मविश्वास भरा होता है। यहाँ छल नहीं होता- सब कुछ खुला होता है। स्वाभिमान के ऐश्वर्य से महिमामंडित चिर सन्तुलित जीवन।

बिंबाधर खुद ही अपने पैरों पर खड़ा हुआ था। यदि अवसर मिला होता तो वह भी एक उच्च पद पर होता। मेधावी छात्र होते हुए भी अर्थाभाव के कारण इंटरमीडिएट के बाद क्लर्क की नौकरी करके पिताजी की गृहस्थी की जिम्मेदारी सँभाली थी। निजी प्रयास से बी.ए. पास करके नौकरी में पदोन्नति प्राप्त की थी।

लेकिन उसकी नौकरी की धीमी पदोन्नति से उम्र की रफ्तार क्रूर और तेज थी। इसलिए देखते-देखते बिंबाधर कुछ ही वर्षों में वार्धक्य ग्रस्त हो गया- रोगग्रस्त हो गया। फिर भी वह डटा रहा। सिर नहीं झुकाया किसी के आगे। उद्धत नहीं, उन्नत व्यक्तित्व बनाये रखा मरने तक।

पाँच-पाँच बच्चे-भतीजा, भतीजी, भानजा, भानजी किसके लिए घर का द्वार बन्द करे। दफ्तर से लोन लेकर शहर में एक चार कमरों वाला मकान है। गाँव के रिश्ते-नातेदार कौन नहीं आएगा काम पड़ने पर।

सुमति काम में जुटी रहेगी लोटन कबूतर की तरह। रात बीतने से पहले हाथ, पैर, मुँह किसी को विश्राम नहीं। काम करती जाएगी, बड़बड़ाती जाएगी, बच्चों को पीटती रहेगी। पहले भुभुक-भुभुक रोएगी, फिर आँसू पोंछते हुए मुस्करा रही होगी, बच्चों के साथ हँसी-मजाक कर रही होगी।

अरे बाबा, ओवर टाइम करके लौटे, अपने बच्चों की पढ़ाई देखी, अच्छी बात है। पर दूसरों के बच्चों की पढ़ाई की चिंता तुम्हें क्यों लगी है? आखिर कितना पैसा देते हैं पड़ोस के बच्चे। मेहनत की तुलना में कुछ भी नहीं है। बल्कि उतनी देर आराम करो। चैन की साँस लो। सुमति बिंबाधर पर गरगराती रहती।

बिंबाधर की बस वही एक रट- 'ट्यूशन के पैसे से मेरे बच्चे दूध पीएँगे। तनख्वाह के पैसे तो भात, दाल, तरकारी के लिए कम पड़ते हैं। सात-सात पेट, तिस पर नाते-रिश्तेदारों की आवाजाही। बस सिर्फ पेट भरकर खाना, बच्चों को पैंट-शर्ट पहनाकर कॉपी-किताबों का खर्च पूरा करके शिक्षित करना ही मध्यवर्गीय परिवार का दुरूह स्वप्न है। मेरे बच्चे खाएँ, मेरे बच्चे पढ़े- सिर पर छत तो है ही। फिर चिंता किस बात की है?'

क्या वाकई और कोई चिंता नहीं थी? यदि नहीं थी तो अकाल वार्धक्य, आधी उम्र में मौत को कौन बुला लाया?

शादी के पहले पाँच वर्ष तक एक-एक साल के बच्चों ने घर को सिर पर उठा लिया। काँय-भाँय-रोग-बीमारी-

उसके बाद दस वर्ष तक सुमति ने काफी हंगामा किया। अपनी लाचारी, दु:ख, थकान, अभाव और एक साँस से काम में डटे रहने की खीझ वह किस पर उतारे? पति पर, या फिर बच्चों पर। बच्चे रोज भात खाएँगे, मार खाएँगे। एकाध दिन मीन-मेख निकालकर भले ही खाना न खाएँ, मार खाने में एक दिन भी नागा नहीं होता।

बिंबाधर ने एक भी दिन बच्चों पर हाथ नहीं उठाया। यदि हाथ उठाया भी होगा तो पत्नी पर। खुशी से कोई किसी पर हाथ नहीं उठाता। जिन बच्चों

को सुमति ने अपनी अंतड़ियाँ फाड़कर जन्म दिया है, क्या उन्हें इतनी निर्दयता से खुशी-खुशी पीटती है। सुमति का कोमल मातृत्व किस दु:ख से इतना रुक्ष और कठोर हो उठता है, वह बात सुमति जानती है या फिर उसी की तरह की मध्यवर्गीय बहुकुटुंबी गृहिणियाँ।

पड़ोस के घर के बच्चे अच्छा-अच्छा खाएँ, अच्छा पहनें, गाड़ी-घोड़ा चढ़ें तो इससे तुम्हारा क्या गया? पड़ोसी के घर से माँस-मछली, खीर-पूड़ी की महक रोजाना मुँहझौसा पवन उड़ा लाकर सुमति के नादान बच्चों के नथुनों में भर देता है।

बच्चे खाने के आगे बैठकर मीन मेख निकालेंगे, साग-सब्जी सुमति अच्छा नहीं बनाती, स्वाद ही नहीं है कहकर ताने देंगे, हमें तुरंत अच्छी चीजें बनाकर दो कहकर ज़िद करेंगे। सुमति गुस्सा नहीं करेगी? गुस्से से अधिक क्षोभ, दु:ख होता है। उसके बच्चों को अच्छा खाने को नहीं मिलता, सोचकर सुमति का कलेजा अंदर से करोर जाने पर आखिरकार विकल करुणा तो सँभालेगी, एकाकी। बिंबाधर सब कुछ जानते हुए भी अनजान है। बच्चे भी बिंबाधर को देखते ही भीगी बिल्ली बन जाते हैं। झटपट खाना खा लेते हैं राजा बेटे की तरह, सारी ज़िद करेंगे सुमति से ही। सुमति उन्हें मारते-मारते खुद ही पस्त पड़ जाती, बच्चे मार खाते-खाते निढाल हो जाने तक माँ पर सारे आरोप उँड़ेलते रहते। बिंबाधर बच्चों को पिटते नहीं देख सकता, एक तो बच्चों को अच्छी तरह खिला-पिलाकर खुश न रख पाने का अफसोस, तिस पर बच्चों पर सुमति का निर्मम प्रहार उसे पागल कर देता। कितना सहे- किस पर उतारे अपना क्रोध। पत्नी के सिवा और कौन है सुख-दुख का साथी? अति असह्य हो उठने पर पत्नी को जमकर पीटेगा बिंबाधर। खुशी से नहीं, दु:ख से, लाचारी से। सुमति भी आखिर मनुष्य ही है। उसके शरीर पर भी चोट लगती होगी। बच्चे सुमति को पलटकर मार नहीं सकते क्योंकि सिर तक हाथ नहीं पहुँचता। सुमति बिंबाधर की मार एकाध बार ही सहेगी, कष्टदायी हो उठने पर आत्मरक्षा के लिए हाथ उठाकर बिंबाधर को मारने की बात भी पड़ोसियों को मालूम है। यह औरत मार खाकर भला घर की बात घर ही में रखती! भों-भों करके रोती हुई घर से बाहर आकर पास-पड़ोस को पुकारते हुए कहती- 'अरे मार डाला रे ऽऽऽ...इस निठल्ले मर्द ने मुझे मार डाला रे ऽऽऽ...अरे दौड़ो रे ऽऽऽ...'

छि:-छि:-मार खायी तो खायी, चीख-चिल्लाकर सबको इकट्ठा करोगी? घर की मान-मर्यादा बाहर उछालोगी? औरत जात-पत्नी हो, माँ हो, जरा-सी सहनशीलता नहीं है।

सभी सुमति को छी-छा करते हैं, यह बात सुमति जानती है। क्या वाकई सुमति को अपने बच्चों को मारने में सुख मिलता है? पति पर हाथ उठाना अच्छा लगता है? चीख-चिल्लाकर पास-पड़ोस को इकट्ठा करके घर की बात बाहर उछालने में सुख मिलता है? जिस चीज से उसे सुख नहीं मिलता उसे करने को वह बाध्य है। यही सुमति का सबसे बड़ा दुःख है। दुःख के सिवा सुमति ने और जाना ही क्या है?

बिंबाधर को ही अब कौन-सा सुख मिल रहा है।

शादी को साल भर भी नहीं हुआ था कि पहला बच्चा। अपने पिता के रिश्तेदारों का बोझ। जीवन-संग्राम। मन और विवेक में संघर्ष। किसी के आगे हाथ नहीं फैलाऊँगा, किसी के आगे सिर नहीं झुकाऊँगा, भ्रष्टाचार, धोखेबाजी नहीं करूँगा, उधार करके माँस-मछली नहीं खाऊँगा। इसी नीति के चलते पत्नी, गृहस्थी, कुटुंब के साथ खामोश संघर्ष। खुद अच्छा नहीं पहनता, अच्छा नहीं खाता, अच्छे जूते और छाता पहनते-ओढ़ते उसे किसी ने नहीं देखा। सुमति ही न बिंबाधर से उलाहना कर लेती है एक अच्छी-सी साड़ी के लिए, पर बिम्बाधर किससे उलाहना करे? अपने विवेक से? सुमति अच्छी साड़ी पहनकर बाहर नहीं निकलती, उसके कान और गला नंगे हैं, मायके के सारे गहने तोड़-ताड़कर बिंबाधर ने गृहस्थी चलायी है। क्या इस बात से बिंबाधर को खुशी होती है? क्या वह नहीं चाहता कि उसकी पत्नी बन-सँवरकर, हँसी-खुशी से उसके सामने खड़ी रहे? किंतु वह करे भी क्या? घर के लिए साग-सब्जी, दाल-चावल लाये या साड़ी-गहने। सुबह होते ही थैला भरकर साग-सब्जी न लाने पर क्या सुमति चुपचाप बैठी रहेगी! मेरे बच्चे खाएँगे क्या, कह-कहकर बिंबाधर का जीना मुश्किल कर देगी। बिंबाधर भी बच्चों का खाना और पढ़ना पहले देखता है, बाकी चीजें बाद में। इसके सिवा और चारा ही क्या था। सुमति सब समझती है- बिंबाधर भी सब समझता है, लेकिन दोनों नासमझ की तरह एक-दूसरे पर दोष मढ़ते रहते हैं। मध्यवर्गीय इनसान इतना असहाय होता है कि किसी न किसी पर दोष मढ़े बिना जी ही नहीं सकता।

बिंबाधर को घमंड है कि वह मेधावी है, बी.ए. पास है, कमाऊ है। पिता का कुटुंब न पालना पड़ता तो न जाने वह कहाँ पहुँच गया होता। उसने शहर में एक मकान बनाया है। सात प्राणियों का परिवार चलाता है। किसी के आगे हाथ नहीं पसारता। सुमति का सौभाग्य है कि उसने अनपढ़ होते हुए भी बिंबाधर जैसे पढ़े-लिखे का हाथ थामा है। सच है। इसमें जरा भी झूठ नहीं।

सुमति में इस बात की ऐंठ है कि वह चम्पकवर्णी है, सात भाइयों में

इकलौती बहन, सभी भाई संभ्रांत, बहन को प्यारे। 'भैया' कहकर पुकारते ही सातों धुरंधर भाई आकर खड़े हो जाएँगे। हाँ, सुमति निपटमूर्ख है। इसीलिए तो बिंबाधर की अभाव-भरी दुनिया के यज्ञ में वह आहुति बनी हुई है। वरना... एकदम सच बात। जिस समय सुमति ने बिंबाधर का हाथ थामा था, उस समय उसके भाई इतने संपन्न नहीं थे। सुमति का रूप बिंबाधर को पसंद था और बिंबाधर का बी.ए. पास सुमति के भाइयों को पसंद आया। सुमति ने पंद्रह साल की उम्र में विवाह न करके और सात-आठ वर्ष के बाद विवाह किया होता तो भला क्या ऐसे अभाव वाले घर में ब्याही गई होती?

फिर भी, यह विवाह दोनों ही का सौभाग्य था। कोई किसी को नापसंद नहीं, नापसंद है केवल दिन-प्रतिदिन का आर्थिक अभाव, जो पति-पत्नी के बीच का 'भाव' न जाने कहाँ बहा ले गया। सिर्फ बच्चे पैदा करने के कारण दोनों एक-दूसरे को छोड़ नहीं पा रहे हैं। वरना इस तरह एक साथ रहने का मतलब ही क्या है-

बिंबाधर के घर में रोज-रोज झगड़ा, मार-पीट और रोज हँसी-मजाक माँ बच्चों में, पिता-बच्चों में। माँ-बाप के बीच हँसी-मजाक बच्चों ने कभी नहीं देखा- पड़ोसी तो दूर की बात है।

पति-पत्नी एक ही कमरे में सोते हैं, पति के भोजन के समय पत्नी पास बैठती है, पति के कपड़े, जूते, छाता साफ-सुथरा रखती है। पति के लिए संतोषी माँ का व्रत रखती है। पति को पहले खिलाकर बाद में खाती है। पति दौरे पर गया हो तो पलकें बिछाये इंतजार करती है। हालाँकि मेल-मुलाकात में किसके प्रति किसमें प्यार है, बच्चे समझ नहीं पाते।

सारी दुनिया कहती है कि सुमति सहनशील नहीं है। किंतु यदि यह दुनिया जान जाए कि सुमति कितना सहेज-सँभालकर अपनी गृहस्थी चलाती है तो सुमति को दुनिया की सबसे सहनशील पत्नी के रूप में मानने को बाध्य हो जाए।

इतनी सहनशील सुमति, न जाने क्या हुआ, एक दिन ज़हर खाकर अस्पताल ले जायी गयी। नसीब अच्छा था या खराब। ठीक होकर फिर घर लौट आयी। बच्चे बड़े हो गये हैं। पति की पदोन्नति दो बार हो चुकी है। पत्नी का ज़हर खाना जितने दु:ख की बात नहीं थी, उससे कहीं अधिक थी शर्म और अपमान की बात। छि:-छि:, बिंबाधर की सारी साख मेट दी इस औरत ने! सुमति ने सोचा था कि ज़हर खाकर इस दुनियादारी के नरक से छुटकारा पा जाएगी, ताकि बिंबाधर समझे कि सुमति कितना कष्टमय जीवन बिता रही थी।

लेकिन नतीजा विपरीत हुआ। बिंबाधर ने उसी दिन से पत्नी को दिल से निकाल दिया। पत्नी के ज़हर खाने की बात जग जाहिर हो गयी, दफ्तर के लोग जान गये, शत्रु-मित्र जान गये। बिंबाधर के पौरुष पर चोट हुई। अभाव में पड़कर सिर झुका लिया उस औरत ने। बिंबाधर ने कैसी दुर्दशा में रखा है सुमति को? क्या दूसरे के पीछे पैसा उड़ाता है? शराब औरत का शौक है? खुद बढ़िया खाकर सुमति को भूखा रखता है, खुद बढ़िया पहनकर सुमति को फटा-पुराना पहनाता है? तो फिर। बिंबाधर का मध्यवयि जीवन तो एक तपस्या है- कठिन तपस्या। उस तपस्या की सारी पवित्रता नष्ट कर दी समति ने। आत्महत्या की धमकी देकर जान-बूझकर बिंबाधर की जग-हँसाई करवायी। आखिर बिंबाधर का कसूर क्या है? जो कमाता है, वह जानता है कि पैसा कितनी मुश्किल से कमाया जाता है। इनसान अपनी जरूरत के मुताबिक पैसा नहीं कमा सकता। कम-से-कम एक मध्यवर्गीय नौकरीपेशा के लिए यह कदापि संभव नहीं। बच्चों के पेट बढ़ते हैं, स्कूल के खर्च बढ़ते हैं, बाजार में कीमतें बढ़ती हैं। उसी अनुपात में मध्यवर्गीय परिवार के अभाव बढ़ते हैं पर तनख्वाह उस अनुपात में नहीं। मूर्ख औरतें सब कुछ जानते हुए भी पतियों के प्राण हर लेती हैं। रक्तचाप, हृदय-रोग, असमय बुढ़ापा सबका कारण औरत ही होती है।

सुमति ज़हर खाकर नहीं मरी। स्वस्थ होकर अस्पताल से लौट आयी। बिंबाधर ने गुस्से में पत्नी के साथ सुख-दुःख की बातें करनी बंद कर दीं। बच्चे बड़े हो चुके हैं। पत्नी से बातें न करे तो भी उसकी गृहस्थी चलती रहेगी। सुमति ने आँसू नहीं बहाये, खून सुखाया है। संयोग से सुमति मरी नहीं, नसीब खराब था जो बच गयी। मर गयी होती तो! क्या तब बिंबाधर फफक-फफककर न रोया होता? पत्नी ने जहर खाकर मरकर उसकी जगहँसाई की। क्या उससे बिम्बाधर की बी.ए. पास मर्दानगी पत्नी के मरने से निकलने वाले आँसू रोक सकती थी? कौन जाने, सुमति के मर जाने पर यह बात सुमति भले ही न जान पाती पर पड़ोसी तो जान जाते। पर सुमति बचकर लौट आयी तो क्या पति होकर उससे दिलासा भरा एक शब्द तक नहीं कहोगे!' अहा! क्यों किया तुमने यह सब? क्या मैं तुम्हें प्यार नहीं करता? तुम्हारे अच्छा पहनने-ओढ़ने से क्या मुझे सुख नहीं मिलता? थोड़ा-सा सब्र और कर लो- बच्चे बड़े हो जाएँ तो हम अच्छा पहनेंगे, अच्छा ओढ़ेंगे, आराम से रहेंगे। किसकी वजह से हमारी यह हालत है? अपने ही बच्चों के न? तो फिर दुःखी क्यों हो? दिन-रात नौकरानी की तरह खटती हो। क्या मैं अंधा हूँ जो देख नहीं पाता? मैं दफ्तर में जानवर-सा खटता हूँ, ओवर टाइम करता हूँ। घर लौटकर बाजार से सौदा लाता हूँ, ट्यूशन पढ़ाने जाता हूँ।

बच्चों की पढ़ाई देखता हूँ। तुम तो देखती ही हो। बच्चे किसके हैं? तुम्हारे? मेरे? बच्चे तो हम दोनों के हैं ना। दोनों का खून एक साथ मिलकर बह रहा है हमारे बच्चों के शरीर में। यदि उन्हीं के लिए हमें सुख और आराम नहीं मिला तो वह दुःख है या सुख?'

सिर्फ इतना भर कह देता तो बिंबाधर का मर्दानगी घट नहीं जाती। इतने में ही सुमति पिघल जाती। बिंबाधर के पैर पकड़कर कहती, 'सब मेरी ही गलती थी, मैं मरना नहीं चाहती थी, तुमसे यह जानना चाहती थी कि इस परिवार को मेरी जरूरत है या नहीं। कैसी चांडाल हूँ मैं। अपने बच्चों, अपने पति को मँझधार में छोड़कर मैं खुद मर रही थी। एक बार सोचा तक नहीं कि मेरे बच्चों को खाना कौन परोसकर देगा, दफ्तर से लौटने पर तुम्हें खाना कौन देगा! छिः-छिः मैं चांडाल मर क्यों नहीं गयी। लौट क्यों आयी अस्पताल से।'

परंतु वैसा कुछ नहीं हुआ। सुमति के अस्पताल से आने के बाद से बिंबाधर तपती दुपहरी की तरह सुमति पर धुधुआता रहा। सुमति चूहा बन गयी। सुमति ने न जाने कैसा विष जरा-सा पी लिया था जो मरी नहीं किंतु अब बिंबाधर आते-जाते सुमति पर विष उगलने लगा। विष नहीं-गरल। सुमति जीते-जी मरी-सी पड़ी रहती। सचमुच कितनी बदनामी हुई पति की।

आते-जाते सुमति पर विष उगलने के कारण एक दिन सुमति पर गरजते समय सहसा बिंबाधर के सीने में दर्द उठा। हृदय-रोग ने जकड़ लिया बाघ की तरह। बिंबाधर को ढोकर अस्पताल ले जाया गया। पच्चीस दिनों तक मुँह नहीं खोला सुमति पर। सुमति पच्चीस दिनों तक एक लकड़ी के स्टूल पर बैठी बिंबाधर की निगरानी करती रही। उसका मुँह भी बंद। सिर्फ अंदर ही अंदर सिसकती रही। पड़ोसी खुसुर-फुसुर करने लगे- 'आखिर इस औरत ने पति का हार्ट अटैक करवाकर ही माना- भला अभाव किसके घर नहीं है? चौबीसों घंटे चिल्लाती रही, बच्चों को पीटती रही, जहर खाकर बिंबाधर की जग-हँसाई करवायी। आखिर कितना सहता वह आदमी? सीने में धक्का लगने के सारे रास्ते बनाने के बाद अब बैठी सेवा कर रही है पति की!'

सुमति को अब किसी से कुछ नहीं कहना है। वह खुद भी सोचने लगी है कि उसके मनहूस मुख से निकलकर हार्ट अटैक के जीवाणुओं ने पति के हृदययंत्र को झकझोर डाला है। इसलिए अब उसका मौन-व्रत धारण करना ही पति के रोग का निदान हो सकता है।

बिंबाधर अस्पताल से घर लौट आया। अब वह हृदय-रोगी है। खासकर इसी औरत की वजह से। यह बात सारी दुनिया कहती थी। बिंबाधर ने भी मुँह

खोलते हुए कहा, 'सिर्फ तेरी ही वजह से मेरा यह अकाल वार्धक्य है, यह हृदयरोग। आधी उम्र बीत गयी इस औरत के ताने सुनते-सुनते...'

सुमति सह नहीं पाती। जवाब-सवाल के लिए थिरकने लगती है। पर छाती पर पत्थर लादने को बाध्य है। उसके मुँह से रोग-जीवाणु निकलकर पति के सीने को कहीं फिर से न झकझोर डालें। हे भगवान! वह जीता रहे। सुमति ने जीभ पर नियंत्रण रखा। सुमति के सख्त मिजाज के आगे जिस तरह बच्चे चुप हैं, जीभ भी उसी तरह चुप रही आठ साल। हाँ, पिछले आठ साल से सुमति बधिर-सा जीवन बिता रही है। बच्चे बड़े हो चुके हैं। उन पर नियंत्रण नहीं रखा जा सकता। पति हृदय-रोगी है। उसके आगे उलाहने लेकर जाना पति-हंता कार्य होगा। इसलिए खुद पर नियन्त्रण रखने के सिवा और कोई चारा नहीं।

बेटी की शादी हो गयी, दोनों बेटे नौकरी करने लगे। यह सब बिम्बाधर की कार्यक्षमता, और काबिलियत की वजह से संभव हुआ है। सुमति तो बस खट रही है, खटे बिना भला कौन बैठा हुआ है संसार में!

आज कल बिंबाधर भी ज्यादा मुँह नहीं खोलता। डॉक्टर ने मना किया है। बिंबाधर में अब ताकत, उम्र, मानसिकता नहीं बची। उस औरत ने काफी कुछ सुना-सहा है। अब सुनाकर कोई लाभ नहीं। एक तरह का वैराग्य आ गया है! तुच्छ लगने लगा है पति-पत्नी का भाव, संपर्क। अब तो बस एक ही कमरे में दो इनसानों को बँधकर जीने की बात है। पति-पत्नी में अब लड़ाई-झगड़ा सुनाई नहीं देता। शायद उम्र की परिपक्वता के कारण दु:ख, सुख और प्यार बेमौसम बादलों की तरह कभी-कभार पति-पत्नी के बीच होता होगा। पर बाहर से देखने पर विश्वास नहीं होता था। हालांकि अभी कुछ दिनों पहले बिंबाधर बड़े बेटे से कह रहा था- 'अम्मा के लिए एक जोड़ी कनपासा गढ़वा दे। उसके सारे गहने मैंने तुम लोगों की पढ़ाई के लिए बेच-बाच दिये।' उससे छोटे बेटे से बोल रहा था- 'अम्मा के लिए एक अच्छी-सी साड़ी ले आना। कोई भी कह सकता है कि अमुक की अम्मा है। मैंने तो उसे कभी भी एक अच्छी साड़ी दी नहीं...'

अभी आठ दिन पहले सुमति ने बड़े बेटे को बाजार भेजकर बिंबाधर के लिए एक स्पोटिंग बनियान खरीदवायी थी। 'एक स्पोटिंग बनियान पहनने की इच्छा लिए तेरे बप्पा बूढ़े हो गये। जबकि उनकी उम्र के लोग तरह-तरह की रंगबिरंगी बनियान पहनकर दफ्तर जाते हैं। बेटे के पैसे से एक स्पोटिंग बनियान पहन लें...। अगले महीने एक जोड़ी अच्छी चप्पलें ले आना बप्पा के लिए। फटी चप्पलों में चिप्पी लगवाकर दफ्तर जाने पर अब बाप को नहीं बल्कि बेटे को लाज आनी चाहिए।'

इतने दिनों के बाद घर में एक शांत माहौल बना था। बड़ा स्वाभाविक लग रहा था जीवन। अब सुबह से शाम तक झाँय-झंझट नहीं है। माँ-बाप दोनों बड़े सहनशील हो गये हैं। एक-दूसरे की आवश्यकताओं के लिए बेटों के आगे मुँह खोलने लगे। खुद के लिए कुछ नहीं माँगते। बच्चे भी खुश हैं। यही तो है मध्यवर्ती जीवन। थोड़ी-सी सुख-शांति। बस यही तो है मध्यवर्ग की अमूल्य सम्पत्ति।

लेकिन इन सारे सुखों को बिंबाधर ने पलक झपकते ही राख कर दिया। पहली बार के हृदय-रोग के झटके के बाद आज मरने तक आठ साल मध्यवर्गी दुनिया का सबसे संघर्षमय, अभावमय, चिंताग्रस्त, संगीन समय। लड़की की शादी, लड़कों का कैरियर, नौकरी, मकान बनवाने के ऋण की वापसी...। ओह, यह विश्वास नहीं होता कि इतना बोझ बिंबाधर की छाती सँभाल लेगी। लेकिन बिंबाधर के सीने ने सारा बोझ उठा लिया। जब लड़कों के कंधे बाप से मिलने लगे, बिंबाधर की छाती सँभाल न सकी! दो घंटों में सारा कुछ खत्म हो गया।

सुमति सुख-दुःख की जीवन-गाथा गाये चली जा रही है। सबके सामने पति के मृत शरीर को बेझिझक बाँहों में भरकर रोते हुए विलाप करती चली जा रही है, कभी मुँह से मुँह सटाकर चूम रही है, कभी सीने पर सिर रखकर लोट जाती है। उड़ेले डाल रही है अपना सब कुछ- 'मुझे छोड़कर कहाँ चले गये हो ऽऽऽ...तुम्हारे बिना कैसे जीऊँगीऽऽऽ कहो...किसे देखकर यह देह धरी रहूँ हो ऽऽऽ...मेरे स्वामी, मेरे राजा, मेरे बी.ए. पास पंडित। अब कौन मुझे समझाएगा-बुझाएगा होऽऽऽ...राजमहल बनाकर छोड़ गये होऽऽऽ...सारी चीजें जुटा गये, कुछ भोग नहीं पाये होऽऽऽ...। किसी को किसी चीज की कमी नहीं होने दी होऽऽऽ ...सबके पैरों में जूते, सिर पर छतरी का इंतजाम कर दिया था होऽऽऽ... मछली-माँस खीर पूड़ी बहा गये होऽऽऽ...। खुद पखाल भात के सिवा गर्म भात देखा तक नहीं होऽऽऽ...। अच्छी कमीज-जूते नहीं पहने होऽऽऽ..., खट-खटकर उम्र उँड़ेल आधी उम्र में ही मरकर सो गये होऽऽऽ...। अब मुझे बिठाकर कौन खिलाएगा, राजरानी बनाकर खाट-पलंग पर कौन बिठाएगा होऽऽऽ...। अब किसके लिए छाती फुलाकर सिर उठाकर रास्ते में चलूँगी होऽऽऽ...। अब कौन दिलासा भरे शब्द कहेगा हो ऽऽऽ...। कुटुम पालते-पालते बीमार हो गये होऽऽऽ ...। मैं चांडाल एक दिन भी कोई अच्छी बात नहीं बोली होऽऽऽ...डर के मारे मेरे मुँह से बोल नहीं फूटे होऽऽऽ...। मैं निपट मूर्ख तुम्हारे पैरों की धूल भी नहीं, कितने भाग्य से तुम्हारा हाथ थामा था होऽऽऽ...' भाई को देखकर सिसकी भरे आँसू-शोक के स्वर अधिक करुण होने लगे...'बी.ए. पास दामाद ढूँढ़ा था तुमने

ए मेरे भैयाऽऽऽ...पाँच लोगों के सामने शान से खड़े होते थे ए भैयाऽऽऽ...सबको बुद्धि दिया करते थे, आज मुझे बुद्धि देने के लिए नहीं रहे ए मेरे भैयाऽऽऽ... कलाई में गाँठ लगाते समय मेरे सिर से घूँघट उठाकर तुमने कहा था, देखो, कैसा राजकुमार-सा दूल्हा ढूँढ़कर लाया हूँ, ए भैयाऽऽऽ...राजकुमार अब मरकर सो रहा है, ए भैयाऽऽऽ...'

भाभी पर धम्म से गिरते हुए शोक की वही भाषा थी, सिर्फ भाव बदले हैं...'ओ मेरी भाभियोंऽऽऽ कितना सुंदर दामाद ढूँढ़ा था तुमने, मेरी भाभियोंऽऽऽ ...इतने चौड़े सीने से कोई किस ओर से प्राण निकाल ले गया ओ भाभियोंऽऽऽ ...इतनी बड़ी-बड़ी आँखें अब कुछ नहीं देख रहीं ओ भाभियोऽऽऽ...गोरा-गोरा शरीर अब काला पड़ने लगा है ओ भाभियोंऽऽऽ। ऐसा दूल्हा और किसी के नसीब में नहीं था ओ भाभियोंऽऽऽ। मैं चांडाल सहेज-सजाकर रख नहीं पायी, मार डाला ओ भाभियोंऽऽऽ। हमारे पेट में सारी कमाई भरकर अपना पेट सुखा-सुखाकर चले गये ओ मेरी भाभियोंऽऽऽ। मैं राक्षसी एक दिन भी अच्छी बात नहीं बोली ओ मेरी भाभियोंऽऽऽ। अपने देवता समान आदमी को हमेशा ताने देती रही ओ मेरी भाभियों...वे पुण्यवान स्वर्ग चले गये, मैं नरक भोगने के लिए जिंदा रह गयी ओ भाभियोंऽऽऽ...' फिर एक बार बिंबाधर के मृत शरीर को पैर से सिर तक सहलाकर, गले लगाकर हृदय का अकपट शोक बहा दिया सुमति ने। 'हर जन्म में तुम्हीं को पति के रूप में पाऊँगी यह कहते जाओ ओ मेरे देवताऽऽऽ...तुम्हारे सिवा मैंने और कुछ नहीं चाहा था ओ मेरे देवताऽऽऽ...तुम उसी तरह बैठे रहते, मैं सेवा करते-करते मर जाती ओ मेरे देवताऽऽऽ। मेरा इतना भी पुण्य नहीं था इसीलिए तुम मुझे छोड़ गये ओ मेरे राजाऽऽऽ...'

सुमति के हृदय विदारक, निष्कपट, निःसंकोच शोक की अवहेलना करता पड़ा है बिंबाधर का मिट्टी का पिंड। कौन जाने सुमति के अनकहे प्यार का स्वर अब उसे सुनाई दे भी रहा है या नहीं? क्या पता शायद उसकी आत्मा यहाँ मँडरा रही हो...यदि आत्मा की श्रवण-शक्ति होगी तो वह सुन रही होगी। किंतु पत्नी के दिलखोल प्यार की भाषा शायद उसे सुख के बदले अव्यक्त, असह्य दुःख से उदास कर रही होगी, क्योंकि वह प्यार का प्रत्युत्तर नहीं दे पा रहा है, यदि दे भी रहा होगा तो सुमति को सुनाई नहीं दे रहा।

कितना निष्ठुर है! कौन?

बिंबाधर? सुमति? या नियति!

❑❑

वार्धक्य भत्ता

पूरा मकान किराये पर चढ़ा है। मकान से सटकर बाथरूम-जुड़ा एक लंबा कमरा है। उतने में ही मकान-मालिक सेवा-निवृत्त अध्यापक अखिलमोहन और उनकी पत्नी रमारानी रहते हैं। मकान को दो मंज़िला बनाने की योजना शायद कभी रही होगी। आज वह बात नहीं रही। जरूरत भी क्या है? तीनों लड़के पढ़-लिखकर विदेश में रहने लगे हैं। विदेश यानी कि देश से बाहर, समुद्र पार। अति उपयुक्त लोग ही विदेशों में रह जाते हैं, फिर अपना देश उनके लिए उपयुक्त नहीं रह जाता। वे लोग दूसरे देश के लिए उपयुक्त हो जाते हैं। उन्नत लोग उन्नत देश में ही शोभा पाते हैं, देश की उन्नति फिर उन्हें शोभा नहीं देती।

यह बात जानते थे अध्यापक अखिलमोहन। इसीलिए अपनी आय की सीमा में उन्होंने एक छोटा-सा मकान बनवाया था। रमारानी को इस बात का पता नहीं था, इसलिए मकान बनाने से लेकर अब तक वे मकान के बारे में अपना असंतोष प्रकट करके चिक्-चिक् करती रहतीं, 'बच्चे छोटे हैं। एक ही कमरे में सो जाते हैं। कुछ दिनों के बाद वे लोग बड़े हो जाएँगे। लक्ष्मी-सी बहुएँ आएँगी। कभी-कभी जवाँई भी आएँगे। कुछ दिन तो जरूर रहेंगे। तब क्या करेंगे? छत पर सोएँगे?'

अखिलमोहन निश्छल मुस्कराहट बिखेरते हुए स्वभाव-सुलभ शांत स्वर में कहा करते, 'तुम्हारे सिवा कोई नहीं रहेगा इस मकान में। यह मकान तुम्हारा है। बच्चे कहाँ-कहाँ रहेंगे, कौन कह सकता है। वे जहाँ रहेंगे वहीं मकान बनवाएँगे। ठीक तुम्हारी तरह। शहर में मकान बनवाने के बाद तुम कितने दिन गाँव में जाकर रहती हो?'

रमारानी बड़े आत्मविश्वास से कहतीं, 'देख लेना, कोई कहीं भी रहे, कितना ही बड़ा मकान बनवा लें, सभी यहीं आएँगे, मेरे हाथ का बना खाना खाने के लिए। खाने के बाद मेरे पल्लू से मुँह पोंछे बिना उन्हें तृप्ति नहीं मिलेगी। क्या

अपने बच्चों को मैं नहीं जानती? मैं उनकी माँ जो हूँ...' 'माँ' शब्द को गर्व और गौरव के साथ कुछ लंबा तानकर कहतीं रमारानी, जिसका अर्थ होता तुम बाप हो, माँ होने का महत्त्व कैसे समझोगे? भला इस जीवन में तुम कभी माँ होने का सौभाग्य पाओगे? माँ बनना सात जन्मों की तपस्या का फल है।'

अखिलमोहन रमारानी के मातृत्व के गहरे विश्वास को तोड़कर चिक्-चिक् नहीं करना चाहते। बेचारी! पति की सीमित आय के अपर्याप्त बजट में चार-चार बच्चों को कितनी मुश्किल से पाल-पोसकर बड़ा कर रही है, यह बात वह अच्छी तरह जानते हैं। जितने दिनों तक आत्म-सुख में डूबी रहती है, डूबी रहे। क्या वह जानती है कि सभी माताओं में एक दिन इसी तरह अपने बच्चों पर उस जैसा अखंड अधिकार व अगाध विश्वास होता है और वह अधिकार एक दिन किसी और नारी के हाथ में चला जाता है। उस विश्वास के घरौंदे को समय और सभ्यता की धारा अपनी चपेट में लेकर निश्चिह्न जो कर देती है!

एक दिन वाकई वह विश्वास टूट गया रमारानी का, मानों सभी माताओं का अपने योग्य बेटों पर से विश्वास टूट जाता है। उसी के बाद से पूरा मकान किराये पर चढ़ा दिया था रमारानी ने।

लेकिन अंत तक आशा थी कि कोई न कोई बेटा लंबी छुट्टी लेकर आएगा, काफी दिनों तक रहेगा। बेटी अपने पति के साथ विदेश की नागरिक होकर रहने लगी थी। दोनों बेटे जर्मनी और अमेरिका की विदेशी लड़कियों से शादी करके वहीं घर बसा चुके थे।

परंतु बेटों ने विवाह का संदेश भेजने में लापरवाही नहीं की थी। बड़े बेटे ने विवाह से ठीक पहले, छोटे ने विवाह के तुरंत बाद। तब तक रमारानी मन ही मन एक सौ एक लड़कियों को अपने बेटों से तुलना करके नापसंद कर चुकी थीं। अखिलमोहन शुरू से ही सांसारिक जिम्मेवारियों से बचने में माहिर रहे हैं। उन्होंने चैन भरी साँस लेते हुए कहा, 'चलो, एक चिंता मिटी। तुम जैसी लड़कियाँ ढूँढ़ रही थीं, लगता था लड़के कहीं कुँवारे ही न रह जाएँ। देखना, लड़कों ने तुम्हारे मन मुताबिक लड़कियाँ चुनी होंगी। आखिर लड़के किसके हैं। उनके चुनाव में गलती नहीं हो सकती।'

तब भी रमारानी मातृत्व का अहंकार छोड़ने वाली नहीं थीं। उन्होंने खुद को बहुत सँभाला था। मन को दिलासा देते हुए बोलीं, 'क्यों नहीं, वे मेरे बेटे हैं। खून को पानी करके मैंने उन्हें आदमी बनाया है। मेरे बेटों ने कभी कोई बड़ी गलती नहीं की। आज इसे भी उनकी गलती कौन कहेगा? जैसा देश, वैसा वेश। हमारी इंडियन लड़कियाँ कितना ही क्यों न पढ़-लिख लें, कितना ही आधुनिक

क्यों न बन जाएँ, ये लोग भला मेरे बेटों की प्रगतिशील विचारधारा के साथ ताल मिलाकर चल सकती हैं? प्रिया को ही देखो! इंगलिश मीडियम स्कूल में पढ़ाई की। दिल्ली यूनिवर्सिटी से एम.ए. करने के बाद कनाडा से डॉक्टरेट की। फिर भी कोई बात करने पर कान में जूँ तक नहीं रेंगती उसके। कोई बात जरा जोर से कह दो तो बड़ी-बड़ी आँखें छलछला आएँगी आँसुओं से। मैंने उसे क्या कुछ नहीं सिखाया, पढ़ना-लिखना, किस गुण में वह किसी से पीछे है? पर उसमें दुनिया भर का डर-लाज-भय-कुंठा भरा पड़ा है। छिः-छिः, सारी इंडियन लड़कियाँ एक-सी हैं। चलो, लड़कों की ओर से अब मैं निश्चिंत हो गयी।'

इतने पर भी मकान किराये पर नहीं चढ़ाया गया था। उस छोटे से मकान में सात-सात बार पोंछा लगाती थीं रमारानी। कभी तो आएँगे बेटा-बहू। जरूर आएँगे। जन्मस्थान न आने की कूवत किसमें है? दोनों बेटों के एक के बाद एक लड़का-लड़की हुए। बड़े बेटे के दो लड़के हुए। छोटे के एक बेटा, एक बेटी। चिट्ठी आयी, फोटो आया। बेटे माँ के साथ हमेशा से खुले हैं।

बड़े बेटे ने चिट्ठी लिखी, 'बहू और पोतों को एक साथ देखने का सौभाग्य तेरे सिवा और किसे होगा?' छोटे बेटे ने लिखा, 'माँ, तुम्हारी बहू कहती है कि तुम एक साथ कई पार्टियाँ मिस कर चुकी हो। हमारी शादी की पार्टी, बच्चों के जन्मदिन की पार्टियाँ। इंडिया आने पर एक साथ सारी पार्टिया देने की ज़िद कर रही है तुम्हारी बहू। नीबू का पानी पिये रहना। हम जल्दी इंडिया आ रहे हैं।'

बेटे की चिट्ठी के उस 'जल्दी' शब्द की 'दूरी' कितनी है, यह रमारानी अपनी छोटी बुद्धि से नाप नहीं पातीं। साल-दर-साल बीतते जाते हैं। पोता-पोती की तुतली बातचीत के टेप किये हुए कैसेट्स पार्सल से आते। बहुओं की आवाज बह आती कैसेट के फीतों से, 'गुड मॉर्निंग ममि! वी आर ओ.के. हिअर। 'अभि' इज़ ऑल राइट। नेवर बॉदर फॉर हिम...' इत्यादि। अभिजात बड़ा बेटा है। छोटी बहू का उलाहना बह आता समुद्र पार से कैसेट रिकॉर्ड के जरिये, 'आइ ब्लेम यू ममि! यू हैव स्पॉएल्ड अमि! हि इज़ सो डिपैंडेंट! हाव सिलि!' अमियकान्त छोटा लड़का है।

हँसते-हँसते लोटपोट हो जाती रमारानी। अधिक हँसी यंत्रणा बनकर आँखों से पानी निकाल देती है। हँसी रोकते हुए टूटे-फूटे स्वर में कहतीं, 'सुन लो, कितनी शरारती लड़कियाँ हैं। न मेल-मुलाक़ात, न जान-पहचान। कितने अपनत्व भरे आश्वासन हैं, और कितने उलाहने भी, और सचमुच कितनी मीठी है उनकी आवाज।'

उदार हृदय में सारे छोटे-बड़े झटके सह जाने की यह असाधारण शक्ति रमारानी में देखकर पत्नी की तारीफ मन-ही-मन करते हैं अखिलमोहन।

रमारानी दिन गिना करतीं, किसी भी दिन कोई भी बेटा आ सकता है। अभी कल ही जैसा तो लग रहा है, पलक झपकने-सा, पिछली रात के मीठे सपने-सा हाथ बढ़ाकर छू सकने-सा। लड़के जब कॉलेज हॉस्टल में रहकर पढ़ते थे, किस तरह चिट्ठियाँ लिखा करते थे, 'माँ यहाँ खाने का इन्तजाम खूब अलग है। पर तुम्हारे हाथ की बनी रसोई जैसा नहीं। कितना ही खाओ, तृप्ति नहीं होती, पेट नहीं भरता। कहीं कुछ कमी जो रह जाती है हॉस्टल के खाने में। माँ, यहाँ कड़ाके की ठण्ड पड़ती है। गरम कपड़े जितने हैं, सब पानी हो जाते हैं। तुम्हारे पास सोने में कितना आराम मिलता है। कितना ऊष्म लगता है। यहाँ तुम्हें ढूँढ़ने से कहाँ पाऊँगा? माँ, यहाँ बेइन्तहा गरमी पड़ती है! वाकई तुम्हारे हाथ जाड़े में जितने ऊष्म होते हैं, गरमी में उतने ही ठण्डे-स्निग्ध! तुम्हारे हाथ ऐसे कैसे हैं माँ, एयर कण्डिशन जैसे। माँ, कल तुम्हारे बारे में एक खराब सपना देखा। पढ़ाई छोड़कर भागकर तुम्हें देख आने को जी अधीर हो रहा है। पर पिताजी नाराज होंगे। किन्तु मैं पहुँच रहा हूँ, माँ। पिताजी से कह देना तुमने चिट्ठी लिखकर बुलाया था।'

सचमुच घर चले भी आते। हालाँकि बच्चों की पढ़ाई का नुकसान सोचकर उनके पिता नाराज भी होते। पर उस खीझ में भी छुपा होता कितना स्नेह, कितना आत्मसन्तोष, कितना गौरव।

रमारानी का दिन गिनना खत्म नहीं होता। अब लड़के ठण्डी जलवायु में रहकर उनके ऊष्म स्नेह का स्पर्श नहीं ढूँढ़ते। उनके खाने-पीने की रुचि बदल गयी है। माँ की रसोई का स्वाद शायद भूल चुके हैं। माँ के बारे में अब बुरे सपने भी नहीं देखते। जिन बेटों को उन्होंने योग्य सन्तान के रूप में पाला-पोसा था, उनकी आँखों में सिर्फ सुख और सपने हैं। फिर भी रमारानी उस चार कमरे के छोटे मकान को सजाती-सँवारती रहती दिन-रात, कभी तो आएँगे वे लोग?

वे लोग आये भी। अमियकान्त और एंजेला। पाँच साल का लड़का रिंकू और तीन साल की लड़की एनी। रमारानी ने दस बार पोछा लगाया घर का। बैठक में ताजे फूलों का गुलदस्ता सजाया। सोने के कमरे के दरवाजे और खिड़कियों में खसखस के पर्दे लगाये ताकि विदेशी सुकुमारी बहू को धूप का धमसा न सताये। बेटे को प्रिय खाने की चीजें बनायीं। माँ-बाप किराये की टैक्सी लेकर एरोड्रॉम पहुँचे। अटपटा लगने पर भी पति के कहने पर दो पुष्प गुच्छ लिये। पहली मुलाकात में बहु को दे देना, सभ्य समाज का रिवाज है। जिस चीज से

बहू को खुशी होगी, भले ही वह कितना ही अटपटा क्यों न लगे, रमारानी वह सब करने को तैयार हैं। बहू की मर्जी का ध्यान रखना ही उनका एकमात्र कर्तव्य था। विदेशी बहू को किसी भी तरह का कष्ट देना अन्याय है, जबकि उनके ज़माने में सास की मर्जी का ध्यान रखा जाता था। सब समय का फेर है। मानों मनुष्य समय का अबोध आज्ञाकारी है। मन की सहमति हो या न हो, समय का हुक्म मानना पड़ेगा।

एरोड्रॉम में उतरे अमि, एंजेला, रिंकू और एनी। बहू की सुंदरता देख वाकई पति-पत्नी मुग्ध हो गये। रमारानी फुसफुसाकर पति से कह रही थीं, 'मैं कह नहीं रही थी कि मेरे बेटे का चुनाव गलत नहीं हो सकता।' अखिलमोहन आनंदित हो कह रहे थे, 'दोनों बच्चों को देखो! इतने सुंदर केवल बहू की वजह से हैं! तुम भले ही नाराज हो जाओ, पर तुम्हारे बच्चों से जरा भी मेल नहीं खाते।' रमारानी विह्वल हो मुस्कराते हुए कह रही थीं, 'ये लोग आखिर बच्चे किसके हैं? क्या मेरा खून नहीं है इनमें?'

एक बड़ी गाड़ी इंतजार कर रही है सड़क के किनारे। सुसज्जित संभ्रांत गाड़ी। अखिलमोहन टैक्सी करके आने की वजह से अंदर-ही-अंदर खूब खुश थे। उनका बेटा उनके इस कार्य की मन-ही-मन सराहना करेगा। पेट्रोल की कीमत देखते हुए कटक से भुवनेश्वर टैक्सी करके आना-जाना कोई मजाक नहीं।

किंतु यह क्या। उनका बेटा-बहू और बच्चों के साथ उस बड़ी गाड़ी की ओर जा रहे हैं। एंजेला ने झेंपते हुए कहा, 'आप लोगों को कष्ट न देने के लिए ही यह इंतजाम किया है। चार-चार लोगों का काम, वह भी एकाध दिन नहीं, दो सप्ताह तक, क्या कष्टदायक काम नहीं। आजकल इंडिया में महँगाई इतनी बढ़ गयी है कि आपका इतना खर्च कराना वाकई आपके प्रति अन्याय होगा, माँ...'

अमि ने इशारे से पत्नी को चुप कराया और आतुर हो बोला, 'वह बात और है, पर एंजेला का स्किन इतना डेलिकेट है कि वातानुकूलित कमरे के बिना उसके पूरे बदन पर फुंसियाँ उभर आएँगी। बच्चे भी वैसे ही हैं, बल्कि जितने दिनों के लिए आये हैं, उतने दिनों तक स्वस्थ रहें। क्यों माँ? बीमार पड़ गये तो इण्डिया आना बेकार हो जाएगा। इसलिए होटल 'माधवी' में एक वातानुकूलित कमरे का इंतजाम करवा लिया था।' रमारानी ने सिर हिलाते हुए धीरे से कहा, 'जगन्नाथ की कृपा से किसी की तबीयत खराब न हो। घूम-फिरकर ठीक-ठीक वापस लौट जाओ।'

अखिलमोहन ने गंभीर गले से सवाल किया, 'सिर्फ दो सप्ताह के लिए

आया है? तूने तो लिखा था कि दो महीने के लिए आ रहा हूँ?'

'आया तो दो माह के लिए ही हूँ, पर ओड़िशा में दो सप्ताह रहूँगा। क्या ओड़िशा के दर्शनीय स्थलों को देखने के लिए दो सप्ताह काफी नहीं हैं? भारत के अन्य स्थान एंजेला और बच्चों को घुमाना होगा। इंडिया के बारे में एंजि कुछ नहीं जानती। वह सोचती है इंडिया में सिर्फ जंगल, साधु, भिखारी, साँप, डायन और वनमानुष रहते हैं। इसके अलावा दोनों बच्चों को भी अपने पूर्वजों की घर-देहरी के बारे में बहुत कुछ संतोषजनक धारणा बनाना भी आवश्यक है। आखिर मिट्टी है तो माँ ही...'

अखिलमोहन ने सिर हिलाते हुए कहा, 'गुड! अपनी मातृभूमि के बारे में उनके मन में सम्मानबोध जगाना बहुत जरूरी है। मातृभूमि के लिए माँ का बलिदान भी किया जा सकता है, यह बात आजकल के कितने लड़के समझते हैं?'

अमियकांत अपनी प्रशंसा सुनकर मुस्कुरा रहा था। प्रवीण अध्यापक पिता ने उसकी बात का समर्थन किया है, यह कम बड़ी बात नहीं।

दोनों कारें अलग-अलग दिशाओं में चल पड़ीं-बेटा-बहू होटल... अखिलमोहन-रमारानी खाली मकान की ओर।

ओडिशा में दो सप्ताह रहने के दौरान बहू-बेटे को चार बार गार्डन पार्टी दी थी अखिलमोहन और रमारानी ने, क्योंकि उस छोटे-से मकान में एंजेला को कष्ट हो, यह वे लोग, नहीं चाहते थे। इसके अलावा एंजेला को दिखाने लायक वैभव था ही क्या उस मकान में।

माँ के हाथ की बनी सारी चीजें परम तृप्ति से खायी थीं अमियकांत ने। खाने के बाद माँ के पल्लू से मुंह पोंछ रहा था। एंजेला ने धीरे से कहा, 'दिस इज़ अन हाइजिनिक, अमु!'

'सॉरी'- कहकर अमियकांत ने माँ का पल्लू छोड़ दिया था। रमारानी सोच रही थीं, कुछ भी हो, उनकी बहू उनके बेटे के स्वास्थ्य के प्रति काफी सजग है। इससे तो उन्हें खुश होना चाहिए।

रिंकू और एनी को अधिकतर माँ के पास छोड़कर अमियकांत और एंजेला ने पूरा ओडिशा घूमा था। लौटने से पहले अमियकांत ने कहा था, 'आप दोनों हमारे पास चले आइए, नाहक यहाँ क्यों पड़े रहेंगे? भैया भी यही कहते हैं। कुछ दिन मेरे पास, कुछ दिन उनके पास। बहुत आराम है उन देशों में। जीवन-भर कम मेहनत नहीं की आप लोगों ने।'

रमारानी ने विस्मय भरी आवाज में पूछा, 'घर-द्वार किसे दे जाएँगे?'

'घर-द्वार?' ऊँची आवाज में हँसा अमियकांत। मधुर आवाज में कहा था उसने, 'माँ, तुम्हें कम-से-कम एक बार तो देख ही आना चाहिए मेरा फ्लैट। तब जाकर कहीं समझोगी कि तुमने कैसा आदमी बनाया है। क्या तुम अपने बेटे की करामात नहीं देखोगी?'

रमारानी ने सहज रूप से जवाब दिया था, 'भगवान तुम लोगों को ठीक से रखे। मेरे देखने न देखने में क्या रखा है? बस, ऊपरवाला देखता रहे। पर बेटे। देख तो रहा है न, घर-द्वार, पेड़, बाड़ी सब किस तरह मुस्करा रहे हैं। बिना आदमी के भला ये सब जी सकेंगे? नीबू के पेड़ में फूल-ही-फूल भरे हैं, केले का घौंद निकला है, असंख्य सहजन लगे हैं, फूलों के पौधों पर कलियाँ भरी पड़ी हैं- इन सबको छोड़कर कैसे रहूँगी, बता?'

एंजेला पति से कह रही थी, 'ठीक है अमि! किसी की स्वाधीनता पर अंकुश लगाना अच्छा नहीं। ये लोग अपने घर में रहें। हमेशा के लिए हमारे घर में रहना इन्हें अच्छा नहीं लगेगा। किंतु तुम्हारे देश में जब सरकार की ओर से 'वार्धक्य भत्ता' की कोई व्यवस्था नहीं है, तो तुम्हें कम-से-कम हर महीने इनके लिए कुछ वार्धक्य भत्ते का इंतजाम करना चाहिए। इन लोगों ने तो काफी समय तक तुम्हारे लिए रुपये खर्च किये हैं। मुझे लगता है, पिताजी की आर्थिक हालत इन दिनों अच्छी नहीं है।'

अमि ने कुंठा और लज्जा से धीरे से कहा, 'एंजी! तुम्हारी लेंगुएज हमारे देश से मेल नहीं खा रही है। 'वार्धक्य भत्ता' शब्द यहाँ अति कटु शब्द है।'

अखिलमोहन ने बात चलती-फिरती करने के लिए कहा था, 'मैं हमेशा से भाषा से अधिक भाव पर जोर देता आया हूँ। बहू की बात का भावार्थ मैं समझ गया हूँ। वह हमारी मदद करना चाहती है। मैंने तुम पर जो रुपये खर्च किये हैं, उनका हिसाब-किताब निपटाना चाहती है। उसे क्या मालूम कि हमारे देश में बाप-बेटे में व्यावसायिक संबंध किसी सूरत में नहीं होता।'

रमारानी आँखों में आँसू भरे अवाक् हो सुन रही थीं सारी बातें। एक लंबी साँस छोड़ते हुए बोलीं, 'भगवान की कृपा से हमें किसी तरह की कमी नहीं है। हमारा गुजारा हो जाता है। तुम लोग अच्छी तरह रहो। इसी में हमारी खुशी है, आनंद है।'

बिदा लेकर जाने से एक दिन पहले एंजेला ने एक लिफाफा सास की ओर बढ़ाते हुए कहा था, 'यहाँ का चार्ज मैं नहीं जानती। देख लीजिए, ठीक तो है?'

लिफाफे में कुछ रुपये देखकर रमारानी ने कहा, 'ये किस बारे में कह रही हो? ये रुपये किसलिए हैं?'

एंजेला ने सहज रूप से कहा, 'आपने बच्चों को इतने दिनों तक रखा था। उसी के हैं... बेबी सीटर चार्ज...।'

रमारानी निश्चल प्रतिमा-सी खड़ी थीं। वे क्या जवाब दें?

अमियकांत ने सहसा पहुँचकर कहा, 'यह क्या कर रही हो एंजी। हमारे देश में यह सब नहीं चलता...।' माँ को यह बात समझाने के लिए अमियकांत ने कहा, बुरा मत मानना माँ, एंजी किसी खराब मायने में पैसे नहीं दे रही है। उसके देश में यही रिवाज है। हर काम का हिसाब-किताब करना पड़ता है, बच्चे बड़े हो जाने पर माँ-बाप के साथ व्यावसायिक संबंध हो जाता है। बल्कि वहाँ यह सब न करना अभद्रता है।

रमारानी ने लंबी साँस छोड़ते हुए कहा, 'अच्छी बात है। हमारे देश के रिवाज में पोता-पोती के हाथों में कुछ रखा जाता है। वह और कुछ नहीं, स्नेह प्रकट करना है।' रमारानी ने रुपये का लिफाफा रिंकू के हाथ में पकड़ा दिया।

वे लोग लौट गये। उनके जाते ही सिर्फ एक कमरा छोड़कर, पूरा मकान किराये पर चढ़ा दिया अखिलमोहन ने। उनके इस छोटे-से मकान में वातानुकूलन की व्यवस्था नहीं है। बेटे जब भी आएँगे यहाँ नहीं टिकेंगे। शहर में कई संभ्रांत होटल खुल गये हैं। टूरिस्टों के लिए होटल में अच्छी व्यवस्था है। उनके बेटे टूरिस्ट नहीं तो और क्या हैं?

मकान किराये पर चढ़ गया। किरायेदार कोई केरल के सज्जन हैं। रमारानी का लंबे समय से शांत मकान बच्चे की किलकारी से गूंज उठा। रमारानी को सूरज में अभि, अमि और प्रिया दिखाई देते थे। सूरज की मुस्कान, तुतली बातें, टुकुर-टुकुर चलना, शरारत करना, सब कुछ मानों उनके बच्चों का हू-ब-हू प्रतिबिंब है।

सूरज की माँ कोई शिक्षित 'आया' ढूँढ़ रही थी। उसके फिर बच्चा होनेवाला था। पति-पत्नी के तौर-तरीके विदेशी थे। व्यवहार, बातचीत, अदब-कायदा लाजवाब था। किंतु ओडिशा में शिक्षित आया मिलना आसान नहीं। दो महीने के अंदर तीन आया नियुक्त हुईं और उन्हें अनुपयुक्त पाकर कुछ-कुछ दिनों में हटा दिया मिस्ज वर्गीज़ ने। अब सूरज को सँभालना उसके वश का नहीं। प्रसव का समय करीब था। उधर मनचाही आया मिलना असंभव लग रहा था। सूरज के लिए लगातार एक आदमी का होना आवश्यक था।

रमारानी ने सूरज को सँभाल लिया। मिसेज वर्गीज को सांत्वना देते हुए बोलीं, 'देखो वैजयंती, तुम मेरी बेटी की उम्र की हो। सूरज मेरा नाती है। उसके लिए कैसी चिंता? तुम्हें जब तक अच्छी आया नहीं मिलती है तब तक सूरज

की ज़िम्मेदारी मेरी है। जब तक तुम अस्पताल में रहोगी, सूरज मेरे पास रहेगा। उसे कोई दिक्कत नहीं होगी। मुझसे अच्छी शिक्षित आया तुम्हें नहीं मिलेगी? समझीं? तीन-तीन बच्चों को मैंने पाल-पोसकर बड़ा किया है। अब सभी विदेश में प्रतिष्ठित नागरिक हैं। मेरी दक्षता समझ गयीं न?' रमारानी ने आत्मप्रशंसा-भरी मुस्कान छोड़ी।

मिसेज वर्गीज़ ने कृतज्ञता व्यक्त की, 'धन्यवाद आंटी! अब मैं निश्‍िंचत हो गयी। किंतु यह लड़का आपको परेशान कर डालेगा। मैं बहुत जल्दी कोई अच्छी आया ढूँढ़ लूँगी। विज्ञापन दिया है मैंने सभी पत्र-पत्रिकाओं में।'

रमारानी ने सिर हिलाते हुए कहा, 'ठीक है, ठीक है। तुम निश्‍िंचत होकर आराम करो। ऐसे समय में मानसिक चिंता, अस्थिरता और उद्वेग बिलकुल ठीक नहीं। मैं हूँ जो। परेशान क्यों होती हो?'

वाकई अब मिसेज वर्गीज़ परेशान नहीं रहतीं। रमारानी और अखिलमोहन के तरंगहीन दिन सूरज के चपल कौतुक से स्पंदित हो उठे।

रमारानी की सुबह शुरू होती सूरज की तोतली आवाज से, रात को रमारानी के उष्म बिछौने से सोते हुए सूरज को खूब सावधानी से अपने सोने के कमरे में उठा ले जातीं मिसेज वर्गीज। रमारानी भूल गयी हैं कि सूरज भी एक विदेशी अतिथि है। वह किसी भी दिन चला जाएगा उनकी एकांत जिंदगी की यंत्रणा को अनदेखा करके। कंपनी के अफसर मिस्टर वर्गीज आखिर कितने वर्षों तक रहेंगे यहाँ?

सूरज...सूरज...सूरज। मानों सूरजमय हो यह पृथ्वी। सूरज की हँसी सूर्य से भी उज्ज्वल, सुंदर, पवित्र है। इस पृथ्वी की समस्त कलुषताओं से परे है। सूरज, वह एक निष्पाप फूल है। सूरज में अभि, अमि, प्रिया के अतीत से जुड़े सपनों में पूरी तरह खो चुकी थीं रमारानी।

वैजयंती अस्पताल चली गयी। पंद्रह दिन बाद नवजात शिशु को गोद में लिये हुए वापस लौटी। सूरज ने एक बार भी माँ को नहीं ढूँढ़ा इतने दिनों में। रमारानी सूरज को गोद में लिये खड़ी थीं। गर्व से बोलीं, 'देख बैजू, तेरा सूरज ठीक है न?' मिसेज वर्गीज ने सूरज को गोद में लेने के लिए हाथ बढ़ाया। सूरज ने नहीं-नहीं की मुद्रा में सिर हिलाकर मना कर दिया और रमारानी को दोनों हाथों से भींचकर पकड़ लिया।

रमारानी होठ दबाकर मुस्कराने लगीं। फिर बोलीं, 'समझ गयी न, सूरज किसका बेटा है? सूरज मेरा बेटा है, मेरा नाती है, सूरज मेरा अभि, अमि, प्रिया, रिंकू, एनी है...' उनकी आँखें छलछला आयीं पवित्र आनंद से।

मिसेज वर्गीज़ ने बनावटी गुस्सा प्रकट किया, 'यह लड़का कितना बेईमान है? कुछ ही दिनों में मुझे भूल गया!' रमारानी ने मधुर उल्लास में कहा, 'केवल बच्चे ही स्नेह, ममता की उचित कीमत दे सकते हैं। लाभ-हानि, पाना-खोना आदि व्यावसायिक हिसाब से वे कोसों दूर हैं...'

पाँच तारीख को मकान के किराये का चेक सफेद लिफाफे में डालकर रमारानी को दे दिया मिसेज वर्गीज ने। चेक के साथ सौ रुपये का एक नोट भी। रमारानी ने लिफाफे से नोट बाहर निकालकर दिखाते हुए कहा, 'देखो बैजू, तुम कितनी पगला गयी हो। चेक के साथ ये रुपये कैसे? बात क्या है?'

मिसेज वर्गीज़ ने व्यावसायिक स्वर में कहा, 'देखिए, आपका पारिश्रमिक इससे बहुत ज्यादा है। पर मेरी क्षमता जितनी है...'

'पारिश्रमिक?' रमारानी ने आश्चर्य से सवाल किया।

मिसेज वर्गीज ने ठंडे गले से कहा, 'जी आंटी! आपका दो महीने का बेबी सीट चार्ज। आजकल घर-घर बेबी सीटिंग का काम शुरू कर दिया है आप जैसी निर्जंजाली महिलाओं ने। यदि आप और दो-चार बच्चों की भी देखभाल करें तो अच्छी-खासी कमाई हो जाएगी। मेरे मुँह से आपकी प्रशंसा सुनकर मेरी कई सहेलियाँ भी चाहती हैं आपके पास अपने बच्चे छोड़ना। इससे मुझे भी कुछ कम देना पड़ेगा, आपके समय का सदुपयोग भी हो जाएगा! सच ही तो है, आप मुफ्त में दूसरों के बच्चों के लिए इतनी शक्ति और समय क्यों बर्बाद करेंगी?'

रमारानी हतप्रभ-सी सोच रही थीं, 'मातृ-हृदय से वात्सल्य-ममता की धारा तो अनायास ही बहती है। उसके लिए मेहनत नहीं करनी पड़ती। स्नेह-दान से शक्ति कम नहीं होती, बल्कि शक्ति की बचत होती है। हालाँकि आज कल के वस्तुवादी लोगों के आगे ये सब बातें अर्थहीन हैं।'

इतने बड़े आघात का धक्का रमारानी ने किसी तरह सँभाल लिया। रुपये लौटाते हुए ठंडे स्वर में कहा, 'मिसेज वर्गीज! क्या सिर्फ इतना ही है मेरा पारिश्रमिक? इससे तो अच्छा है कि आप कुछ न दें। इतना कम पारिश्रमिक देकर आप मार्किट में मेरा रेट कम कर रही हैं। मैंने तो इससे बहुत अधिक की उम्मीद की थी। मेरी उम्मीद के मुताबिक न दे सकें तो बल्कि सूरज को मेरे पास न भेजें।' रमारानी का गला रुध गया।

मिसेज वर्गीज चुपचाप लौट गयीं सौ रुपये का नोट लिये हुए। धड़ से किवाड़ बंद करके धम्म से बिस्तर पर गिर गयीं रमारानी। क्या उन्होंने वाकई सूरज के लिए इतनी शक्ति खत्म की है? वरना अचानक उनमें इतनी थकान कहाँ से आ गयी।

उसके दूसरे दिन मिस्टर वर्गीज को मकान मालिक से तुरंत मकान खाली करने का मासिक नोटिस मिल गया।

मिसेज वर्गीज दूसरे से कहती थी, 'आखिर बुढ़िया कितना पारिश्रमिक चाहती थी? लाख रुपये? अगर कहती तो क्या दस-बीस रुपये और दे नहीं देती उसे? क्या करेगी इतने पैसों का? इसी कंजूसीपन की वजह से ही तो इसके लड़के आते नहीं, इन्हें पूछते नहीं। आते भी हैं तो घर होते हुए भी होटल में टिकते हैं...'

रमारानी सोच रही थीं, 'मेरे स्नेह का मूल्य लाख रुपये से कहीं अधिक है, उसका अंदाजा तुम लोगों के हिसाबी मन के ब्याज निकालने वाले सूत्र से नहीं लगाया जा सकता...'

जिस दिन सूरज मकान छोड़कर जा रहा था, रमारानी सुबह-सुबह काम के बहाने कहीं चली गयी थीं...

दूसरे दिन अखबार में 'किराये पर मकान' शीर्षक से विज्ञापन छपा था। अन्य विवरण के साथ अखिलमोहन ने लिखा था, 'ध्यान रहे, जिनके बच्चे होगे उन्हें मकान किराये पर नहीं दिया जाएगा।' अखिलमोहन जानते थे कि आजन्म बच्चों को चाहने वाली रमारानी दूसरों के बच्चों को बेतहाशा चाहेंगी और उसका उचित प्रतिदान नहीं पा सकेंगी। फलस्वरूप उन्हें बार-बार ठेस पहुँचेगी और वे टूटती चली जाएँगी।

विज्ञापन पढ़कर जानकार लोग बतियाने लगे, 'बुढ़िया इतनी नीच औरत है कि बच्चों को फूटी आँखों नहीं देख सकती। इसीलिए इतने वर्षों बाद बहू-बेटा आये थे, पर अपना मकान होते हुए भी होटल में टिके थे। क्या विज्ञापन से नहीं लगता ऐसा?'

रमारानी के श्रुतिपटल पर इन सब मृदुगुंजन के साथ और भी कई शब्द नितांत असंलग्न रूप से चक्कर काट रहे थे, पारिश्रमिक, बेबी सीटर, उचित चार्ज, लाभ-हानि, हिसाब-किताब, वार्धक्य भत्ता इत्यादि-इत्यादि...

किंतु उनके मातृ-हृदय के सहज सरल शब्दकोश में इन सब जटिल, अत्याधुनिक शब्दों का नामोनिशान तक नहीं था। इसलिए ये सारे शब्द उनके लिए अर्थहीन हैं, भले ही उन्हें कोई कुछ भी कहे।

❑❑

यंग

मौत यहाँ सभ्यता बुला लाती है। एक का खून हो जाए तो दूसरा जाता है जेल-जेल से चौदह साल बाद लौटने पर वह शहरी तौर-तरीके सीख गया होता है, दुनिया-जहान की बातें जान जाता है, शहर देखकर लौटता है। गाँव में जेल से लौटने वाले का मान बढ़ता है। सोमा किर्सानी जेल जा रहा है आदमी मारकर। लौटेगा शिक्षित होकर, बहुत बड़ा जानकार बनकर। गाँव में सीना तानकर चलेगा। बात-बात पर कहेगा, 'मैं सब कुछ जानता हूँ, सब कुछ।' पर उसने आदमी मारा किसलिए?

चाँद कभी नशे में नहीं होता- वह तो नशा चढ़ाता है, सुध-बुध भुलाता है, मतवाला बनाता है।

गायकोंडा (एक पहाड़) की संधि में छुपे-छुपे, सलप-कंदा की फाँक गें लटककर आज खूब सापुंग (सलप की दारू) पी ली है चाँद ने। चाँद का चेहरा आज लग रहा है सेलांग (लाल)। आखिर किसे बींधा है तीर सापुंग के नशे में? आकाश का एक हिस्सा दिख रहा है रक्त उँड़ेला-सा सेलांग-सेलांग (लाल-लाल)।

नहीं-नहीं, चाँद सापुंग के नशे में कभी भी आदमी नहीं मारता। वह आदमी को मरवाता है, आदमी के सीने से खून बहवाता है। वह देखो, चाँद की आँखों से कितनी सुरि-सुरि (जल्दी-जल्दी) सापुंग का नशा उतरता जा रहा है! चाँद चेहरा पोंछ-पाँछकर पहाड़ की संधि से, सलप (खजूर-जाति का पेड़) की शाखा के बीच चढ़ गया है। पहाड़ की नुकीली चोटी पर चेहरा और आँखें सांग-सांग (पीले-पीले) लग रहे हैं। कितना शांत, कितना स्थिर, कितना कोमल लग रहा है चाँद का चेहरा, ठीक सेलानि (बंडा युवती) के चेहरे-सा।

पर देखो, चाँद किस तरह मदमस्त कर रहा है, गर्माहट भर रहा है बंडा इंगरबँय (युवक) में। गाढ़ी चाँदनी-रात बढ़ रही है, इंगरबॅय का नशा चढ़ रहा

है। चाँद जितना-जितना स्थिर होता जा रहा है, इंगरबँय उतना-उतना अस्थिर। रात बीतने पर सुसुगिगे (माघ परब) है। मुदुलिपाड़ा के बूढ़े बरगद के कोटर से सिंगि (सूर्य) महापू (देवता) का पाटखंडा (पुराने बरगद के कोटर में बारह हाथ की तलवार) महाप्रू को नीचे उतार लाएगा दिसारी। पाँडा या बकरे की बलि चढ़ेगी पाटखंडा महाप्रू के आगे। खून से सने चावल सभी लगाएँगे माथे पर। दिसारी फिर महाप्रू को उठाकर पेड़ के कोटर में रख देगा।

उसके बाद सभी दल बनाकर मदमस्त हो बाजा बजाते हुए मुदुलिपाड़ा के नाइक के घर के अहाते में इकट्ठे होंगे। सभी गाँव के नाइक अपने-अपने गाँव के बीज लाकर मुदुलिपाड़ा के नाइक के आगे धर देंगे। वही मिला-जुला धान नाइक के घर से बीज बनकर निकलेगा। दाँतिपाड़ा का मांद्रा (जो बीज तौलता है) सबको धान तौलकर देगा। बाकी का धान सभी छीन-झपटकर बाँट लेंगे। बलि चढ़े पशु का माँस नोच-नोचकर जो जितना ले जा सका, ले जाएगा। छीना-झपटी, नोचा-खसोटी और हो-हल्ला के बीच परब का काम बढ़ता जाएगा। नशा चढ़े बिना भला यह सब होता है? बगैर सापुंग, पेंडम (सावाँ की दारू), सागर (कोई भी दारू) के बिना परब मनाना कहाँ संभव है बंडा-पहाड़ में?

परब मनाएँगे एक दिन। परब आ रहा है, परब बीता है, के बहाने बंडा आठ-दस दिनों तक मदहोश रहेगा। डंगर (पहाड़ की ढलवा जमीन) में काम करने नहीं जाएगा, खेती-बाड़ी में नहीं खटेगा। कहीं इधर-उधर नहीं जाएगा, लकड़ी लाने नहीं जाएगा। सिर्फ पीता रहेगा, मदमस्त होता रहेगा, नाचता रहेगा, मार डालता होगा और मरता होगा, आदमी पर नशा उतारता होगा आदमी।

बंडा पहाड़ पर बिना खून के परब (त्योहार) आगे नहीं बढ़ता। पशु की बलि से महाप्रू का कोप शांत होता है। आदमी के खून से आदमी का नशा उतरता है। महाप्रू के आगे पशु की बलि चढ़ती है। नशे के आगे आदमी की बलि। बिना परब के भी नशे में लड़खड़ाना बंडा को अच्छा लगता है- परब के दिन की बात छोड़ो, बिना परब के भी बात-बात पर बंडों में मार-काट होती है। आदमी मरे बिना परब आगे बढ़ा है, यह बात बंडा के पहाड़ी इलाके में आज तक सुनने में नहीं आयी।

सापुंग के नशे में रात थिरक रही थी। सोबादिन (सोमवार) को परब है। बंडा पीता है तो मदमस्त होता है, मदमस्त होने पर नाचता है। सारी रात बीत जाती है मिमे-मिमे (नाच-नाच) में। किर्सानीपाड़ा का सिन्दबोर (गाँव के बीच बरगद के नीचे पत्थर पर पत्थर रखकर बनाया गया चबूतरा-सबके मिलने की जगह,

न्याय-निर्णय का मंच)। मंच पर पेड़ से टिककर नशे से ढुलमुल हो घुटनों के बीच मुँह रखे बैठे हैं गाँव के डोकरा (बूढ़े)। सिंदबोर से कुछ दूरी पर नशे से निढाल होने-सी बैठी हैं डोकरियाँ (बूढ़ी महिलाएँ)। धाँगड़ा-धाँगड़ी नाचेंगे, गाएँगे, रात बिताएँगे। डोकरियों ने खूब नाचा है जीवन-भर। अब सिर्फ धुंधली आँखों से बीती उम्र को धाँगडी-नाच (मिमे) में देखेंगी। खुश होगी।

धाँगड़ा-धाँगड़ी के झुंड सिंदबोर के पास इकट्‌ठे होने लगे। धाँगड़ों ने झबरे बालों में खोंस रखी हैं कंघियाँ, फूल, मोरपंख। कमर में टुनटुनाली घण्टियाँ। धाँगड़ियों ने मुड़े हुए चिकने सिर पर लगा रखी हैं रेओर (तालपत्र की पट्टियाँ) और उस पर छोटे-छोटे रंग-बिरंगे लुबाया (माला)।

किसी-किसी ने खोंस रखा है जंगली फूलों का गुच्छा बड़ी लापरवाही से। सबने काबू में रहकर सापुंग चढ़ा रखी है। लेकिन सापुंग ने सबको बेकाबू कर दिया है। धाँगड़ियों को घेरकर उनके चारों ओर किन्दिरि-किन्दिरि गोलाकार घूम-घूमकर) धाँगड़े नाच रहे हैं। धाँगड़ी हमेशा की तरह स्थिर हैं। छोटे-छोटे डग भरते हुए वे एक ही जगह डोल रही हैं, नाच रही हैं।

सोमा किर्सानी नाच रहा था खूब जमकर। जो जितना दम लगाकर पीता है, वह उतना ही जमकर नाचता है। लाख कोशिश करने पर भी बीच में झुंड बना बनाकर चाँद जैसी, सुनहरे फूलों जैसी, सलप कंदा जैसी सुंदरी सेलानियों के बदन से धाँगड़ों का बदन जरा भी नहीं छुलता था। बंडा बहुत चालाक, बहुत होशियार होता है। और किसी की आँखों के आगे न करने जैसी बात वह नहीं करेगा। और फिर अठारह साल के धाँगड़ा सोमा किर्सानी की कुनुइँ (पत्नी) उससे बारह-चौदह साल बड़ी है। उसकी पत्नी अधेड़ उम्र की लछमा बनबिलाव पर एकटक नजर टिकाये हुए है। नाचते समय भी धाँगड़ा के पास लोहा-काट्रा (अस्त्र) रहता है। चाकू, कुल्हाड़ी, धनुष-तीर, गड़ासा। ये न हों तो बंडा मर्द नहीं होता...उस पर नशा सवार है। पत्नी देख रही थी उसका एक-एक डग। कहीं नाचते-नाचते गुस्से में किसी को भोंक न दे? बींध न दे? कोई तो मरेगा- उसके बादम्पर (पति) कोरापुट जेल में रहेगा बारह साल-चौदह साल। जेल से म्पर लौटने तक पत्नी हो जाएगी डोकरी-बूढ़ी। पत्नी के साथ रहेगा जरूर, पर सवाँ के फूल की तरह मन उड़ाता फिरेगा इस छप्पर से उस छप्पर पर भाई की पत्नी, बहू...

लछमा की नजर किसी और पर भी है। वह है उसकी देवरानी बीस साल की धाँगड़ी बुदेइ। पिछले सु सु आरके (फागुन माह) में दस साल के देवर मंगला किर्सानी ने डिअ बिठाया है (शादी की है)। गुलाइनि (बालक) मंगला

अपनी पत्नी धाँगड़ी बुदेइ से डरता है। कभी-कभी रात को उठकर चला जाता है पत्नी के पास से। यंग (माँ) की छाती में मुँह छिपाकर सुँ-सुँ करता है। माँ थपकी दे-देकर विवाहित गुलाइनि (बालक) मंहला को सुला लेती है। आधी रात को नीद के उचटने पर लछमा अँधेरे में टटोलकर देखती, उसके पास उसका म्पर (पति) सोमा किर्सानी नहीं है। दरवाजा बाहर से बन्द है। कान लगाकर सुनती है, देवर के नये बनवाये सुंगुराए (हाथ के कड़े) देवरानी बुदेइ की कलाई में जं-जं बजते हैं। कोहरे में धुआँ बिला जाने-सा, अँधेरे में लछमा के सीने से उसाँस निकल पड़ती फँह करके, बिला जाती अँधेरे में। कोई नहीं देखता, सब जानते हैं सारी बातें। कोई कुछ नहीं कहता। बंडा का अच्छा गुण यही है कि वह सुनी-सुनाई बातों पर बखेड़ा खड़ा नहीं करता। जब तक अपनी आँखों से देख न ले, यदि बात सच हो तो भी उसके लिए झूठी है। एक पहर रात बाकी होती है, सोमा दरवाजा खोलकर चुपके से अन्दर आता है। कुकुसा (बाघ) की तरह पति पर झपट पड़ती है लछमा। गाली देती है- 'नरक्सा, निसतटा, सुन्मा, डइण्डा (खौना, लुच्चा , बेशरम, बेहया) डः डः (जा-जा) जिस औरत के पास गया था उसी के पास जा- डः डः...।'

सोमा पलटकर झट जवाब देता- 'देखा है क्या तूने अपनी आँखों से! किसी और ने देखा है आँखों से! रात को पेट में मरोड़ उठा, इक्साम् (पाखाना) जाऊँगा या नहीं?'

लछमा चुप हो जाती। वह जानती है रात को ससुर, जेठ क्यों उठ जाते हैं अधबूढ़ी पत्नियों के बिस्तर से- पर आँखों देखा सबूत कहाँ? लछमा का सास और जिठानी को भी आज तक आँखों देखा सबूत नहीं मिला है गवाह, सबूत सामने रखकर अन्य स्त्री-पुरुष में भावों का आदान-प्रदान नहीं होता, न जाने कब से। संसार चलता रहता है, अपने आप...सच झूठ...सच झूठ के पाँगण (टोटकों) के बीच। लछमा की जब धाँगड़ी उम्र (बीस-बाईस साल) थी, उसके म्पर (पति) सोमा किर्सानी की उम्र तब आठ-नौ साल की थी। लछमा भी कभी ससुर की चहेती बहू थी, जेठ की प्यारी देवरानी थी। आज धागडी बुदेइ अधबूढ़ी लछमा के म्पर धाँगड़ा सोमा किर्सानी की चहेती देवरानी है। धाँगड़ी के शरीर के यौवन की तरह धूप, वर्षा, ठण्ड, ओस, पहाड़ के सीने पर आती-जाती है...।' लछमा ने सबकुछ झेला है। इसीलिए उसकी निगाह पति पर है, देवरानी पर है।

बुदेइ चाँदनी में सोमा पर पाँगण (टोटका) करती है। बुदेइ के कानों के जुनुंलु (कनापासा) हिल रहे हैं। गले की उँसुंग (हँसुली) थिरक रही है, लिम्बलु (कनफूल) चमक रहे हैं।

छाती का लुबाया (माला) हिल रहा है इधर-उधर उसके नाच के साथ। उसके साथ थिरक रही है बुदेइ की नशीली धाँगड़ी छाती, देह, मन।

बाजा बजाने वाले फिने (तुरही), किडिं, टामक् बजा रहे हैं मतवाले स्वर में। लोहे का गुनुंग बज रहा है डुं-डुं-डुं, किडिं सुनाई दे रहा है डिडिं-डिडिं, पिने बज रहा है पें-पें-पें-मुँह से कोई झिझकारी मार रहा है झिं झिं झिं झिं। धाँगड़ियाँ एक हाथ के कड़े (सुंगुराए) से दूसरे हाथ के कड़े को घिसती हैं नाच से ताल मिलाकर जं जं जं जं...। सोमा किर्सानी नशे में झूम रहा है। बुदेइ की ओर झुक-झुककर, उछल-उछलकर नाच रहा है। उसकी कमर के पीछे डेरंग (बैल की घंटी) टिं टिं बज रही है। सोमा के पैर के आरसुंग (पनसुल), उइया (घुँघरू) बज रहे हैं छम-छम-धाँगड़ी का सीना चिहुँक-चिहुँक उठता है।

लछमा बीच में घुसकर सोमा का हाथ पकड़कर उसे नाच से बाहर ले आयी। सोमा अपने वश में नहीं था। लछमा भले ही अधबूढ़ी हो, क्या सोमा उसकी आँखों के आगे देवरानी बदेइ की उफनती जवानी पर मटक-मटककर नाचेगा। वह बोली, 'कल परब है- घर में पैसे नहीं हैं। क्या रात-भर नाचता रहेगा? घर की फिक्र नहीं करेगा डोकरा होने तक। धाँगड़ा हो चुका है। कोई गुलाइन (बच्चा) है क्या?'

ठाँय से सोमा का होश लौट आया। उसे याद आ गया कि पड़ेइगुड़ा के डोम डँमरू बारिक ने कहा था, बाकी पैसे आज रात लौटा देगा। दीवाली परब पर डँमरू ने सोमा से बकरी ली थी यह कहकर कि हाट में बेचकर पैसे दे देगा। आज तक नहीं दिया। कल सोमा के माँगने पर कहा था, 'आज की रात आना, पैसे दे दूँगा।' लछमा याद न दिलाती तो कल डँमरू बहाना बना लेता। बंडा को बुद्धू बनाने में डोम से कौन पार पा सकता है? उधर कहेंगे बंडा आदमी मारते हैं। हमें डरा-धमकाकर रखा है। इधर बंडा को ठगते हैं, बदनाम करते हैं सबके आगे।

किर्सानीपाड़ा से पड़ेइगुड़ा गाँव की ओर जंगल-ही-जंगल, सुरि-सुरि दौड़ने लगा सोमा। देर होने से डँमरू दरवाजा, खिड़की बंद करके सो जाएगा। सुबह कहेगा, 'कल आने को कहा था, आया क्यों नहीं? क्या कल का पैसा आज धरा है?' सच है। बंडा कल की बात नहीं सोचता। आज जी जाए तो बंडा के लिए काफी है। कल कौन जीएगा, कौन मरेगा, किसे पता है?

डँमरू खाने बैठा था। ढिबरी की रोशनी में उसका चेहरा और तरह का दिखा सोमा को। सोमा ने धमकी देने-सा कहा, 'दे बे मेरी बकरी का पैसा।'

डँमरू ने मुँह में भात का कौर डालकर हकलाते हुए कहा, 'अइके (इस वक्त) कहाँ से लाऊँ? मिंडिका (शाम) को कहाँ गया था?'

सोमा धप्प-धप्प खौल उठा। बोला, 'तुगला (कल) तूने कहा था तुमुंग बेला (रात को) आना। इसी तरह रोज ठगता है।'

'चढ़ा रखी है क्या रे? ड: ड: (जा-जा), कल परब है। भार्तगा (परसों) आना।'

सोमा चीख उठा, 'ठग रहा है, निंग आन् तुइतिंग!' (तुझे बींध डालूँगा।) सोमा के मुँह से बात खत्म नहीं हुई, हाथ से अफेरा ओअम् (तीर)- चल गया, भेद गया डँमरू की पसलियों को जोड़ से होकर। कलेजा बींधता हुआ पीठ में छेद करके निकल गया। भात का कौर डँमरू के मुँह में उसी तरह रह गया- प्राण निकल गये मुँह की ओर से। डँमरू जीभ दबाये लुढ़क गया। उसकी पत्नी बच्चे दहाड़ें मार-मारकर रोने लगे। सोमा तीर की गति से भागा मुदलिपाड़ा प्रोजेक्ट ऑफिस के पास गुलंबाबू (पुलिस) के थाने की ओर। धुंधली-धुंधली चाँदनी में वह एक काले रुंगरूँगा (बादल)-सा लग रहा था। बंडा पहाड़ पर इकतीस गाँव झूम रहे थे नाच में, गीत में, परब के नशे में। कौन मरा, किसने मारा, इतने से परब रुक नहीं जाता।

सोमा उठता-पड़ता भागता जा रहा है गुलंबाबू के पास शरण लेने। बाघ, भालू, साँप से बंडा को जितना भय नहीं, शत्रु का उसे उतना डर है। उसने पड़ेइगुड़ा गाँव का एक आदमी मारा है। उसे भी पड़ेइगुड़ा गाँव का कोई-न-कोई मारेगा। बंडा बदला लेने से नहीं कतराता। बाप, दादा, परदादा के शत्रु को वह जंगलों में ढूँढ़ता फिरता है। चौदह साल तक गुलंबाबू की जेल में सुरक्षित जीने के लिए सोमा दौड़ता चला जा रहा है। आदमी मारने का अपराध किया है, इसलिए नहीं दौड़ रहा है, बंडा के कानून में आदमी मारना जुर्म नहीं, ठगना जुर्म है, रिसा करना (गुस्सा दिलाना) जुर्म है। सारे जुर्म की सजा मौत है-बींधकर मारना है।

गुलंबाबू के सामने खड़े होकर अठारह-बीस साल के सोमा ने हाँफते-हाँफते कहा, 'गुलं आनि तुल रंग तुबेन' (पुलिस बाबू, मुझे बाँध)।

'कासाबे?' (क्यों बे) नींद भरी आवाज में गुलंबाबू ने खीझते हुए पूछा।

'निंग रेमो तुग्तिन्।' (मैंने आदमी मारा है)।

'पी ली थी क्या बे?'

'ओइ सर्!' (जी साहब)।

'कि मिरिसिरिबांग?' (किस मुसीबत में फँस गया?) पुलिस बाबू ने उससे पूछा।

सोमा ने साफ-साफ कहा, 'उसने मुझे ठगा। गुस्सा दिलाया। मैंने बींध

दिया, दंड दिया। दोष उसका था। मैंने दोष नहीं किया, ना ही कोई पाप किया।'

पुलिस बाबू जाड़े की रात नींद से जगकर खीझ भरी आवाज में बोले, 'दोष नहीं किया या पाप नहीं किया तो घर ड: ड:। कल आना।'

'आण्ड्रा, आण्ड्रा गुलं आनि, आनि जेल रुँगता।' (नहीं-नहीं, पुलिस बाबू, मुझे जेल ले चलो) सोमा ने अधीर हो कहा।

आधी रात। बहुत बैगन (ठंड) है! पुलिस बाबू का सिर्फ एक कमरा है। आदमी मारने वाले को रात-भर कहाँ रोककर रखेगा? बंडा का क्या भरोसा? तिसपर चढ़ा भी रखी है, आदमी मारा है, मुँह में खून लगे बाघ-सा! 'पुलिस बाबू जानता है कि बंडा आदमी मारकर कहीं छुप नहीं सकेगा। जेल गया तो आदमी मारकर चौदह साल तक भात-दाल खाकर जी लेगा। गाँव में रहने से कल नहीं तो परसों, जब भी हो, शत्रु के हाथों मारा जाएगा। बंडा के कानून में 'शत्रु को दंड देना और राजा को मनाना है।' गुलंबाबू को सोमा पर तरस आ गया। अंकुरित सलप् पेड़ की तरह गठा हुआ धाँगड़ा है सोमा किर्सानी। उम्र बीस के आसपास होगी। खरगोश के छौने-सा मासूम चेहरा है। साँझ के तारों जैसी निरीह टिमटिमाती आँखें। बंडा कितना हिंसक और साथ ही कितना मासूम, निरीह है!

गुलंबाबू ने विश्वास भरी आवाज में कहा, 'जारे सोमा जा, घर जा, कल परब मनाना ठीक से। और नशा मत करना, अब कितने बरस तक परब नहीं मना सकेगा, जानता है ना। ड: ड:- परसों भोर-भोर आ जाना मेरे पास। हम गुलं लोग कल हाथ में नाली (बंदूक) लेकर परब देखने आएँगे। मैं देखता रहूँगा कहीं कोई तुझे बीधा-बूंधी न करे। उनके गाँव में अभी जाकर कह आऊँगा। तेरे गाँव भी आकर तेरा नाम-गाँव, बाप का नाम गुलं खाते में (सरकारी खाता) लिख लाऊँगा।' सोमा के मन में डर है, कहीं कोई उसे मार न डाले? लेकिन मन खुश है। कलभर का दिन है, परब मनाऊँगा, खूब सापुंग पीऊँगा, धाँगड़ियों के डेरे पर जाऊँगा। जेल में दोनों बखत भात-दाल मिलेगा। किंतु परब का मौज, धाँगड़ी-डेरे का सुख, सापुंग का मजा कभी नहीं मिलेगा।

परब के दूसरे दिन मंगलवार को उजिरिया-उजिरिया (भोर-भोर) किर्सानीपड़ा गाँव के स्त्री-पुरुष दल बनाकर गुलं-थाने आ पहुँचे। साथ था सोमा किर्सानी। उनमें थे गाँव के नायक के साथ कई मुखिया जन। दो-चार जेल से लौटे अधेड़ उम्र के खूनी, सोमा के दोस्त, धरम भाई, मीत, सोमा के पिता, चाचा-ताऊ, माँ, ताई, चाची, बुआ, बड़ी बहनें। वे लोग सोमा को गुलंबाबू से छुड़ाने नहीं आये थे, पकड़वाने आये थे। सोमा को गुलं के हाथों में सौंप दें तो सिंता (चिंता) खत्म हो। बंडा पहाड़ से थाना जाकर आज तक जमानत पर कोई

नहीं लौटा। इस बारे में बंडा को कुछ नहीं मालूम। मालूम हो भी तो बंडा के पास इतना पैसा नहीं, मन नहीं। आदमी मारने वालों के लिए जेलखाना ही सुरक्षित जगह है।

सोमा गुलंबाबू के सामने पालथी मारे थककर बैठा है। इस समय नशे में नहीं है। कहता है, 'मैंने आदमी मारा है। पर मेरा कोई दोष नहीं, दोष उसका है, उसने धोखा दिया है। मैंने मार दिया। अब जो करना है करो।' सोमा का उत्साह ठंडा पड़ गया है। चेहरा दिख रहा है रस निचुड़े उलि (आम) की तरह चिपका हुआ, निचुड़ा हुआ। कल परब खत्म हुआ है। गाँव पर परब का नशा अभी भी सवार है। यह नशा, यह मौज, नाच-गाना और चलेगा चार-छह दिनों तक। अब उसमें सोमा का हिस्सा नहीं है। कौन जाने और कितने सालों तक परब से, गाँव से, डंगर, झरने, लाटा (जंगल) पहाड़ से वह अलग होकर रहेगा?

बंडा गाँव में खून होने से आतंक नहीं फैलता, आह नहीं भरी जाती। बिजली की तरह तुरंत चमक दिखाकर पल-भर में बुझ जाती है खबर। फिर पानी-सा बरस जाता है बंडा के दिन-प्रतिदिन के जीवन में। परब फीका नहीं पड़ता, सापुंग हल्का नहीं होता, नाच-गाने किंडिं, टाभक्, गुनुंग की गूँज थम नहीं जाती। मुर्दा पड़ा रहता है अपनी जगह। उसके घर वालों की सिंता (चिंता) है क्या करेंगे, किस तरह डॉक्टर बाबू से सरकारी कागज (पोस्टमार्टम रिपोर्ट) लाएँगे, गुलंबाबू से लाश छुड़ाएँगे, दाह-संस्कार करेंगे। इस घर में मुर्दा है, उस घर में सापुंग, सागुर (दारू), नाच-गीत।

सोमा आज गाँव छोड़कर जेल जा रहा है। इससे नाच, गीत, मौज-मस्ती नहीं थमेगी। दिन-रात सिंदबोर में, गली-गलियारों में नाच-गीत, रस-रंग चल रहा है। सोमा के कानों में पड़ रही है सेलानियों (धाँगड़ियों) के कंगनों की जं जं आवाज। पनीली दिख रही हैं सोमा की आँखों की काली-काली पुतलियाँ।

गुलंबाबू के घर के सामने गाल पर हाथ रखे थकी-सी बैठी हैं सोमा की माँ, मौसी, बुआ, बहन। सोमा की पत्नी नहीं आयी। उसका पेट भारी है। सिंदबोर के पास खड़ी थी गालों से खून बहाती। बंडा के सीने में तीर लगने पर बंडाइन की आँखों से आँसू बहते हैं कम, गालों से खून बहता है अधिक। दुःख में, कष्ट में, बंडाइन दोनों गालों को नोच-खरोंचकर खून निकाल लेती है! आँखों के आँसू तो पल-भर में सूख जाते हैं। दुःख का निशान नहीं रह जाता आँखों में अधिक देर तक। खून का निशान काफी समय तक रहता है, दुनिया उसे देखती है, बंडाइन के दुःख का प्रमाण-पत्र है उसके खून निचुड़े चिपके हुए वीभत्स दोनों गाल!

बंडा के मरने या जेल जाने पर उसकी पत्नी रोती है कम दिन, बहन उससे अधिक दिन, माँ रोती है जीवन-भर, श्मशान में सोने तक। पति मरने पर बंडाइन को यह दु:ख होता है कि उसे किसी और के यहाँ जाना पड़ेगा, फिर से नया घर बसाना पड़ेगा, नयी झंझटें...! यदि पति जेल गया, तो उसके लौटने की राह देखते-देखते वह डोकरी हो जाएगी। किसी और के घर जाने की मनाही नहीं, पर यदि पति कसम दे गया होगा, तो पत्नी बैठी रहेगी पति के वापस आने तक चौदह साल! बंडा सौगंध नहीं तोड़ता। सोमा की पत्नी लछमा भी ज्यादा नहीं रोयी उसकी यंग (माँ) की तरह। उसकी 'यंग' के गालों पर लाल खून काला पड़ चुका है दु:ख से गाढ़ा होकर। बड़ी-बड़ी आँखों से वह एकटक देख रही है सोमा को।

गाँव से सभी लोग सोमा के लिए लाये हैं पेज (माँड़ मिला भात)। सोमा को खिलाकर विदा करेंगे। गाँव का पेज जेल में नहीं मिलेगा। गुलंबाबू ने सरकारी खाते में सारा बयान टीप लिया है। अब बिदा-बिदाई। सोमा अब ऊपर पहाड़ से नीचे समतल में जाएगा, जेल भोगेगा।

सबने सोमा को ले जाकर पासवाले पेड़ के नीचे बिठाया। सबके घर के पेज माँड से जरा-जरा सा खिलाया। सोमा ने पेज का स्वाद ले-लेकर छककर खाया। अपने गाँव के भाइयों के घर के पेज की महक सूंघ-सूंघकर खून में समा लिया। वही पेज खून बनकर उसके बदन में बह रहा है, जेल में भला यह स्वाद, यह महक कहाँ।

पहाड़ी बंडा थाने में जीप नहीं है। प्रोजेक्ट की जीप नीचे जा रही है। गुलंबाबू जल्दी में है। सोमा को जीप में लेकर चले जाएँ तो चौदह किलोमीटर पहाड़ी रास्ता पैदल चलने से बच जाएँगे। रास्ते में बाघ घात लगाये होते हैं, कल भालू ने तीन-चार लोगों का माँस नोच लिया है। शरीर को कष्ट, जान को खतरा है। जीप धुँधुँआने लगी। गुलंबाबू ने आवाज लगायी, 'सुरि सुरि आबे सोमा।' सोमा पेज चाटकर उठा। सोमा की यंग (माँ) ने सोमा का चेहरा दोनों हथेलियों में कसकर पकड़ लिया। सोमा के मुँह पे, गालों पर, चूमती जा रही है दु:ख के झोंके से बेकाबू हो। आखिर कितने चुम्मे! यंग (माँ) की छाती की सिंता (चिंता), दु:ख, प्यार उँड़ेलने, बहाने के लिए इतने चुम्मे भला कहाँ। खून बहे अपने सेलाँ (लाल) गाल को सोमा के गाल पर रख कुछ देर दबाये रही व्याकुल हो। सोमा के चिपके-निचुड़े गाल के गड्डे में 'यंग' के खून से सने गाल की थोड़ी-सी लाली छप गयी। 'यंग' का प्यार, 'यंग' की तड़प उसके खून के सिवा और कौन समझ सकता है?

सोमा ने किसी तरह छुड़ाया खुद को 'यंग' से। गुलंबाबू की ओर भागा। कहीं जीप चली न जाए। गुलंबाबू सोमा को जेल न ले जाकर छोड़ तो नहीं जाएँगे? मानों सोमा जेल नहीं जा रहा, जेल से भाग रहा है। गुलंबाबू खूनी के पीछे नहीं भाग रहे, खूनी गुलंबाबू के पीछे भाग रहा है। वर-कन्या की उम्र की तरह बंडा की हर बात उल्टी है। बंडा पहाड़ में यही तो दुःख है...

पुलिस को दुःख है कि बंडा सच बोलता है। वकील को दुःख है कि बंडा सच बोलता है। वकील उसे छुड़वाना चाहते पर बंडा कहता है, 'क्या मैं धरम देवता के आगे झूठ कहूँगा? मैंने आदमी मारा है, सच-सच।' बंडा से फायदा छदाम-भर का नहीं। सोमा के पीछे-पीछे दौड़ रही हैं माँ, बहन, बुआ।

सोमा लपककर जीप में बैठ गया। फाँय से साँस छोड़ते हुए रुँधे हुए सीने को हल्का किया। अब सिंता नहीं। अब वह जरूर चला जाएगा जेल। सोमा को विदा करने खइरीपुट ब्लॉक ऑफिस तक जा रहे हैं जेल से लौटे गाँव के नायक, और एक बिरादरी भाई मंगला किर्सानी। वे लोग जेल की सजा काटकर देश-दुनिया देख आये हैं। गाँव में उनका मान बढ़ा है। खातिरदारी बढ़ी ही है, कम नहीं हुई। वे लोग सोमा को जेल का हालचाल, शहरी खूनी, दागी के साथ निभाने का तरीका, अदब-कायदे समझाएँगे रास्ते में।

गाँव के धाँगड़ा-धाँगड़ी खड़े हैं खुली जीप के पीछे। बातचीत नहीं, आँखें दिख रही हैं रंगीन, दुःख से। जाता है साथी, ठीक से जाना, ठीक से रहना, लौटने पर मिलेंगे, बचे रहे तब ना! या फिर कौन जाने जेल ही में मिलें? आदमी मारना, न मारना क्या बंडा के वश में है कि कोई दिल पर हाथ रखकर जोर देकर कह सके कि वह कभी आदमी नहीं मारेगा!

जीप चलने के लिए धुकधुकायी। सोमा के सीने में धक्-सी आवाज हुई। उदास हो उठा। गाँव पीछे रह गया। जीप धीरे-धीरे लुढ़कने लगी। संगी-साथी दौड़ रहे हैं पीछे। कोई उसकी ओर एक रुपया बढ़ा रहा है, कोई बीड़ी, कोई कंघी, अंगोछा, तो कोई बदन से जल्दी-जल्दी उतारकर अपनी मैली-फटी बनियान। चीजें कम, श्रद्धा अधिक। सोमा हाथ बढ़ाता जाता है, सब एक थैले में भरता जाता है। अलमुनियम की डोल में लबालब भरकर पेज लायी है 'यंग'-सोमा के रास्ते के लिए। घर की हाँड़ी खाली कर आयी है। पेज की डोल हिल-डुल होने पर बूँद-बूँद टपकने लगा है पेज। 'यंग' की आँखों से आँसू टपक रहे हैं बूँद-बूँद के साथ, डोल के ऊपर से निकलकर। सोमा ने हाथ बढ़ाकर ले लिया पेज 'यंग' के हाथ से, उनके घर का दिन-भर का खाद्य। यह चीज अब नहीं मिलेगी, चौदह वर्ष, चौदह ससगिगे (माघ परब) खत्म होने तक।

जीप रफ्तार पकड़ने तक 'यंग' जीप के अंदर सिर करके सोमा को कुछ कहती जा रही है, समझाती है, 'सिंता मत करना रे सोमा, दु:खी मत होना, जेल में ठीक से भात-दाल खाकर रहना। तेरी लाँडा (महुवा की दारू) मैं सँभालकर रखूँगी। तेरे सलप पेड़ों की रखवाली मैं करूँगी। तेरे बाल-बच्चों को ठीक से सँभालूँगी, तेरी किमिअ (पत्नी) कहीं और जाएगी तो जाए, मैं तो हूँ। कौन जाने इतने बरस मैं जीऊँगी भी! मैं न भी रही तो पाटखंडा महाप्रू हैं, सिंगि आरके (सूर्य देवता) हैं, डालखाइ रास्ते की देवी मैया हैं। यदि मैं मर भी गयी सोमा, मेरी डूमा (रूह) होगी तेरे घर के बीच खंभे में। तेरे बाल-बच्चों को संकटों से बचाती रहूँगी। तेरी राह तकती रहेगी मेरी जिओ (आत्मा) रूह बनकर। तेरा सारा कुछ जैसा है वैसा ही रहेगा। तू सिंता मत करना।'

सोमा का बप्पा कहाँ है? आया था सबके साथ, पीछे दूर छूट गया है। दु:ख में या नशे में, सोमा नहीं जानता। 'बा' (बप्पा) के लिए सोमा को कोई सिंता नहीं। बाप को भी सोमा की इतनी सिंता नहीं। सोमा का 'बा' उसकी यंग से बारह साल छोटा है। सोमा के बप्पा की उम्र ग्यारह साल थी जब सोमा यंग के पेट से पैदा हुआ था। सोमा से उसका बप्पा ग्यारह साल बड़ा है। बप्पा असली है या नकली...असली है या नकली। सोमा की माँ सबसे बड़ी है- बप्पा से भी, बेटे से भी।...बप्पा असली है या नकली!

सोमा के बेटा-बेटी कहाँ रह गये? जब सोमा की उम्र चौदह साल की थी, उसके बेटा-बेटी रेंगने, चलने, बोलने लगे थे। अपने दोनों बेटा-बेटी से सोमा ग्यारह या बारह वर्ष बड़ा है, सोमा से काफी बड़ी है उसकी पत्नी। सोमा के बेटा-बेटी असली हैं या नकली-असली हैं या नकली! सोमा को बच्चों की उतनी चिंता नहीं, बच्चों को सोमा के लिए इतना दु:ख नहीं। तीर-धनुष लिये चिरई के पीछे-पीछे भागने लगे हैं साथी बच्चों के साथ। सोमा की पत्नी नहीं दिख रही- वह नहीं आयी। सोमा को जेल से लौटने में ज्यादा देर होने पर वह होगी या कहीं और जा चुकी होगी, सोमा नहीं जानता। सोमा की पत्नी सच्ची है या झूठी, सच्ची है या झूठी। सोमा सोच रहा है अपने बारे में। अपने पेट की भूख, अपने शरीर के खून की तरह अपना दु:ख भी अपना ही होता है। उसमें और किसी का हिस्सा नहीं होता। सोमा सोच रहा है अपने डंगर के बारे में, याद कर रहा है अपने सलप के पेड़, झरना, सेलानी डिंगो (धाँगड़ियों का डेरा) और सेलानियों को। अपने सुख के दिन सोमा याद कर रहा है, याद कर रहा है दोस्त-रिश्तेदारों को, परब के दिनों को, चाँदनी रात के नाच-गीतों को। बस इतना ही सोमा का दु:ख है। सोमा की आँखों में डाक् (पानी) उमड़ रहा है, बंडा

पहाड़ के लिए, पहाड़ी जीवन के लिए। और किसी चीज से लगाव नहीं उसे- 'यंग' नहीं। बंडा इंगरबँय शादी के बाद अलग घर में रहता है। माँ-बाप को नहीं पालता, उनके बुढ़ापे का सहारा नहीं बनता। यंग के लिए सोमा का गाँव में या जेल में रहना एक जैसा है। फिर भी यंग जीप के पीछे-पीछे दौड़ी चली जा रही है।

जीप ने रफ्तार पकड़ ली। सोमा की 'यंग' रोने लगी। तेजी से दौड़ने लगी जीप के पीछे। पीठ में बँधे फटे कपड़े को झटककर खोल दिया व्याकुल हो। दौड़ते-दौड़ते पतले हाथ से बढ़ा दिया जीप के अंदर, सोमा के हाथ में। फागुन माह में भी बंडा पहाड़ में बहुत रूँगन (ठंड) पड़ती है। क्या जेल में इससे भी ज्यादा रुगन नहीं होगी?

सोमा ने अनजाने ही 'यंग' के हाथ से फटा, पहना हुआ कपड़े का लत्ता ले लिया। जीप भाग चली। लत्ता सोमा के हाथ में है, 'यंग' छूट गयी पीछे। 'यंग' डबडबायी आँखों से एकटक देख रही है जीप को अपनी नजरों से ओझल होने तक। गाल खुरचने से खून और आँसू एकाकार हैं। छाती के अंदर- क्या भालू नोच रहा है!

सोमा को अचानक कँपकँपी महसूस हुई। जीप चलने की हवा में बंडा पहाड़ की सारी ठंड मानों एक साथ सोमा पर आ पड़ी। सोमा ने, 'यंग' की पीठ का लत्ता ओढ़ लिया। मैले, चिकटे फटे कपड़े के रेशे-रेशे में 'यंग' की छाती की गंध समायी हुई है। सोमा की खुली पीठ गरमाने लगी आग तापने की तरह। 'यंग' की छाती की गंध के साथ 'यंग' का दु:ख, प्यार, आत्मा उष्म-उष्म समाता जा रहा है सोमा के सुन्न कलेजे में...

सोमा ने सोचा-बंडा पहाड़ में जीवन, प्यार, बाप, बेटा-बेटी, पत्नी, भाई लोग, यहाँ तक कि अपना जीवन, मिजाज भी झूठे हो सकते हैं। आकाश भी झूठा हो सकता है, आकाश को किसने पकड़ा या छुआ है? पर 'यंग' झूठी नहीं हो सकती, बाप आकाश की तरह बाहर से सच्चा हो तो भी झूठा हो सकता है, पर 'यंग' माटी-सी सच्ची है- 'यंग' झूठी नहीं हो सकती। कहीं भी जाने पर जिस तरह माटी पैर के नीचे-नीचे चलती रहती है, उसी तरह 'यंग' भी परछाईं-सी साथ रहती है, मरने के बाद भी डूमा बनकर इर्द-गिर्द डोलती रहती है, शिकार के लिए जाने पर, महुआ के लिए जाने पर, जेल जाने पर-

यंग कभी झूठी नहीं हो सकती।

सोमा 'यंग' के पेट से जनमा है, दुनिया जानती है। सोमा को 'यंग' के खूनमाँस से आत्मा मिली है, वह जानता है।

जीप बाघ-डंगर की मोड़ घूमते ही सोमा ने देखा, डूमा की तरह दूर एक परछाईं खड़ी है, उसकी ओर ताकती। वह उसकी दुखियारी 'यंग' (माँ) है-

यंग की पीठ के मैले लत्ते पर सोमा की आँखों से आँसुओं की कुछ बूंदें टप्-टप् समा गयीं। वे आँसू किसी और के लिए नहीं, यंग के लिए थे।

❑❑

अनाथ

सभी उसे अनाथ कहकर बुलाते थे, क्योंकि उसके बाप का कोई अता-पता नहीं था और यही वजह थी कि उसका नामकरण तक संभव नहीं हुआ था।

जाड़े की सुबह की धूप कोहरे को बींधकर ठिठुरन भरे शरीर को राहत पहुँचाने की तरह जो धुंधला अनुभव उसकी शिथिल अनुभूति को उष्म कर रहा था, वह था माँ की याद। जब से होश सँभाला, इस दुनिया में वह अकेला है। घर नहीं, गाँव नहीं, ठिकाना नहीं, जाति धर्म भी नहीं।

उसकी तरह अनेक बेकार, अनाथ, अवांछित प्राणी इस दुनिया में हैं। प्रकृति उन्हें न जीने देती है न मरने देती है। वे लोग मरते-मरते जीते हैं, और जीते-जी मरते रहते हैं। उनके जीवन और मौत के बीच सिर्फ सूत भर का अंतर होता है। इसीलिए उन्हें जीने-मरने की परवाह नहीं। एक तरह से स्वच्छंद जीवन होता है उनका। दायित्व कहा जाए तो अपने शरीर की रक्षा करने के सिवा और कुछ भी नहीं।

'शरीर-रक्षा' का दायित्व किसी अनाथ पशु के लिए जितना आसान है अनाथ मनुष्य रूपी जीव के लिए उतना आसान नहीं। अनाथ पशु एक स्वाभाविक जीवन बिताता है, जबकि शरीर-रक्षा कर पाने में समर्थ मनुष्य रूपी-देहधारी जीव का जीवन बड़ा अस्वाभाविक होता है। एक अनाथ-पशु पशु बनकर जी सकता है पर एक अनाथ-मनुष्य मनुष्य नहीं रह जाता। मनुष्य में गिनती होने के लिए उसे एक नाम, गाँव, पितृ-परिचय, जाति, धर्म, ठिकाने की जरूरत होती है। अनाथ के पास इनमें से कुछ नहीं होता। इसलिए क्या वह वाकई एक मनुष्य है?

अनाथ का शैशव और बचपन माँ को ढूँढ़ते हुए लगातार रोते-रोते बीता है। क्योंकि उस उम्र में सभी मानव-शिशु की मददगार माँ होती है।

उस उम्र की आयु-रेखा आगे की ओर खिंच जाने के बाद अनाथ अब माँ को नहीं ढूँढ़ता, ढूँढ़ता है बाप को। कोई अनाथ हो या न हो, हर मनुष्य में एक स्वाभिमान छुपा होता है- 'मैं मनुष्य हूँ' की आवाज उसकी आत्मा की गहराई से सुनाई देती रहती है। इसीलिए यौवन छूते ही शरीर-रक्षा के लिए दूसरों के आगे तुच्छ बनकर, हाथ फैलाकर भीख माँगने के लिए अनाथ की आत्मा विरोध करती है। निश्चित रूप से सभी अनाथों की आत्मा दाँत निपोरकर भीख माँगने का विरोध करती होगी। भला किसे अच्छा लगता है चोरी करना।

'काम' न मिलने पर शायद मनुष्य भीख माँगता है या फिर चोरी करता है। चोर के बाप का भी परिचय चाहिए, नाम-गाँव पता चाहिए जब चोर पकड़ा जाता है। किंतु भीख माँगने पर भिखारी का नाम पर भिखारी का नाम-गाँव, पता, पितृ-परिचय, जाति, धर्म कोई नहीं पूछता। शायद भीख माँगने वाले मनुष्य को समुचित अधिकार नहीं दिया जाता। जो काम नहीं करता भला उसका कैसा अधिकार? और जिसका अधिकार नहीं उसके नाम-गाँव पते की जरूरत नहीं होती।

अनाथ ने अधिकार ढूँढ़ा, उसने काम ढूँढ़ा, इसलिए बाप के परिचय की जरूरत पड़ी। उसे नाम, गाँव, पते, जाति, धर्म की जरूरत पड़ी। परिचय जाने बिना भला कौन उसे काम देगा?

अनाथ ने जब देखा कि उसकी उम्र के बच्चे पढ़ने जा रहे हैं, वह भी उनके पीछे-पीछे डग बढ़ाते हुए स्कूल के बरामदे में जा खड़ा हुआ, उसने कहा- 'मैं भी पढूंगा।'

मास्टर साहब ने नाक पर चश्मा चढ़ाकर बड़े ध्यान से उसकी ओर देखते हुए पूछा- 'तेरा नाम क्या है रे? कौन है तू?'

'मैं एक लड़का हूँ'- अनाथ के पास इसके सिवा और कोई जवाब नहीं था। क्योंकि इससे अधिक वह अपने बारे में नहीं जानता था।

'लड़का?' यह तो मैं भी देख सकता हूँ। पर किसके लड़के? कौन है तेरा बाप? तेरे बाप का नाम, गाँव, पता क्या है?

'यह सब मैं नहीं जानता। मैं तो बस एक 'लड़का' हूँ। पढ़ने आया हूँ।' अनाथ ने साफ-साफ जवाब दिया। डर संकोच बिल्कुल नहीं। वह जितना जानता था सब साफ-साफ कह दिया मास्टर साहब के सामने।

'ओ...ओ...'अनाथ' है...चल भाग यहाँ से- कहीं और जाकर पढ़। इस स्कूल में पढ़ना हो तो तेरा कोई बाप, दादा, भाई, रिश्तेदार, अभिभावक होना चाहिए। वरना भले-बुरे का जिम्मेवार कौन होगा? या फिर जा-सरकार से लिखा

ला कि तेरा भला-बुरा हुआ तो उसके लिए सरकार जिम्मेवार होगी- हम नहीं? हम लोग तो बस पढ़ाते हैं, हम इस स्कूल के मालिक नहीं हैं, हम तो तनख्वाह पाने वाले नौकर हैं। चल भाग यहाँ से- हमारे ऊपर कोई संकट मत खड़ा कर।' मास्टर असहाय हैं या वह अनाथ। कुछ समझ नहीं आया। अनाथ मन मसोसकर लौट आया। पर उस दिन से उसका नाम हो गया 'अनाथ'। अच्छा ही हुआ। मनुष्य को पहचानने के लिए पहले उसका एक नाम होना चाहिए। उसके बाद बाप का नाम। अनाथ ने एक लंबे अरसे तक 'बाप' को ढूँढ़ा।

दुनिया में पुरुषों का ताँता लगा हुआ है। न जाने किन पुरुषों के पुरखों की है यह मनुष्य जाति। हर पुरुष किसी-न-किसी की संतान है-पुत्र है...। किंतु हर पुरुष 'बाप' नहीं है। अनाथ नासमझ-सा एकाध लोगों से पूछ बैठा- क्या तुम मेरे बाप बनोगे? जवाब के रूप में मिले थे उसे ब्रह्म-तमाचे। उसके बाद से अनाथ ने किसी को बाप नहीं समझा। अगर समझा भी है तो मुँह खोलकर पूछा नहीं। सिर्फ मन ही मन बाप को ढूँढ़ता रहा- अपना परिचय तलाशता रहा। बाप को ढूँढ़ते-ढूँढ़ते पढ़ाई की उम्र बीत गयी। फिर उसने बाप नहीं ढूँढ़ा। भगवान को ढूँढ़ा। शायद अनाथ समझ गया था कि इस समाज में भगवान मिलना आसान है लेकिन एक अनाथ को बाप मिलना बहुत मुश्किल है।

अनाथ ने प्रतीक्षा की थी कि भगवान से मुलाकात होते ही वह पूछेगा। 'यदि भगवान का पितृ-परिचय न होते हुए वह श्रेष्ठ है- मनुष्य को पितृ-परिचय की जरूरत क्यों होती है? भगवान अपने महान कार्यों के लिए दूसरों के द्वारा पूजे जाते हैं। मनुष्य काम करके महान क्यों नहीं बन सकता?' ऐसे कई सवाल अनाथ के छोटे से दिमाग में बड़े रूप में आकर खड़े हो जाते हैं। उसके सवाल के जवाब मनुष्य से नहीं मिलते, क्योंकि मनुष्य उसे दुत्कार देते हैं। इसलिए अनाथ अपने सवालों के जवाब भगवान से पाने की आस में भगवान को ढूँढ़ निकालने को बेचैन हो उठता है।

पर भगवान है कहाँ? उससे कहाँ मुलाकात होगी, कहाँ है उसका घर...? अनाथ ने कई लोगों से भगवान का पता पूछा।

गेरुआ वस्त्र पहने, टीका-चंदन लगाये एक थुलथुले पेट वाले प्रौढ़ ने कहा, 'भगवान मंदिर में ही मिलेंगे। मंदिर के बाहर ढूँढ़ने से भला कैसे मिलेंगे?'

एक दाढ़ी वाले, टोपीधारी प्रौढ़ ने कहा, 'मस्जिद में इबादत कर। अल्लाह मिल जाएँगे। अल्लाह ही भगवान है।'

एक अन्य व्यक्ति के गले में सोने की जंजीर पड़ी थी। जंजीर में झूल रहा था सोने का एक क्रॉस। उसने सफेद कपड़े पहन रखे थे।

उन्होंने कहा– भगवान गिरजा घर में हैं। तुम्हारे लिए गिरजा घर खुला है। जाओ, प्रभु की शरण में जाओ। तुम्हारे दु:ख-दर्द दूर हो जाएँगे...'

अनाथ घबरा गया। तो क्या भगवान एक नहीं तीन हैं-चार हैं...या और भी अधिक हैं इस दुनिया में? किस भगवान से मिले कि उसके सारे सवालों का जवाब मिल जाए?

पहले अनाथ ने मंदिर की ओर डग बढ़ाया। उसका रास्ता रोककर खड़े होते हुए किसी ने पूछा– 'प्रवेश शुल्क लाये हो?'

'नहीं साहब– मैं गरीब हूँ...' अनाथ ने डरते हुए जवाब दिया।

'तो फिर लौट जाओ।'

'मैं भगवान के दर्शन करने आया हूँ। कृपया मुझे अंदर जाने दीजिए।'

'तुम्हारी जाति, गोत्र, धर्म क्या है?' कर्कश स्वर में वज्रपात किया मंदिर रक्षक ने।

'मेरी जाति, गोत्र, धर्म कुछ नहीं है। मेरा परिचय 'मैं' ही हूँ। मेरा कोई निश्चित घर-द्वार नहीं। जहाँ रहने लग जाता हूँ वही मेरा गाँव है, वही मेरा देश है, वही मेरा घर है। सभी मुझे 'अनाथ' कहकर बुलाते हैं'– अनाथ का स्पष्ट उत्तर अस्पष्ट हो गया कोलाहल के बीच। बहुत-से लोग उस पर समुद्र की लहरों की तरह उमड़ते हुए चीत्कार कर उठे– 'तू विधर्मी है, तू दूसरी जाति का है, तू म्लेच्छ है, पतित है...चल भाग, भाग यहाँ से– मंदिर अपवित्र मत कर। वरना प्रायश्चित्त का रूप बड़ा भयंकर होगा।'

अनाथ जान बचाकर आँखें मूंदकर दौड़ने लगा। मन ही मन सोच रहा था कि यदि मनुष्य को जीने की राह नहीं दिखाई तो मंदिर का क्या प्रयोजन है? मंदिर किसी को जिलाने के लिए है या मारने के लिए? पीछे से कुछ पत्थर उसके पैरों में लगे। वह मुँह के बल जा गिरा मस्जिद के द्वार पर। उसने सोचा वास्तव में मस्जिद में ही भगवान हैं! मंदिर में हैं केवल मूर्तियाँ...।

मस्जिद में प्रवेश करने के लिए जो निश्चित तौर-तरीके और वेश आवश्यक है वह अनाथ में नहीं थे। किसी ने सवाल किया– 'कौन है तेरा भगवान? क्या नाम है उनका– ईश्वर, अल्लाह या...?'

अनाथ ने हाथ जोड़कर विनम्रतापूर्वक कहा– 'हुजूर, मुझे तो अपने बाप का नाम भी नहीं मालूम। ईश्वर मेरे माई-बाप हैं, जन्मदाता हैं– उनका नाम कैसे जानें? मेरे ईश्वर कौन हैं मैं नहीं जानता। इसीलिए ढूँढ़ रहा हूँ...।'

'इसका मतलब तुम मुसलमान नहीं हो...'

'नहीं साहब, मैं कुछ नहीं हूँ-मैं तो बस अनाथ हूँ...।'

'तो फिर यहाँ से जल्दी चले जाओ। यहाँ सिर्फ मुसलमानों के अल्लाह की इबादत होती है।'- उस टोपीधारी व्यक्ति ने दृढ़ स्वर में कहा।

अनाथ वहाँ से भी जान बचाकर भागा। सामने गिरजा घर था। वह रुक गया। उसने सोचा, शायद भगवान से मिलने का यही वास्तविक स्थान है। उसके सामने सफेद कपड़े पहने एक आदमी खड़ा था। सीने पर सोने का क्रॉस लटक रहा था। उन्होंने पूछा- 'क्या चाहिए?'

'भगवान को ढूँढ़ रहा हूँ। अंदर जाऊँ?' अनाथ ने इजाजत माँगी।

सीने पर क्रॉस लटकाये व्यक्ति ने मधुर मुस्कान बिखेरी। उनकी पोशाक से और भी शुभ्र, स्निग्ध है उनकी मुस्कान। लगता है अनाथ को यहाँ कूल-किनारा मिल जाएगा।

उन्होंने कहा, 'अंदर जाने की मनाही नहीं है। परंतु ईश्वर के दर्शन नहीं होंगे।'

'क्यों नहीं होंगे ईश्वर के दर्शन? मैं अंधा तो हूँ नहीं? आपको देख ही रहा हूँ। ईश्वर को क्यों नहीं देख सकता?' अनाथ को आश्चर्य हुआ।

उन्होंने गंभीर होकर जवाब दिया, 'ईश्वर को देखने के लिए जिस दृष्टि की जरूरत होती है, वह दृष्टि तुममें नहीं है। डूबन (बपतिस्मा) लेने पर ही ईश्वर का दर्शन कर सकते हो।'

अनाथ सिर पर पैर रखकर दौड़ा। उसने डूबन का मतलब पानी में डूबना समझा। वह पूर्णतः विचलित और दिक्-भ्रमित हो इधर-उधर भागने लगा। वह समझ नहीं पा रहा था कि किस ओर जाने पर खुद को बदले बिना सिर्फ 'अनाथ' के परिचय से ही ईश्वर से मिल सकेगा और वह अपने प्रश्नों का उत्तर पा सकेगा। थककर वह एक सुनसान जगह पर बैठ गया। बैठते-बैठते ही भूख और दु:ख से सो गया। उसने एक भयंकर सपना देखा।

खून की नदी में वह बह रहा है। उसके साथ और भी शव बह रहे हैं। मंदिर, मस्जिद, गिरजा, घर-द्वार, बिल्डिंग वगैरह कुछ भी नहीं है। सभ्यता धूल में मिल चुकी है। वह खुद जिंदा है या मरा हुआ?

चौंककर उसकी नींद खुल गयी। न जाने वह कब तक सोया रहा? पर उसे लगा मानो समय इतिहास बन गया है। उसी इतिहास के पन्नों पर मंदिर, मस्जिद, के सारे टूटे-फूटे शब्द अक्षर बन गये हैं। खून की लाल स्याही से लिखे अक्षर जीभ लप-लपाकर आगामी को डरा रहे हैं- सावधान कर रहे हैं।

अनाथ को वे सारे शब्द साफ-साफ सुनाई दे रहे हैं। क्या शब्द नहीं मरते? अनाथ एक-एक शब्द को कान लगाकर समझने की कोशिश कर रहा है। नहीं

यह शब्द मरण का नहीं- जीवन का है। कितने सुमधुर सुनाई दे रहे हैं झाँझ-मंजीरों के बीच से उभरते शब्द-उसी में सुनाई दे रहा है, अल्लाह हो अकबर...

अनाथ का बदन रोमांचित हो उठा। तो क्या सारे ईश्वर आपस में मिलजुल गये है? तब तो अब उसे अंदर जाने की मनाही नहीं होगी। अब वह ईश्वर से आमने-सामने मिल सकता है। अनाथ उसी ओर दौड़ने लगा।

दूर से एक जुलूस आ रहा है। एक बाबा को मचान पर बिठाये चार लोग कंधे पर ढोये हुए हैं। क्या बाबा ईश्वर है! नहीं- बाबा तो बात कर रहे हैं। ईश्वर मूक है। कहते हैं उनके अदृश्य संकेत से दुनिया चल रही है। मनुष्य क्यों ढो रहा है मनुष्य को, यह बात अनाथ चाहकर भी नहीं समझ पाया। इस दुनिया में मनुष्य मनुष्य के बीच कितना अन्तर है वह देखता आया है। किन्तु यहाँ तो आकाश-पाताल का फासला है- एक मनुष्य ईश्वर है तो दूसरा भारवाहक पशु। मनुष्य-रूपी पशु यहाँ मूक है। नर-रूपी नारायण ही प्रगल्भ है।

वह जो कुछ कह रहे हैं, अनाथ के सिर में कुछ भी नहीं घुस रहा। वह कह रहे हैं ईश्वर किसी एक निश्चित स्थान पर जनमे थे। ईश्वर की जन्मभूमि में उनका एक मंदिर था। उस मंदिर की जगह एक दिन मस्जिद बन गयी। आज हजारों वर्ष बाद वहाँ मंदिर बनाया जाएगा, मस्जिद को मंदिर की जगह से हटाना पड़ेगा! वह कुछ लोगों को संगठित होने का आह्वान कर रहे हैं। ईश्वर का निवास पुनरुद्धार करने की प्रेरणा दे रहे हैं। उस जुलूस में शामिल हो जाने पर शायद अनाथ के ईश्वर मिल जाएँ। वह डग बढ़ा रहा है, पीछे से मानों किसी ने खींचकर पकड़ रखा हो। एक अश्रुत शब्द मानों गूँज उठा- 'तेरा ईश्वर कौन है, नहीं मालूम- क्योंकि तू अनाथ है। तू किसी दल में नहीं है...।'

अनाथ किनारे खिसककर खड़ा हो गया। प्रोसेसन आगे बढ़ गया। किंतु यह क्या? एक पुलिस बाबू ने आकर अनाथ की आँखों के सामने जगत्-पिता कहलाने वाले 'बाबा' को हथकड़ी पहना दी और अपने साथ ले गये। बाबा के दल के लोग उत्तेजित हो उठे। एक छोटा-मोटा दंगा हो गया होता। हालात को पुलिस ने सँभाल लिया। अनाथ घबरा गया। ईश्वर के मामले में पुलिस क्यों हाथ डाल रही है? पुलिस के जाने के बाद अनाथ ने पुलिस को गाली दी। किसी ने समझा दिया कि पुलिस हस्तक्षेप न करती तो खून-खराबा हो जाता। कहते हैं कि इस दुनिया में डाकू और दानवों ने जितनी नरहत्या नहीं की है, उतनी नरहत्या की है ईश्वरों के शुद्ध भक्तों ने। अपने-अपने ईश्वर की गद्दियाँ मजबूत करने के लिए वे खून की धार बहाने से नहीं घबराते। शायद यह पृथ्वी के इतिहास में लिखा है।

ईश्वर क्या राजा-मंत्री हैं कि उनके लिए वोटों का प्रचार, गद्दी के लिए मारपीट, दूसरे दल के लोगों पर छींटाकशी करने के लिए, गाली-गलौज करने के लिए कुछ लोग अलग से पाले जाते हैं? ईश्वर के दल वाले भी 'पार्टी' चंदा वसूलते हैं। समय पड़ने पर मारते हैं, मरते हैं...। यही है उनका पेशा।

अनाथ ने तय किया कि अब वह भगवान को नहीं ढूँढ़ेगा, क्योंकि उन्हें पाने के लिए उसे किसी न किसी दल में शामिल होना पड़ेगा। दंगे-फसाद में भाग लेना पड़ेगा। जरूरत पड़ने पर गिलहरी की तरह खून की नदी में बूंद भर खून भी मिलाना पड़ेगा। अनाथ बेचारा एक 'शांतिप्रिय' मनुष्य है। खून-खराबे से वह घबराता है, हिंसाकांड से वह घृणा करता है।

भूख से छटपटाता हुआ मुट्ठी-भर अन्न के जुगाड़ में वह आगे बढ़ गया। जिसे मरना हो मरे। वह जीना चाहता है। ईश्वर को न ढूँढ़कर बल्कि जीवन को ढूँढ़ना सौ गुना अच्छा है। मंदिर के भीतर जाना भले ही मना हो- मंदिर के बाहर हाथ पसारकर भीख माँगने की मनाही नहीं है। मंदिर के बाहर भक्तजन प्रसाद बाँट जाते हैं। मंदिर के पिछवाड़े फेंके गये प्रसाद के जूठे पत्तलों के सहारे कई कुत्ते और मनुष्य युग-युग से अपनी आयु रेखा बढ़ाते आ रहे हैं। अनाथ की आयुरेखा भीख और जूठन पर बढ़ती चले तो इससे सभ्यता रुक नहीं जाएगी।

किंतु आज मंदिर बंद है। पूजा, अर्चना आरती सब बंद है। भगवान का स्नान भोजन भी बंद है। आज सभी भक्तों और पुजारियों ने हड़ताल कर रखी है। बाबा के 'गिरफ्तार' होने के विरोध में सबने एक दिन का काम छोड़ दिया है। इसका मतलब आज देवता बिना नहाये-धोये खाये-पीये ही रह गये। क्या बाबा देवता से भी बड़े हैं। देवता को भूखे-प्यासे रखने वाले लोग 'बाबा' के भक्त हैं या देवता के, यह बात अनाथ के छोटे से भेजे में नहीं घुस रही थी। अनाथ का मन देवता के लिए अंदर से भर आया। भूख से देवता का पेट कुकुआ रहा होगा। लाज से कुछ कह नहीं पा रहे होंगे, पर उन्हें कष्ट तो अवश्य हो रहा होगा। जिसका शरीर भूख और उपवास से बना है, उसे भूख जितनी नहीं सताती, उससे कहीं अधिक सताती है राजा, महाराजा, और देवताओं को जो भर-भर परात दिव्य भोजन दिन में कई बार करते हैं, उन्हें निर्जला उपवास करना पड़ा इन निष्ठुर भक्तों के कारण।

मंदिर के भीतर से दर्शन करके लौट रहे। एक व्यक्ति ने अनाथ से पूछा-
'क्यो देवता भूख से रो रहे हैं?'

'देवता रोजाना की तरह हँस रहे हैं।'

'भूख में भी?'

'देवता को भूख नहीं लगती...'

'तो फिर इतना प्रसाद किसे परोसा जाता है?' अनाथ ने भौचक-सा पूछा।

उस भक्त ने उदार स्वर में कहा- 'यदि देवता वास्तव में होते तो क्या मनुष्य जैसे लोभी, स्वार्थी लोग इतना-इतना भोग लगाते? यहाँ सारा कुछ मनुष्य के लिए होता है। मनुष्य के स्वार्थ में यदि सूत भर भी कमी आ जाए तो मनुष्य देवता को कहता है लकड़ी, पत्थर- तू तो अनाथ है, तू क्यों इन बातों में दिमाग खराब करता है? शहर में इस समय जैसी स्थिति है उसमें देवताओं से जितनी दूर रहेगा, उतना अच्छा है। न जाने कब क्या हो जाए। जो पकड़े गये हैं उनकी बात छोड़ँ। तू तो नहीं पकड़ा गया। तेरा तो कोई जाति धर्म भी नहीं। क्यों इधर-उधर घूम-फिरकर अपनी मौत को बुलावा दे रहा है?'

अनाथ कुछ समझ नहीं पाया। देवता के आसपास घूमने-फिरने से मनुष्य का भला न होकर बुरा होता है- शुभ न होकर अशुभ होता है, यह सोचकर उसके साफ मन में गिजिर-बिजिर रेखाएँ खिंच गयी हैं- ये रेखाएँ कलेजे में सूई जैसी चुभ रही हैं। देवताओं, ईश्वर के लिए मनुष्य-जाति छोटे-छोटे टुकड़ों में बंट गयी है।

वह और कुछ सोच नहीं पा रहा था। भूखे-प्यासे पसीने से लथपथ वहीं बैठ गया हथेली पर गाल रखकर। थोड़ी दूरी पर कोई दंगा शुरू हो गया था। दंगे का शोर धाँय-धाँय करके चारों ओर उमड़ रहा था। किधर जाना सुरक्षित है, वह समझ नहीं पाया। निरुपाय-सा सड़क के बीचोंबीच खड़ा हो गया। फेरा लगाने-सा उसे बीच में रखकर चारों ओर घूम रहे थे सभी दल के लोग। सबके हाथों में अस्त्र, मरणास्त्र थे। जो हाथ फूल, चंदन, शास्त्र, पुराण, धर्म ग्रंथ धारण करते हैं, क्या वे अस्त्र भी धारण करते हैं। जो हाथ चंदन, अगरु, धूप, दीप की महक से गमकते रहते हैं, क्या वे ही हाथ मनुष्य के सीने के आमिष खून से लाल हो जाते हैं...'

'मत मारो-मनुष्य होकर मनुष्य की जान मत लो।' चिल्लाते-चिल्लाते अनाथ का उपासा गला फट गया- उसकी आँखों के सारे आँसू नदी बनकर बह गये पर खून की लाली नहीं पनियायी। भय से, आतंक से उसकी आँखें फटी रह गयीं पर मनुष्य की आँख नहीं खुलीं।

उसे इधर-उधर उलट-पलटकर वे लोग आपस में खून की होली खेल रहे थे। अनाथ ने उनके भगवान को अलग-अलग नाम से पुकारते हुए उन सबकी प्राण रक्षा के लिए काफी मिन्नतें कीं। किंतु ईश्वरों ने अपने-अपने दल के पक्ष में न अस्त्र उठाये और न ही ईश्वर से संबंधित उस महासमर में भाग लिया।

धीरे-धीरे अनाथ का वही भयंकर सपना सच होने जा रहा था। मंदिर, मस्जिद, गिरजा, गुरुद्वारे टूट चुके थे। सभ्यता का नामोनिशान मिट चुका था। ईश्वर कहाँ छुप गये कोई जान तक नहीं पाया।

लाश की ढेरियों के बीच अनाथ अचेत हो गया। जब होश आया उसने देखा रक्तिम समुद्र से एक लाल सूर्य उग रहा है। अनाथ ने भय से आतंकित स्वर में पूछा- 'मैं जी रहा हूँ या मर गया?'

एक सम्मिलित स्वर में उत्तर मिला- 'तुम जी रहे हो और जीओगे।'

अनाथ चौंककर बैठ गया। उसके चारों ओर उसके जैसे कई अन्य जिज्ञासु बैठे थे। अनाथ ने पूछा, 'तुम सब कौन हो?'

'हम सभी अनाथ हैं- हमारे बाप नहीं हैं, पते नहीं हैं, ईश्वर नहीं है न ही सम्प्रदाय हैं, इसलिए उन्होंने हमारी हत्या नहीं की। तुम डरो मत-इस पृथ्वी पर अनाथ ही जीवित रहेंगे। चलो उठो- संकट टल गया है।'

'कहाँ जाएँगे? क्या करेंगे? पृथ्वी तो सुनसान पड़ी है'- अनाथ ने दर्द भरी आवाज में पूछा।

उन लोगों ने आश्वासन दिया- 'चलो फिर से सभ्यता गढ़ेंगे। तुम्हारी तरह किसी के जीवित रहने मात्र से सभ्यता गढ़ना काफी है...'

'लेकिन मेरा तो कोई परिचय नहीं है। मैं तो अनाथ हूँ...'

'तुम्हारे बाप का परिचय तो तुम्हारा परिचय है नहीं, उसके लिए परेशान क्यों होते हो? तुम्हारा परिचय मिल गया है।' वे लोग स्वागतिका गा रहे थे।

अनाथ ने विह्वल जिज्ञासा से चीत्कार किया- 'मैं कौन हूँ?'

'तुम एक मनुष्य हो।' समवेत चीत्कार के धक्के से खून की नदी में लहरें उठ आईं।

अनाथ उल्लसित आवेग से अपने अंत:स्थल में झाँककर रोमांचित हो उठा।

❑❑

* 9 7 8 9 3 9 0 5 0 0 5 7 4 *

FCW - #0186 - 061026 - C48 - 216/140/17 - PB - 9789390500574 - Gloss Lamination